Charlotte Williams

Het huis op de klif

Vertaald door Marja Borg

Anthos|Amsterdam

ISBN 978 90 414 2129 6
© 2013 Charlotte Williams
© 2013 Nederlandse vertaling Ambo|Anthos *uitgevers*,
Amsterdam en Marja Borg
Oorspronkelijke titel *The House on the Cliff*
Oorspronkelijke uitgever Macmillan
Omslagontwerp Bloemendaal & Dekkers
Omslagillustratie © Mark Owen/Arcangel Images

Verspreiding voor België:
Veen Bosch & Keuning uitgevers n.v., Antwerpen

Voor Henry en Natàlia

Proloog

Je keek altijd naar haar, hè? Je volgde al haar bewegingen, als een havik. Nou ja, logisch dat er naar haar werd gekeken. Ze was een mooie meid. Blosjes op de wangen en een hemelsblauwe trui, blonde krullen, een ultrakorte korte broek, en van die lange bruine benen met vierkante, knokige knieën, als van een kind. Die dijen van haar, zonder ook maar een enkel putje, en de verrukkelijke zijdeachtige donshaartjes aan de binnenkant van haar schenen. Ze was net kind af – dat kon je merken aan de manier waarop ze niet stil kon zitten wanneer ze daar op de bank tv-keek of aan het lezen was, met die slungelige benen van haar, wiebelend, aan haar haren frutselend, tot ze merkte dat je keek en weer rechtop ging zitten, haar voeten op de grond zette en haar armen over elkaar sloeg, haar borsten verbergend, ineens verlegen.

En zoals ze lachte, net rinkelende belletjes, belletjes die je alleen in sprookjes hoort, blikken belletjes, klingelende belletjes van een arrenslee... Oh, what fun it is to ride... Het was fijn om dat in huis te horen, het doorbrak de somberheid, sneed erdoorheen alsof het gelei was, troebele aspic, waar wij allemaal in zaten. Ze riep ons, dat was wat ze deed, ze herinnerde ons eraan dat wij ook gelukkig zouden kunnen zijn, hadden kunnen zijn, nog steeds konden zijn, als we maar...

Ze stond altijd op het punt om in lachen uit te barsten, dat kon je gewoon zien, haar woorden wankelden op het randje, gleden van haar roze kat-

tentongetje, met haar adem zoet en warm als een schoteltje melk. Dat doen ze niet meer wanneer ze groter worden, hè, meisjes – alle vragen wriemelend en giebelend beantwoorden. In zekere zin was het een zegen dat ze voor altijd zo is gebleven, vrolijk en blij, blij en vrolijk, en half duizelig op de rand van haar leven, kijkend naar het water onder haar en moed verzamelend om erin te duiken. Een zegen dat ze nooit vermoeid wakker is geworden, zonder iemand naast haar, alleen, met pijn in haar buik, een lege, wrange pijn van gemis, door de regen op het raam naar de bomen starend, hun takken afwerend opgetrokken tegen de winterse hemel, terwijl ze zich afvroeg hoe het kon dat er al zoveel jaren waren verstreken, jaren die haar snel en sluw hadden beslopen, stuk voor stuk spelers in het schaduwspel op lange zomeravonden, die je op hun tenen naderden, iedere keer dat je omkeek, steeds dichterbij, tot er uiteindelijk eentje een stap naar voren deed en je op je schouder tikte...

Ach toe, hou op. Jij bent er nog. Niet sentimenteel worden. Wat geweest is, is geweest. Het verleden blijft waar het was, ver achter je. Op een goede dag sla je een hoek om en kun je het niet meer zien. Het is weg. Er is niets van over, helemaal niets. En verder weet niemand het, toch? Het was alleen jij en zij, dus als je ervoor kiest om het je niet te herinneren... nou, dan is het voorbij. God heeft ons verlaten en hij komt niet meer terug.

Natuurlijk was het helemaal haar eigen schuld. Ze wist donders goed waar ze mee bezig was. Je zei tegen haar dat ze geen spelletjes met mensen moest spelen. Een beetje rondparaderen en pakken wat en wanneer ze maar wilde. Het was gewoon niet eerlijk. Je hebt gedaan wat je moest doen. Er een eind aan gemaakt, meteen.

En je had er daarna geen spijt van, en nu ook niet, nog steeds niet, je zult er nooit spijt van hebben, want als puntje bij paaltje komt heeft ze haar verdiende loon gekregen, verdomme. Met dat gefriemel en gewiebel en gegiechel van haar, de onschuld zelve.

8

Stomme trut. Het was haar eigen schuld. Haar eigen domme schuld. Niet die van mij...

1

Het was een zonnige maandag in september. De dag begon zoals alle andere: Bob weg voor zijn werk, Nella en Rose die kibbelden bij het ontbijt en later, in de auto onderweg naar school, allebei stil. Ik zette ze af voor het hek en keek ze na; ze liepen de weg af, op gepaste afstand van elkaar, de keurige Rose in haar donkerblauwe anorak, met haar haren in een paardenstaart, en Nella voortsloffend in haar gescheurde spijkerbroek, haar hoofd meebewegend met haar iPod. Ik vroeg me af of Rose misschien niet al te volmaakt was uitgevallen, met haar neiging om iedereen te behagen. En Nella als andere uiterste, een beetje te slordig, te onverschillig. Onwillekeurig slaakte ik een diepe zucht terwijl ik hen nakeek.

Ik hoop dat het goed gaat, dacht ik, terwijl ze om een hoek uit beeld verdwenen, de een na de ander. Ik voelde de vertrouwde steek van liefde, of van angst, of van wat het ook is dat me altijd overvalt wanneer mijn kinderen van me weglopen, de wijde wereld in; en toen leunde ik naar voren, zette de radio aan en reed naar mijn werk.

Op Cathedral Road zat het verkeer vast en onder het wachten trok ik de achteruitkijkspiegel iets naar me toe om mezelf even te bekijken. Ik had die nacht niet goed geslapen en dat was te zien aan de wallen onder mijn ogen. Ik pakte mijn lippenstift uit mijn zak en wreef er wat van over mijn wangen in de hoop dat dat de aandacht zou afleiden van de wallen. Dat deed het ook, maar niet op de goede manier. Net toen ik overwoog om het er weer af te vegen begon de bestuurder van de auto achter me te toeteren, dus ik duwde de spiegel weer recht en zette mijn voet op het koppelingspedaal, de aanvechting onderdrukkend om mijn middelvinger naar hem op te steken.

Onderweg naar de praktijk kocht ik een beker koffie. Ik parkeerde mijn auto achter het gebouw waar ik werk en liep naar de ingang. Bij de balie bleef ik even staan praten met Branwen, de receptioniste; we hadden het er uitgebreid over of het die dag wel of niet zou gaan regenen. Daarna liep ik de trap naar de eerste verdieping op, deed de deur van het slot en liep naar binnen.

Mijn kamer was rustig, licht en uitnodigend als altijd. Het zonlicht kwam door de bladeren van de bomen voor het raam gefilterd binnen en wierp een bewegend schaduwspel op het plafond, en van de straat beneden me klonk het zachte gezoem van verkeer op. Alles in de kamer was volmaakt geordend, mijn boeken in rechte rijen op de planken, mijn reliëf in Ben Nicholson-stijl sereen aan de muur ertegenover. De twee leunstoelen in de hoek stonden precies goed – niet zo dicht bij elkaar dat je je ongemakkelijk voelt, maar wel dicht genoeg bij elkaar voor intieme ontboezemingen – en de bank bij het raam, met zijn zachtgroene bekleding, zag er eerder uitnodigend dan intimiderend uit.

Ik liep naar mijn bureau, zette mijn computer aan en begon mijn post door te nemen, terwijl de computer zoemde en flakkerde. Er zat weinig belangrijks tussen de rekeningen en reclame, alleen een paar uitnodigingen voor congressen waar ik waarschijnlijk toch niet naartoe zou gaan, eentje in Leipzig en eentje in Stockholm. Onder op de stapel lag een kleine bruine envelop met mijn naam er in nette hoofdletters op geschreven. Me afvragend wat het kon zijn, maakte ik hem open. Er zat geen brief in, alleen een foto van een man van middelbare leeftijd. Hij maakte een onheilspellende indruk en toen ik wat beter keek, zag ik ook waarom: zijn ogen waren met een viltstift zwart ingekleurd.

Ik begreep er niets van. De foto was buiten gemaakt, misschien aan zee – in elk geval op een winderige plek. De man was knap, op een aristocratische manier, met een volle bos grijzend haar, een hoekige arendsneus en het soort rimpels dat een gezicht karakteristiek maakt, doorleefd, en niet afgetobd en verslagen. Hij droeg een leren jack, met de kraag stoer opgeslagen tegen de wind. Om zijn lippen speelde een vaag lachje. Hij keek als een man die nogal ingenomen was met zichzelf en zijn plaats in de wereld, misschien keek hij zelfs ietwat neerbuigend naar de toeschouwer. Zelfs de zwart gemaakte ogen konden zijn zelfverzekerde air niet wegnemen.

Ik keek nog een keer of er misschien een brief bij zat, maar de envelop was leeg. Ik draaide hem om en bestudeerde het poststempel. De brief was de dag ervoor gepost, bij mij in de stad. Ik vroeg me af wie hem in godsnaam gestuurd kon hebben, en waarom. Ik was nieuwsgierig, maar niet verontrust. Het is het risico van mijn vak om eigenaardige epistels opgestuurd te krijgen. Ex-cliënten, of familieleden ervan, sturen me van tijd tot tijd wijdlopige, onsamenhangende brieven die óf uitbundig óf beledigend zijn, of allebei. Meestal neem ik ze snel even door, leg ze opzij en stuur dan na een paar weken een beleefd bedankbriefje. Omdat op deze envelop geen afzender stond, was wel duidelijk dat ik in dit geval zelfs dat niet hoefde te doen.

Ik stopte de foto terug in de envelop en legde hem in het 'nog af te handelen'-bakje op mijn bureau. Erbovenop legde ik de post van deze ochtend die ik apart moest houden. De reclamefolders gooide ik in de prullenmand. Daarna haalde ik het dekseltje van mijn koffie, blies in de beker en nam een slokje.

De telefoon ging. Ik nam niet op, want ik wist al wie het zou zijn – Bob had een congres. Het antwoordapparaat sprong aan en ik luisterde.

'Jess, ik bel even om te horen hoe het gaat.' Bob klonk een beetje ongerust. Mooi zo, dacht ik. Net goed. Laat hem maar lijden.

Een maand geleden was Bob teruggekomen van een zakentrip en had hij me opgebiecht dat hij was vreemdgegaan. Hij zei dat hij zich had voorgenomen om het me niet te vertellen, maar dat hij toen hij thuiskwam, had gemerkt dat hij niet met zijn schuldgevoel kon leven. Hij smeekte me hem te vergeven en verklaarde dat hij niet ongelukkig met me was, maar dat hij zich gefrustreerd had gevoeld over zijn carrière. Het was een zielige poging geweest om zijn ego op te poetsen, had hij gezegd. Ik had erg weinig begrip voor hem kunnen opbrengen.

'En de meisjes,' vervolgde Bob. 'Ik hoop dat Nella's concert vandaag goed gaat. Zeg haar maar dat ik het jammer vind dat ik er niet bij kan zijn.' Hij liet een stilte vallen. 'Wil je haar zeggen dat ik van haar hou en haar succes van me wensen?' Weer een stilte.

Ik had hem gevraagd hoe oud de vrouw was. Een jaar of dertig, had hij beschaamd gezegd. Wie ze was, had ik willen weten. Gewoon een plaatselijke tolk, had hij verteld. Totaal onbelangrijk. Dat had me met walging vervuld. Een man van tweeënvijftig, hoofd van de juridische afdeling van de Nationale Vergadering van Wales, die naar bed ging met een vrouw die veel jonger was dan hij, iemand die hij onbelangrijk vond. Ik had verder geen vragen gesteld. En ik had het hem ook niet vergeven.

'Je mobieltje lijkt het niet te doen. Ik heb de mijne aanstaan, mocht je willen bellen.' Hij zuchtte. 'Hoe dan ook, ik ben vanavond weer thuis. Ik neem wel een taxi vanaf het vliegveld. Het zal wel een uur of negen worden.' Stilte. 'Tot later. Ik heb een verrassing voor je.'

Ik hoopte dat het geen bloemen zouden zijn. Bob weet dat ik dol ben op bloemen, dus kwam hij daarmee aanzetten, reusachtige bossen, in de verwachting dat ik ze in een vaas zou zetten, om het vervolgens zelf maar te doen omdat ik het niet deed. Als ik ze op de schoorsteenmantel zag staan, onhandig geschikt, kreeg ik zin om te huilen. Of te schreeuwen. Dat had ik nog niet gedaan, behalve in mezelf. Ik was vastbesloten om de meisjes niet van streek te maken.

En ik wilde mijn huwelijk redden... in elk geval voorlopig...

Bob hing op. Ik boog me naar voren en zette het geluid van de telefoon uit zodat ik niet meer zou worden gestoord.

Ik keek op mijn horloge. Nog een uur voor mijn eerste afspraak van de dag, een intakegesprek met een nieuwe cliënt. Ik besloot wat research te doen in verband met een van de vaste cliënten die later zou komen in plaats van nog langer bij Bob stil te blijven staan en me af te vragen wat hij op dat congres allemaal wel niet uitspookte en of ik hem zijn verraad ooit zou kunnen vergeven.

Ik zat een stuk over gecompliceerde rouw te lezen in de *Journal of Phenomenological Psychotherapy* toen er op de deur werd geklopt. Ik keek op de klok. Mijn nieuwe cliënt was iets te vroeg, maar aangezien het zijn eerste keer was – een intakegesprek, nog geen echte sessie – legde ik het blad weg, pakte mijn aantekeningen en liep naar de deur om hem binnen te laten.

Meteen toen hij binnenkwam, viel me op dat hij een uitzonderlijk knappe man was, lang, breedgeschouderd, met een natuurlijke elegantie. Ik schatte hem eind twintig of zoiets. Hij droeg een zorgvuldig gescheurde spijkerbroek, een zwarte V-halstrui zonder iets eronder en hardloopschoenen die vol riempjes en flapjes zaten. Zijn halflange haar had hij naar achteren gestreken en hij had lichte stoppeltjes op zijn kin.

'Neem plaats,' zei ik, gebarend naar een van de leunstoelen in de hoek van de kamer.

'Sorry dat ik iets te vroeg ben.' Hij sprak op zachte, beleefde toon.

'Dat geeft niets.'

Hij nam de stoel die het dichtst bij het raam stond. Ik ging tegenover hem zitten en wierp een blik op mijn aantekeningen. 'Vindt u het goed dat ik u met Gwydion aanspreek, Mr. Morgan?'

'Geen probleem.'

'En tegen mij kun je gewoon Jessica zeggen.'

Hij knikte. Van dichtbij zag ik dat hij groene ogen had, omrand met volle, zwarte wimpers. Ik wendde mijn blik af. Het leek onfatsoenlijk om dat niet te doen.

Ik wachtte tot hij zou beginnen te praten. Zo heb ik het tijdens mijn opleiding geleerd. Wacht tot de cliënt het gesprek opent. Je luistert aandachtig en vervolgens ga je 'spiegelen' – dat wil zeggen dat je herhaalt wat ze zojuist hebben gezegd, misschien een beetje parafraserend. Alleen doe ik niet altijd wat ik hoor te doen. Bijna nooit meer eigenlijk. Na al die jaren ervaring vertrouw ik tegenwoordig gewoon op mijn gevoel. Dus vroeg ik na een korte stilte: 'Wat kan ik voor je doen?'

Toen ik sprak, was ik me bewust van zijn blik op mij. Gewoonlijk kleed ik me nogal zakelijk voor mijn werk en draag ik mantelpakjes en mooie blouses. Ik val op vintage van hoge kwaliteit en op remakes; ik doe veel moeite om die te vinden en passend te maken. Maar die ochtend was mijn outfit wat meer casual, want het was een warme dag. Ik droeg een bedrukte katoenen jurk in jarenveertigstijl en espadrilles met hakken. Maar nu begon ik me verlegen te voelen met mijn blote benen en wilde ik dat ik wat onopvallenders had aangetrokken.

'Ik weet het niet.' Hij haalde een hand door zijn haar, in een gebaar van frustratie. 'Het is een beetje...' Zijn stem stierf weg.

Opnieuw stilte. Deze keer zei ik niets. Uit ervaring weet ik dat iemand op het punt staat iets belangwekkends te zeggen wanneer hij ineens zijn mond houdt.

'Het is raar... Ik weet niet hoe...' Hij bloosde.

Ik vroeg me af of het voortijdige zaadlozing zou zijn. Dat is een van de meest voorkomende problemen die ik bij mannen zie. Vooral bij mannen onder de dertig, zoals deze hier. Dus wachtte ik op een gelegenheid om hem te kunnen helpen het te zeggen, als dat het was.

Hij sloeg zijn blik neer. De volle, zwarte wimpers fladderden tegen zijn rode wangen. Na een tijdje sprak hij: 'Het heeft met knopen te maken.'

'Knopen?' Ik herhaalde het woord zacht, kalm. Spiegelen dus. Soms is het natuurlijk het beste om wel de geijkte procedure te volgen.

'Ja, knopen.'

Ik keek of er een metalen knoop aan zijn spijkerbroek zat. Mocht dat al zo zijn, dan ging hij schuil achter zijn riem.

'Een speciaal soort?'

Hij keek op, opgelucht dat ik hem niet had uitgelachen.

'Die van plastic zijn het ergst. Die met vier kleine gaatjes erin. Maar eigenlijk vind ik alle knopen niks.'

Er viel een stilte.

'Nou.' Ik schonk hem naar ik hoopte een geruststellend lachje. 'Dat is niet zo ongewoon als je misschien denkt. Het is een bekend syndroom. Het heeft zelfs een naam. Koumpounofobie.'

'Echt waar?' Hij keek opgelucht. 'Koumpou... hoe?'

'Koumpounofobie. Ze hebben dat woord verzonnen voor mensen die zoveel last van een knopenfobie hebben dat ze zelfs het woord "knoop" niet kunnen uitspreken.'

'Aha.' Een beetje op zijn hoede glimlachte hij naar me. 'Nou, zo erg is het bij mij niet. Ik kan best over knopen praten. Ik kan ze niet dragen, maar ze zien gaat wel. Van een afstandje. Maar ik zal ze nooit aanraken. En als ze losraken. Of eraf vallen...' Hij rilde.

Ik had al eerder gevallen van koumpounofobie meegemaakt. Die waren moeilijk te helpen. Soms, als het mij niet lukte, stuurde ik ze door naar Dougie, de cognitieve gedragstherapeut aan de andere kant van de gang. Meinir, de hypnotherapeut op de verdieping boven me, was ook behoorlijk goed met dat soort dingen.

Gwydion zuchtte en haalde zijn hand over zijn voorhoofd. Zijn glanzende haar viel naar voren over zijn gezicht.

'Het is erger als ik gestrest ben.'

'Ook dat is heel gebruikelijk.'

Dit leek hem enigszins van zijn stuk te brengen. Mensen zijn raar wat dat betreft, is me opgevallen. Eerst zijn ze blij om te ontdekken dat ze een syndroom hebben met een belangwekkend klinkende naam. Vervolgens vragen ze zich bezorgd af of hun klacht wel bijzonder genoeg is.

'Eerlijk gezegd zijn er op dit moment nogal wat spanningen in mijn leven,' zei hij. 'Ik maak lange dagen, want ik ben een serie aan het afmaken.' Hij zweeg en keek me onderzoekend aan. 'Een tv-serie.' Hij zweeg weer. 'Ik ben Danny in *Down in the Valley*. Dat heb je waarschijnlijk weleens gezien.'

'Aha,' zei ik, met een neutraal knikje.

Down in the Valley is een langlopende Welshe soap. De meisjes volgen hem nauwgezet. Zelf had ik echter nog nooit een hele aflevering uitgekeken en ik had Danny ook beslist niet in beeld gezien. Anders had ik me dat wel herinnerd.

Hij begon me over zichzelf te vertellen. Hij was niet alleen Danny in *Down in the Valley*, maar had ook een hoofdrol gehad in een film die *The War of the Dragon Kings* heette en in nog wat andere series en films gespeeld. Dat kon ik allemaal vinden op een site die Curtain Call Casting heette, zei hij. Hij stond op het punt van een doorbraak in zijn carrière, want hem was een van de hoofdrollen aangeboden in een belangrijke nieuwe historische serie, een bewerking van de roman *Helen* van Maria Edgeworth, een tijdgenote van Jane Austen. Hij was er erg enthousiast over en was al bezig met de voorbereidingen voor de repetities die over drie maanden zouden beginnen. Hij zocht nu hulp omdat hij bang was dat hij het niet zou redden met zijn kleding – de knopen op zijn vest, zijn jas enzovoort. Hij sprak op een intense manier; hij was welbespraakt en gevoelig en nam zijn werk duidelijk zeer serieus. Ondanks – of dankzij – zijn gereserveerdheid, had hij een sterke persoonlijkheid en ik kon me goed voorstellen dat hij een begenadigd acteur was. Ik zag ook dat hij zich erg veel zorgen maakte over zijn fobie en bang was dat deze kans, waarop hij lang had gewacht, hem door de vingers zou glippen.

Toen hij was uitgesproken, vroeg ik: 'Zijn er op het ogenblik misschien nog meer problemen in je leven?'

'Hoe bedoel je?'

'Zijn er nog andere dingen waar je je zorgen om maakt?'

'Zoals?'

'Nou, relaties bijvoorbeeld.'

'Ik heb geen vriendin, als je dat bedoelt. Ik bedoel, ik heb wel... af en toe...' Hij wendde zijn blik af. Zijn schroom verbaasde me, want hij was een zeer aantrekkelijke man. 'Maar niets serieus. Niet op dit moment in elk geval.'

'En je familie?'

'Ik ben enig kind. Ik heb een erg nauwe band met mijn moeder. Mijn vader...' Hij stokte. 'Eigenlijk kan ik niet zo goed met mijn vader opschieten,' vervolgde hij na een korte pauze. 'Hij is nogal egocentrisch.' Hij aarzelde. 'Maar eerlijk gezegd wil ik het daar liever niet over hebben. Ik wil gewoon van mijn knopenfobie af en dan weer verdergaan met mijn leven.'

Ik knikte. 'Dat snap ik, met die grote rol die er aankomt. Maar als je haast heb, zal ik helaas weinig voor je kunnen betekenen. Ik ben psychotherapeut. Wat ik doe, kost veel tijd en inspanning. En het werkt niet eens altijd.'

Hij keek verbaasd.

'Want als ik je echt zou gaan behandelen, dan zouden we het zeker over je relatie met je familie moeten hebben, en vooral over de relaties die je als lastig ervaart.'

Hoewel er iets van irritatie over zijn gezicht trok, ging ik gewoon door. 'Dus als je dit snel wilt regelen, ben je beter af bij mijn collega hier tegenover. Hij heeft een totaal andere benadering. Hij zal je helpen met het herkennen van je negatieve gedachtepatronen, je specifieke angsten enzovoort en dan een reeks oefeningen met je doen om te proberen die te veranderen. Misschien maakt hij gebruik van een techniek die "blootstelling" heet. Eerst praat je over knopen, vervolgens krijg je foto's van knopen te zien, daarna zal hij je vragen om er eentje vast te houden, enzovoort, tot je van je fobie af bent.' Ik zweeg even. 'Had je zoiets voor ogen?'

Hij keek weifelend.

'Het is echt erg effectief,' zei ik. 'En ik kan je deze collega ook van harte aanbevelen.'

'Het punt is...' Hij keek weg, mijn blik ontwijkend. 'Het gaat niet alleen om de knopen.'

Hij leek ineens verlegen, gegeneerd. Opnieuw kwam het idee bij me op dat hij misschien een seksueel probleem had, maar ik zette dat meteen weer van me af. Je eigen gedachten even apart zetten, daar gaat het om als je naar iemand luistert. Ze even tussen haakjes zetten om er later weer op terug te komen. Dat is een goede stelregel, waar ik me dan ook aan probeer te houden.

'Ik vind het moeilijk om erover te praten.' Zijn stem was nu niet meer dan een fluistering.

Ik vroeg me af wat er aan de hand was. Naar mijn mening zijn fobieën met betrekking tot dingen als knopen en spinnen redelijk goed te begrijpen, hoewel moeilijk te behandelen. Ze zijn de veilige, handige plekjes waar we graag al onze angsten wegstoppen over de grote dingen die we niet onder controle hebben, te beginnen met het feit dat we geboren zijn, dat we doodgaan, en dat we niet weten waarom. Het is gemakkelijker om bang te zijn voor knopen dan voor die andere dingen. Tot het moeilijker wordt natuurlijk.

Uiteindelijk sloeg hij zijn ogen op en keek me recht aan. 'Ik moet je beter leren kennen voordat ik...'

Ik probeerde te luisteren, maar ik begon me langzamerhand te voelen als een geschrokken konijn dat in de koplampen van een auto staart.

'Ik hoop iemand te vinden die...'

Een auto met erg grote koplampen in een erg donkere, regenachtige nacht.

'Iemand die ik kan vertrouwen.'

Ik voelde plotseling een golf van hitte vanuit mijn borstkas naar boven trekken. Ik wendde mijn gezicht af, bang dat ik een rood hoofd zou krijgen.

Tegenoverdracht, hield ik mezelf voor. Wanneer je emotioneel betrokken raakt bij je cliënt en begint te denken dat je hartstochtelijk verliefd op hem bent of hem haat. Gewoon verschoven emoties uit andere relaties in je leven. In dit geval had het behoorlijk wat sneller dan anders de kop opgestoken, zelfs nog voor de overdracht. (Dat is wanneer de cliënt begint te denken dat hij hartstochtelijk verliefd op jou is of je haat.) Maar ik maakte me er niet al te druk om. Ik wist bijna zeker dat ik het aankon. Als ik de situatie onder controle zou weten te houden, dan kon dat weleens heel verhelderend blijken te zijn, voor ons allebei. Zoals ik al zei, in de loop der jaren heb ik geleerd om vertrouwen in mezelf te hebben.

Gwydion knipperde met zijn ogen, ik knipperde met mijn ogen, en het moment was voorbij.

Ik keek even naar het reliëf aan de muur tegenover me. Het was wit en rustig en sereen. De cirkel lag heel vanzelfsprekend tussen de vierkanten, in de kalme overtuiging dat hij daar op zijn plek lag.

'Nou, Gwydion,' zei ik. Ik keek hem weer aan en schonk hem mijn vriendelijkste, verstandigste lachje. 'Ik beschouw mezelf als behoorlijk betrouwbaar. Als je besluit bij mij in therapie te komen, dan zal ik mijn best doen om je te helpen.'

2

Na Gwydion Morgan had ik nog vier andere cliënten, allemaal vaste cliënten, die allemaal verhalen verzinnen die me nog steeds wisten te boeien en ontroeren, of het nu de verhalen zelf waren of het verzinnen ervan; en daarna reed ik naar Nella's school. Ze zou die middag zingen tijdens een concert. Ze was er nog maar kort geleden mee begonnen – alle meisjes deden het voor het tentamen muzikale vorming, zei ze, het was gemakkelijker dan een instrument leren bespelen – maar tot dusverre had ik haar nog geen noot horen zingen. De zeldzame keren dat ze oefende, trok ze haar slaapkamerdeur stevig dicht, zette haar stereo hard aan en verbood me binnen te komen tot ze klaar was. Ze had ook niet gewild dat ik naar het concert kwam, maar ik had erop gestaan.

Omdat ik aan de late kant was, reed ik wat te hard naar school, ik scheurde het voorplein op en parkeerde gehaast. Daarna rende ik naar de aula en voegde me bij de laatste ouders die binnenstroomden. Ik vond een stoel, beleefd knikkend naar de mensen die ik kende, en keek naar Nella. Ze stond samen met haar klasgenoten aan de zijkant van het podium. Toen ze me zag, zwaaide ik onopvallend, maar ze zwaaide niet terug. In plaats daarvan wendde ze zich af en begon met haar vriendinnen te praten.

De leraar liep naar de deur en deed hem dicht; het geklets in de zaal stierf weg. Daarna stapte hij het podium op, stelde zich voor en bedankte ons voor onze komst. Hij leek een beetje al te blij met onze aanwezigheid, wat niet veel goeds voorspelde.

De eersten die optraden, waren twee pijnlijk verlegen jongens met elektrische gitaren. Een van hen roffelde een saaie bluesriff, terwijl de ander daar op goed geluk overheen improviseerde. Terwijl ze speelden gleden mijn gedachten af naar de foto die ik die ochtend had ontvangen. Waarschijnlijk gewoon een ontevreden cliënt, hield ik mezelf voor, maar toch was het raar. Ik moest proberen uit te vinden wie de man op de foto was; misschien kon ik er dan achter komen wie me hem gestuurd had...

Als volgende was een mollig, onhandig meisje met een bril aan de beurt, dat zich al zagend op haar cello van haar taak kweet. Ze maakte de indruk van een jonge vrouw die niet veel mee had in het leven, maar desondanks vastbesloten was om Bachs fladderige arpeggio's tot overgave te dwingen en daarmee een tien voor zichzelf in de wacht te slepen. Hoewel het een marteling was geweest om te moeten aanhoren, had ik de neiging om te gaan staan en te juichen toen het stuk was afgelopen.

Een beetje een verveelde indruk makend kwam de leraar weer het podium op, hij nam plaats achter de piano en kondigde aan dat het nu de beurt aan de zangeressen was. Zoals Nella al had gezegd, waren het allemaal meisjes. Geen jongen te bekennen.

Als eerste trad een aantrekkelijk vijftienjarig meisje met zorgvuldig gehighlight en geföhnd haar op; haar keurige vertolking van 'My Heart Will Go On' klonk loepzuiver. Ondanks de onzinnige tekst – waar zij natuurlijk niets aan kon doen – en haar belachelijk theatrale gebaren, werd haar optreden op een onstuimig applaus onthaald. Daarna slenterde Nella naar voren, met gebogen hoofd, haar gezicht verborgen achter haar haren, en haar handen in de zakken van haar spijkerbroek.

Ik hield mijn adem in en mijn hart begon te bonken. Ik probeerde niet op het randje van mijn stoel te gaan zitten. Toen de leraar het lied inzette, maande ik haar in stilte om het publiek aan te kijken, maar ze bleef koppig naar de vloer staren.

Ze begon te zingen. Haar stem was een fluistering, bijna on-hoorbaar. Ik voelde me geïrriteerd, gefrustreerd. Wat bezielde mijn dochter? Waarom was ze zo onzeker, waarom straalde ze geen zelfvertrouwen uit zoals het meisje met de highlights? Ze was min-stens zo mooi en kon waarschijnlijk ook net zo goed zingen. Als ze nou maar...

Toen hief ze haar hoofd. Ditmaal klonk haar stem luid en duide-lijk. Ik slikte en kreeg tranen in mijn ogen. Ze had een prachtige stem, en dit was de allereerste keer dat ik hem hoorde. Onder het zingen keek ze heel kort mijn kant uit. Ze moet de emoties van mijn gezicht hebben kunnen aflezen en dat gaf haar blijkbaar moed, want toen ze bij het laatste couplet was aanbeland, leek ze al haar remmingen te laten varen en haar omgeving totaal te vergeten.

Toen het lied was afgelopen, keek ze me triomfantelijk aan ter-wijl het publiek begon te klappen. Ik klapte zo hard mogelijk mee. Iemand juichte haar toe toen ze het podium verliet en ik zag haar la-chen terwijl haar vriendinnen om haar heen dromden en haar feli-citeerden.

De volgende leerlinge kwam op, een rijzig meisje met een klari-net. Ik luisterde beleefd toen ze begon te spelen, hoewel ik er in-middels wel genoeg van had. Terwijl de tonen naar buiten tuimel-den, af en toe snerpend en krassend, trok er een gevoel van intense hitte door me heen en, met mijn hand over mijn voorhoofd strij-kend, sloot ik even mijn ogen. En op dat moment zag ik Gwydion Morgans volle, zwarte wimpers tegen zijn blozende wangen flad-deren.

De hitte nam af en ik opende mijn ogen. Geen paniek, hield ik mezelf voor. Het zijn gewoon de hormonen. En de schok Nella te hebben horen zingen, zo prachtig, zo onverwacht.

Er kwam een hoge piep uit de klarinet, en er trok een lachgolf door de zaal. Het meisje begon te giechelen en stopte even met spe-len om aan de hals van het instrument te friemelen, terwijl de leraar geduldig achter de piano bleef zitten wachten. Het publiek schoof onrustig heen en weer op de stoelen, en een paar ouders die hun kinderen al hadden zien optreden, stonden stilletjes op en verlieten de zaal. Ik nam de gelegenheid te baat om samen met hen weg te gaan, nog snel even naar Nella wuivend. Ik wist dat ze verlegen zou worden als ik naar haar toe ging om haar te feliciteren. Hoewel ze haar blik afwendde, zag ik dat ze probeerde een lachje te onderdrukken.

Ik liep rustig over het parkeerterrein naar mijn auto, opende het portier en wilde net instappen toen ik achter me iemand mijn naam hoorde roepen. Toen ik me omdraaide, zag ik een man van in de dertig staan, gekleed in een wijd, geruit overhemd en een spijkerbroek. Hij had een gitaarkoffer in zijn hand. Eerst herkende ik hem niet, maar toen hij dichterbij kwam, zag ik dat hij een ex-cliënt van me was.

'Emyr,' zei ik. 'Hallo.' Ik zweeg even. 'Wat doe jij hier?'

Ik word in de stad vaak staande gehouden door ex-cliënten – Cardiff is per slot van rekening niet zo groot – en meestal vind ik het ook leuk om ze te zien. Maar Emyrs al te familiaire manier van doen had me altijd een beetje een ongemakkelijk gevoel gegeven.

'Hetzelfde als jij. Naar het optreden kijken.'

Glimlachend kwam hij wat dichterbij staan. Hij had een brede lach – twee rijtjes rechte, witte tanden – en lichtbruine sproetjes op zijn gezicht. Hij was een kop groter dan ik, en zijn haar had die warme kastanjebruine kleur die je vaak in Wales ziet, hoewel de meeste mensen denken dat de Welsh donker en klein zijn.

'Gewoon kijken wat de jongelui zoal uitspoken,' vervolgde hij. 'Mijn oor te luisteren leggen.'

'De jongelui.' Misschien was dat het probleem wel. Emyr had een voorliefde voor schoolmeesterachtige woorden als 'jongelui'. Een paar jaar geleden was hij, nadat hij was ontslagen, bij me gekomen met een milde depressie, maar aangezien hij voornamelijk tekeer had willen gaan tegen de onrechtvaardigheid van de situatie, had ik weinig voor hem kunnen betekenen, dus na een paar sessies was hij ermee gestopt.

'Ik heb je dochter horen zingen,' ging hij verder. 'Een getalenteerde meid, hè?'

'Dank je. Ja, inderdaad.' Ik stond op het punt om hem te vertellen dat ik er tot vandaag zelfs geen flauw idee van had gehad dat Nella kon zingen, maar om de een of andere reden bedacht ik me.

'En wat doe jij zoal tegenwoordig?' vroeg ik in plaats daarvan.

'Ik ben een scout zeg maar.' Hij schonk me een zuur lachje. 'Ik ben bezig met het opzetten van een nieuw muziekproject voor de gemeente. Gesubsidieerd. We zijn op zoek naar jongelui die onze studio willen gebruiken. Vierentwintig tracks, het nieuwste van het nieuwste. Helemaal gratis en voor niets.' Uit de zak van zijn spijkerbroek diepte hij een lichtelijk versleten visitekaartje op en gaf het aan me.

Ik keek naar het uitbundig gekleurde kaartje waarop 'Safe Trax' stond, in een nogal gedateerde graffitistijl die Nella vast en zeker zou afdoen als 'stom'. Onderaan stonden zijn naam en telefoonnummer.

'Dank je.' Ik stopte het kaartje in mijn tas. 'Nou, leuk om je weer eens gezien te hebben.'

'Ja, vond ik ook. Zie je.'

Ik stapte in, knikte door het raampje naar hem en reed weg. Terwijl ik het hek uit reed, zag ik dat hij zich omdraaide om me na te kijken. Toen liep hij langzaam terug naar het schoolgebouw.

Die avond maakte ik ter ere van Nella het lievelingseten van de kinderen: patat met hamburgers. We aten het voor de tv. De hamburgers waren van hertenvlees – minder verzadigde vetten – maar dat vertelde ik hun niet; ze lagen op volkorenbroodjes, en de patat had ik zelf gebakken, in de hoop dat dat iets gezonder zou zijn dan de voorgebakken variant. Ik schepte ook wat sla met tomaten en waterkers op hun borden, hoewel ik wist dat Rose er niets van zou eten. Maar ook als ze het niet opat, kon ik mezelf in elk geval troosten met de gedachte dat ik mijn best had gedaan. Zoals Merle Haggard, Bobs favoriete countryzanger, het zei: *Mama Tried*.

Toen we het eten op hadden en de boel was opgeruimd, ging Rose in de keuken oefenen op haar klarinet en Nella naar boven om haar huiswerk te doen. Ik wist dat er over een paar minuten harde muziek uit haar kamer zou komen, af en toe onderbroken door stiltes wanneer ze aan het bellen was op haar mobieltje. Ik had kort geleden besloten om me er niet meer mee te bemoeien – ze was per slot van rekening zestien – dus ging ik naar Bobs werkkamer waar ik de computer aanzette. Daarna sloot ik de deur en ging achter de computer zitten.

Ik tikte een naam in op de zoekmachine: Curtain Call Casting. Een fractie van een seconde aarzelde ik, me afvragend of ik echt zou moeten doen wat mijn nieuwe cliënt me had gevraagd, maar toen klikte ik de site aan. Ik scrolde een lijst door, vond zijn naam en klikte op zijn pagina.

Bovenaan stond een publiciteitsfoto. De belichting was donker en stemmig, en Gwydion stond met zijn gezicht naar de camera, gekleed in een strak wit T-shirt en een zwarte trainingsbroek die hij laag om de heupen droeg, zodat niet alleen de elastieken band van zijn designershort te zien was, maar ook een stukje van zijn gespierde buik. Zijn haar zat in de war en hij had zijn ogen halfdicht, alsof hij net uit bed kwam.

Naast de foto stond een rubriekje met als kopje 'Kenmerken'. Ik keek ernaar en las wat zijn voornaamste karakteristieken waren, of hoe ze dat ook noemen bij een acteur. Speelleeftijd: 25. Lengte: 1 meter 86. Gewicht: 82 kg. Haarkleur: bruin. Oogkleur: lichtbruin – nee, dat klopte niet, hij had groene ogen. Lichaamsbouw: normaal. En dat was dat.

Onder de publiciteitsfoto stond een lijst met de rollen die hij had gespeeld. Behalve zijn rol in *The War of the Dragon Kings* en twee gastrolletjes in films waar ik nog nooit van had gehoord, leek hij vooral in Welshe tv-series te hebben gespeeld, waaronder het geduchte *Down in the Valley*. Ook werd er melding gemaakt van een paar radio- en televisiereclames. Vooralsnog werd er niets gezegd over een op handen zijnde rol in het kostuumdrama.

Uit Nella's kamer boven begon bonkende muziek op te klinken. Ik besloot het te negeren.

Onder het lijstje met kenmerken was een link naar een andere website, die ik aanklikte. Het bleek een filmdatabase te zijn waarop wat meer informatie stond over *The War of the Dragon Kings*, vergezeld door nog een foto van Gwydion, ditmaal slechts gekleed in een lendendoek. De film was gebaseerd op een van de legenden uit de Welshe verhalencyclus *Mabinogion* en te oordelen naar het kleine aantal recensies was het geen al te succesvolle verfilming geweest. Ik scrolde verder naar een prikbord onder aan de pagina om de meest recente berichten te lezen waarin zijn rol werd besproken. Helaas werd er geen melding gemaakt van zijn acteerkunsten. In het eerste bericht stelde iemand die zich shelleewellee noemde, de vraag of anderen 'Gwydion ook zo'n lekker ding' vonden, waarop iedereen in niet mis te verstane bewoordingen bevestigend reageerde. Het enige commentaar dat mogelijkerwijs geïnterpreteerd zou kunnen worden als een compliment voor zijn acteerkunsten, kwam van ene gigigirl: 'die gast ziet er goed uit, wat een gafe film, t einde was zo droefig dat ik er een zaddoek bij moest pakke...'

Boven werd de muziek nog harder gezet. Ik vroeg me af of ik toch niet naar boven moest gaan om er iets van te zeggen. Maar weer besloot ik om het niet te doen. Het werd tijd dat Nella leerde om haar huiswerk te maken zonder dat ik er toezicht op hield en dat ze zelf de gevolgen ervan op school onder ogen moest zien als ze daar de discipline niet voor kon opbrengen. Bovendien had ik mijn eigen werk.

Ik begon het een beetje stom van mezelf te vinden dat ik me, hoe kort dan ook, had aangesloten bij de internetgemeenschap van onnozele schoolmeisjes (en jongens) die Gwydion bewonderden, maar in plaats van de pagina te sluiten, scrolde ik toch verder naar het kopje 'Trivia', waar ik las: 'Opgeleid aan de Royal Academy of

Dramatic Art (RADA)'. Aan het eind van dit stukje informatie bevond zich een link met daarop: MEER.

Ik wilde net op de link klikken toen ik mezelf stopte. Hoewel Gwydion me toestemming had gegeven om hem te googelen – hij had in feite laten doorschemeren dat het mijn plicht als therapeut was om dat te doen – had ik het gevoel dat ik voorlopig genoeg wist. Hij zou me zijn verhaal zelf moeten vertellen, wanneer hij eraan toe was en in zijn eigen woorden, en het was niet eerlijk tegenover hem om op de zaken vooruit te lopen. En ook niet tegenover mezelf trouwens. Ik zou hem beter, veel beter, kunnen helpen als ik mezelf niet wapende met allerlei vooroordelen over hem. Dus klikte ik de filmdatabase weg en keerde terug naar de hoofdpagina.

Terwijl ik dat deed, kwam Bob binnen. Hij is een grote, goedgebouwde man en altijd meteen aanwezig, zeer aanwezig, wanneer hij ergens binnenkomt. Hij had zijn jas nog aan, een zwarte op maat gemaakte overjas, en op zijn schouders glinsterden regendruppeltjes. Zijn krullen, waar hij zijn bril in had geschoven, zaten een beetje in de war en hij had een enthousiaste, jongensachtige grijns op zijn gezicht. Hij bracht altijd een geur van koude, frisse lucht met zich mee wanneer hij thuiskwam, een geur van verre steden, van een opwindend, vol leven dat hij buiten ons huiselijke bestaan leidde en waarvan mijn hart altijd weer een sprongetje maakte. Deze keer echter niet.

Hij had een zwarte papieren tas met een zilveren randje bij zich. Hij liep naar het bureau waar ik aan zat.

'Hier,' zei hij.

Ik pakte de tas en keek erin. In een nestje van wit vloeipapier stond een gardenia in een pot.

'Dank je wel,' zei ik. Hoewel ik de geur van de wasachtige bloemen kon ruiken, boog ik mijn hoofd niet om hem op te snuiven, wat ik normaal gesproken wel zou hebben gedaan. In plaats daarvan zette ik de tas op de grond, naast mijn voeten.

'Dus je bent weer terug,' zei ik.

Toen hij de vlakke toon in mijn stem hoorde, betrok zijn gezicht.

'Ja. Voor de verandering eens geen vertragingen.'

Om zijn teleurstelling te verbergen liet hij zijn blik afwezig over mijn schouder naar het computerscherm glijden. Ik volgde zijn blik, me afvragend hoe ik moest verklaren wat ik aan het doen was. Maar toen ik naar het scherm keek, zag ik dat Gwydions webpagina was verdwenen. Er was niets te zien behalve een vakantiefoto van ons gezin in surfpak, op een qua grootte aflopend rijtje, als een sliert stomme pinguïns, ergens op een winderig strand in het westen van Wales.

3

Jean, mijn eerste cliënt van de dag, deed vervelend. Bijzonder vervelend. Dat was een truc die ze soms uithaalde, vooral wanneer we
in de sessie daarvoor bijna een doorbraak hadden gehad. Ze kwam
dan binnen en begon, na een terloopse begroeting, tot in detail te
vertellen over een of ander huishoudelijk probleempje: een ver-
stopte afvoer, een badstop die niet paste, een raar geluid dat uit de
stofzuiger kwam. Vandaag was het een kapotte gordijnrail.

'Want weet je, je kunt het kapotte gedeelte niet zomaar herstellen.' Ze slaakte een vermoeide zucht. 'Je moet iemand zien te vinden die een hele nieuwe voor je kan maken. Dat gaat heel wat kosten...'

Ik knikte, maar niet, naar ik hoopte, bemoedigend. Ik had
schoon genoeg van de gordijnrail. We hadden er het grootste gedeelte van de sessie al aan besteed.

'En dan moet hij natuurlijk nog worden opgehangen...'

Ik dacht weer aan het stuk dat ik had gelezen over gecompliceerde rouw. Gecompliceerde rouw is wanneer iemand zich na meer
dan een jaar nog steeds gedraagt alsof het verlies nog maar pas geleden heeft plaatsgevonden. Ik had het artikel gelezen in de hoop
dat ik Jane op de een of andere manier zou kunnen helpen om verder te gaan met haar leven, maar ik bleek er weinig aan te hebben.

'Ik heb geen idee waar ik een man vandaan moet halen die hem
kan ophangen...'

Mijn gedachten dwaalden af. Voor mijn geestesoog verscheen een beeld van Gwydion. Hij zat op een paard, slechts gekleed in een strakke lendendoek, met een koker vol pijlen op zijn rug. Hij staarde in de verte, zijn gebruinde lichaam glom van het zweet. Op zijn schouder zat een veeg aarde, alsof hij net op de grond was gevallen...

'Ik heb in het telefoonboek gekeken, maar...'

Hij draaide zijn hoofd om en kneep zijn groene ogen samen toen hij me zag...

'Maar ik weet niet waar ik moet zoeken. Moet ik nou iemand hebben die gordijnen verkoopt... of een timmerman...'

Hij keerde zijn paard en kwam langzaam op me af rijden. Ik zag zijn spieren onder zijn huid bewegen terwijl hij dichterbij kwam en toen, eindelijk, boog hij zich voorover, stak me zijn hand toe en...

'Je luistert helemaal niet, hè?'

Jean stopte met praten.

Het duurde even voordat tot me doordrong dat ik er totaal niet bij was geweest met mijn gedachten.

'Natuurlijk wel.'

Ik schrok van mezelf. Wat bezielde me in vredesnaam om midden in een sessie gewoon te gaan zitten dagdromen – nou ja, fantaseren dan. Blijkbaar had Bobs affaire me dieper geraakt dan ik tot dan toe had beseft. Ik moest echt stoppen met deze onzin en de boel weer onder controle krijgen, hield ik mezelf voor, vooral omdat Gwydion – de echte Gwydion dan – had besloten om bij me in therapie te komen en meteen na Jeans sessie zijn opwachting zou maken.

Jean snufte. 'Ik verveel je natuurlijk.'

Stilte.

'Nee.' Ik koos mijn worden zorgvuldig. 'Maar misschien zou het helpen als je wat meer over je echte gevoelens praatte.'

'Maar dat probeer ik juist.' In haar stem klonk oprechte boosheid door.

Ze had een punt. Als ik me had geconcentreerd, dan had ik beseft dat ze het had gehad over hoe zwaar het haar viel om weer een leven op te bouwen na de dood van haar man ('je kunt het kapotte gedeelte niet zomaar herstellen'); hoe boos ze was om haar beperkte financiële middelen ('dat gaat me heel wat kosten'); en onder dat alles, hoe wanhopig ze zich voelde over het feit dat ze op haar vijfenzestigste onverwacht weduwe was. Het was mijn taak om haar codes te kraken, om haar op het juiste spoor te zetten, en dat had ik niet gedaan.

Jean was gepikeerd. Ze begon aan de bobbelige stof van haar jasje met rits te friemelen. Het was van donkerblauw polyester en ze droeg er een bijpassende donkerblauwe broek bij. Het soort dat ze 'pantalon' noemen in van die catalogi vol lachende, gezond ogende oudere mensen met saaie kleren aan. Alleen lachte Jean niet en zag ze er ook niet gezond uit. Haar huid was vlekkerig en rimpelig, en haar haar vies, dun en slecht geverfd.

'Nou, toevallig ben ik vandaag echt van slag. Niet dat het jou wat kan schelen...'

Ik tuitte mijn oren. Nu kwamen we ergens.

'Van slag?'

'Ja. En moe. Ik kon vannacht niet slapen.'

'Je kon niet slapen?'

'Herhaal niet steeds alles wat ik zeg,' viel ze uit. Er viel een korte stilte. 'Het punt is dat ik gedroomd heb dat ik Derek zag.'

Deze keer hield ik mijn mond. Derek was haar overleden man.

'Hij zag er vreselijk uit,' ging ze verder. Haar stem begon te trillen. 'Zo mager. Net als toen hij...' Ze maakte haar zin niet af en barstte in snikken uit.

Op de salontafel tussen ons stond een doos tissues. Ik boog me voorover om hem haar kant uit te schuiven. Ze pakte een tissue, veegde haar tranen weg en ging verder.

'Hij smeekte me om hem te helpen.'

Ik wierp een blik op de klok. Ja hoor, onze vijftig minuten zaten erop. We waren zelfs al iets te lang bezig.

Verdomme, dacht ik. Nu heeft ze het weer voor elkaar. Jean had de gewoonte om tegen het einde van een sessie belangrijke onderwerpen ter sprake te brengen. Hoewel de klok vol in zicht hing, leek ze zich totaal niet bewust van haar gedragspatroon.

Ik wachtte terwijl ze haar neus snoot, de tissue in haar mouw propte en weer lekker ging zitten. Toen ze weer verder wilde gaan, brak ik haar af.

'Sorry, Jean.' Ik sprak met zachte stem. Ik probeerde mijn stem zo vriendelijk en meelevend te laten klinken als ik kon. 'We zullen het voor vandaag helaas hierbij moeten laten. De tijd is om.'

Ik had gehoopt om even pauze te kunnen nemen voordat mijn nieuwe cliënt, Gwydion Morgan, kwam. Ik vind het prettig om tussen twee sessies door een paar minuten voor mezelf te hebben om aantekeningen te maken, mijn voicemail af te luisteren, mijn agenda te raadplegen, snel naar de wc te gaan, en misschien een kop thee te zetten als ik daar tijd voor heb. Een pepermuntje te eten. Een sigaar te roken. Een longdrink te drinken. Nou nee, natuurlijk rook ik geen sigaren en drink ik geen longdrink, eerlijk gezegd weet ik niet eens precies wat een longdrink is, maar metaforisch gezien is dat wat ik het liefst doe tussen twee sessies door. Een beetje voor me uit zitten mijmeren. Kijken naar het schaduwspel van de bomen op het plafond. Deze keer kreeg ik daar echter niet de kans voor. Want tegen de tijd dat Jean zichzelf weer onder controle had en ik haar naar buiten had begeleid, zat Gwydion al in de wachtruimte te wachten. Zij was laat en hij was vroeg.

Het was een situatie die ik het liefst voorkwam. Ik vind het niet prettig als mijn cliënten elkaar zien. Ze worden jaloers, nieuwsgierig en beginnen vragen te stellen. Het idee dat ik ook aandacht besteed aan andere mensen lijkt pas bij hen op te komen wanneer ze hen daadwerkelijk tegen het lijf lopen en de realiteit wel onder ogen moeten zien. En wanneer dat gebeurt, hebben ze de neiging om dat op mij af te reageren, op wat voor manier dan ook. Natuurlijk is het allemaal koren op de molen van een therapeut, het laat me zien hoe cliënten omgaan met competitie – de rivaliteit tussen broers en zussen en dat soort dingen – maar al met al stoort het en ik voel me er altijd een beetje ongemakkelijk bij.

Toen Jean Gwydion zag, keek ze me even met een bezeerde, beschuldigende blik aan alvorens een beetje geïrriteerd gedag te zeggen; Gwydion daarentegen grijnsde welwillend naar me, alsof hij medelijden met me had omdat ik zo'n saai uitziende vrouw als cliënt had. Om Jean te sussen en Gwydion op zijn plaats te zetten, legde ik even een bezorgde hand op Jeans schouder terwijl ik gedag zei, daarna keek ik naar Gwydion en vroeg hem beleefd of hij het erg vond om nog even te wachten tot het de afgesproken tijd was.

Terug in mijn spreekkamer pakte ik mijn tas en rommelde erin tot ik mijn lippenbalsem en haarborstel had gevonden. Omdat ik mijn poederdoos niet zag, bracht ik de balsem op en borstelde ik mijn haar zonder behulp van een spiegeltje. Daarna liep ik naar mijn stoel, ging zitten en keek naar het wit-op-witte reliëf aan de muur, vastbesloten om Gwydion te ontvangen met de kalmte die hij van me zou verwachten.

De cirkel bevond zich als altijd op zijn geëigende plek tussen de vierkanten. Maar terwijl ik ernaar keek, viel me op dat hij heel zacht klopte. De beweging was nauwelijks waarneembaar, maar onmiskenbaar. Ik had dat nog nooit eerder gezien. De cirkel had altijd stil in het midden gerust en zijn serene onbeweeglijkheid had afgestraald op de vierkanten eromheen. Ik hield mezelf voor dat het gewoon door de lichtinval kwam, maar toch bracht het me van mijn stuk. En toen voelde ik een intense hitte oprijzen, naar mijn hals, mijn gezicht en vandaar langs mijn armen.

Precies op dat moment werd er op de deur geklopt.

'Kom binnen.'

De deur ging open en Gwydion kwam binnen. Vandaag droeg hij een spijkerbroek en een leren jack. Daaronder, zag ik, zat net zo'n wit T-shirt als hij op zijn publiciteitsfoto aan had gehad.

Ik gebaarde naar de lege stoel tegenover me. 'Ga zitten.'

Hij liep naar de stoel en ging zitten. Terwijl hij dat deed, viel mijn blik onwillekeurig op de vorm van zijn borstkas onder het jack, afgetekend door het T-shirt. Ik wendde mijn blik af.

'Oké.' Hij maakte het zichzelf gemakkelijk in de stoel. Na een korte stilte zei hij: 'Ik weet niet zo goed waar ik moet beginnen.'

'Waar je maar wilt.' Ik probeerde zo neutraal mogelijk te klinken.

Hij reageerde niet, maar nam me onderzoekend op, in een poging mijn blik te vangen. Ik keek zo kalm mogelijk terug.

Zuchtend haalde hij een hand door zijn haar. 'Waar ik maar wil...' Hij trok zijn wenkbrauwen op. Even leek het alsof hij me was vergeten. 'Laat me eens zien...'

Er viel een stilte.

'Oké, dan begin ik met iets wat me al een poosje dwarszit. Iets anders dan die knopen. Het gaat om een droom die ik steeds heb – soms wel twee keer per week.'

Dit bleek een goede dag voor dromen te worden, dacht ik. Maar in elk geval werd deze in het begin van de sessie ter sprake gebracht, en niet pas aan het eind ervan.

'Het is eigenlijk meer een nachtmerrie,' vervolgde hij. 'Ik weet niet waar het mee te maken heeft, maar ik word er wel bang van.' Hij stopte met praten en beet op zijn lip.

'Nou.' Ik ontspande me al wat. Zo te merken was Gwydion het soort cliënt dat meteen ter zake kwam en niet iemand die met zachte hand naar de echte problemen moest worden geleid. En nu we aan het werk togen, leken mijn idiote fantasieën over hem ook te zijn verdwenen. 'Misschien kun je beginnen met me te vertellen wat er in die droom gebeurt.'

'Ja, natuurlijk.' Hij liet zich tegen de rugleuning vallen, sloot zijn ogen een beetje en begon fluisterend te vertellen. 'Ik ben een kind. Ik weet niet hoe oud.' Hij zweeg even. 'Maar ik ben nog klein.

En het is donker om me heen. Aardedonker.'

Hij had zijn ogen nu helemaal gesloten en op zijn gezicht lag een uitdrukking van diepe concentratie. Het verbaasde me dat hij zo snel op mijn voorstel was ingegaan, maar dat weet ik aan zijn opleiding tot acteur.

'Ik zit opgesloten in een doos. Iemand heeft me erin gestopt. Ik kan niks zien, en ik krijg geen lucht. Er is steeds minder zuurstof...'

Hoewel hij doodernstig was en ik ook niet twijfelde aan zijn oprechtheid, had zijn manier van doen toch iets theatraals. Onwillekeurig bedacht ik dat hij begon te klinken als iemand uit zo'n boek met waargebeurde droevige verhalen, zo'n boek dat bijvoorbeeld *Papa, niet doen* heet. Maar toen ik naar hem keek, zag ik dat hij aan de stof van zijn mouw krabde, eraan pulkte, op een weinig elegante manier, net als Jean daarstraks had gedaan, en ik voelde dat hij niet toneelspeelde.

'Ik wil om hulp roepen,' ging hij verder. 'Maar ik weet dat ik dat niet moet doen. Ik moet stil zijn. Dus begin ik in het donker bij mezelf te tellen. Eén, twee, drie, vier...'

Gwydion stopte. Hij deed zijn ogen open en keek me aan. Toen sloot hij ze weer.

'Vijf, zes, zeven... ik blijf tellen tot ik bij tien ben.' Hij haalde scherp adem. Hij deed zijn ogen weer open. 'En op dat moment word ik dan altijd wakker.'

Hij haalde een hand over zijn gezicht, waarbij hij zijn handpalm even op zijn ogen liet rusten. Hoewel ook dit weer een enigszins melodramatisch gebaar was, meende ik er toch ook wat oprechts in te zien, iets wat ik vaker bij getroebleerde cliënten zag. Het is een specifiek soort lichaamstaal waaruit uitputting spreekt en verslagenheid, de taal van iemand die op dagelijkse basis een niet te winnen strijd moet voeren. Een strijd die je niet in de hand hebt, die je ongelukkig maakt. Het is het tegenovergestelde van proberen een drama te maken uit niets. Het is een soort berustend stoïcisme. Wanneer je dat bij jonge kinderen ziet, kan het hartverscheurend zijn.

Gwydion keek me verwachtingsvol aan. Nu hij me zijn droom had verteld, verwachtte hij blijkbaar dat ik hem precies kon vertellen wat hij betekende, alsof ik een soort sjamaan was. Ach, waarschijnlijk zat hij er niet ver naast. Wij psychotherapeuten zijn ook een soort sjamanen. Per slot van rekening ging Freuds eerste belangrijke werk over de duiding van dromen. En als dat niet sjamanistisch is, dan weet ik het ook niet meer.

'Wat denk je er zelf van, Gwydion?'

Gwydion keek geïrriteerd. 'Dat hoor jij me toch te vertellen of niet soms?'

'Is dat zo?'

'Ja, natuurlijk.'

Ik kon zijn irritatie wel begrijpen. Al dat 'spiegelen' kan je behoorlijk op de zenuwen werken. De vragen van cliënten napapegaaien. Hun verwarde, en verwarrende, beweringen herhalen. Maar helaas is dat een essentieel onderdeel van mijn manier van werken. Omdat ik denk dat mijn cliënten veel meer over zichzelf weten dan ik ooit zal weten. Dus is het niet aan mij om hun te vertellen wat zich in hun onderbewuste schuilhoudt. Ik probeer het hun eenvoudigweg mogelijk te maken me te vertellen wat ze over zichzelf weten. En soms ook dingen waarvan ze niet weten dat ze die weten, omdat ze nooit geprobeerd hebben die aan iemand uit te leggen.

'Ik zou graag eerst willen weten wat je er zelf van denkt.' Ik zweeg even. 'Je zei dat het een droom is die je "steeds" hebt.'

'Ja. Een steeds terugkerende droom. En het wordt erger wanneer ik gespannen ben.'

Ik dacht even na. 'Je zei dat je in de droom om hulp wilde roepen, maar dat je het idee hebt dat je dat beter niet kunt doen. Waarom denk je dat dat is?'

'Nou, het heeft waarschijnlijk met mijn vader te maken. Als kind was ik altijd bang voor hem. Hij was een alcoholist met een kwade dronk.' Hij fronste zijn voorhoofd. 'Iedereen wist er natuurlijk van, maar het kon niemand wat schelen. Hij kwam ermee weg, vanwege zijn reputatie.'

'Reputatie?'

'Toe zeg.' Gwydion rolde met zijn ogen. 'Waar heb je al die tijd gewoond? Op Mars of zo?'

Misschien, dacht ik, had ik toch die link met MEER op de filmdatabase moeten aanklikken.

'Sorry, Gwydion, maar ik weet niet wie je vader is.'

'Evan Morgan. De regisseur. Je hebt vast weleens van hem gehoord.'

Ik knikte. De naam kwam me bekend voor, maar aangezien ik weinig naar toneel ging, wist ik niet veel over hem.

'Evan is een fantastische vent. Zegt men. Maar als vader is hij altijd een complete klootzak geweest.' Gwydion sprak zonder woede. Of met het soort woede dat zo oud was dat het vuur ervan gedoofd was. 'Hij heeft nooit de minste belangstelling voor me kunnen opbrengen. En ook niet voor mijn moeder. Hij had het altijd te druk met zijn werk. En met zijn secretaresses neuken. Persoonlijke assistentes, noemt hij ze tegenwoordig. De laatste is nog jonger dan ik.'

Ik knikte. Er viel geen zinnig woord te zeggen over deze mededeling. In een sociale context was 'wat erg' of 'o jee' misschien op zijn plaats geweest, maar dit was een therapeutische ontmoeting, zoals het in ons vakjargon heet, en zulke goedkope uitingen van medeleven waren hier niet op hun plaats.

Gwydion zuchtte. 'Maar ik ben hier niet om het over hem te hebben. Alles gaat altijd weer over hem. Maar dit gaat om mij.'

Ik knikte weer.

'Het punt is dat ik eigenlijk het eind van die droom wil weten,' vervolgde hij. 'Ik denk steeds, als ik nou maar niet wakker word voordat hij is afgelopen, dan weet ik eindelijk wat is gebeurd. En dan zou ik misschien met mezelf in het reine kunnen komen.'

'En wat zou dat voor je betekenen? Met jezelf in het reine komen?'

'Nou, om te beginnen dat ik dan eindelijk eens normaal kan slapen. Zodat ik me overdag kan concentreren op de teksten die ik moet leren. Zodat ik me niet druk hoef te maken over dat gedoe met die knopen wanneer ik bij het doorpassen een kostuum aan moet.' Hij haalde zijn schouders op. 'Ik heb er schoon genoeg van. Daarom zit ik hier.'

Ik knikte. Er viel een korte stilte en toen zei ik: 'Het is waarschijnlijk niet zonder reden dat je voor het einde van de droom ontwaakt.'

'En die reden is?'

'Nou, misschien wil iets in jou wel niet weten wat er is gebeurd.'

Hij fronste. 'Hoezo? Bedoel je dat het misschien een te grote schok zal zijn?'

'Ja. En zolang dat iets in jou niet verandert, zul je er ook niet achter komen.' Ik aarzelde. 'Want dat zal dat iets in jou niet laten gebeuren.'

Hij reageerde niet. In plaats daarvan keek hij peinzend naar de grond. Toen ging hij weer rechtop zitten en keek me aan.

'Je mag dan wel als een psychotherapeut praten,' zei hij, 'maar je ziet er helemaal niet zo uit.'

Dit was een bekende tactiek, van onderwerp veranderen. Maar ik ging er niet tegen in.

'Is dat zo?' Ik glimlachte, hoewel ik weer een beetje verlegen werd. 'En hoe ziet een psychotherapeut er dan wel uit?'

'Een beetje moederlijk, denk ik. Degelijk.' Hij stopte even. Ik begon me af te vragen of hij soms met me aan het flirten was. 'Hoewel die jurk van je een beetje...'

Ik droeg een zachtgrijze wollen jurk met een V-hals en parelknoopjes aan de voorkant. Ik had hem uitgekozen omdat ik dacht dat Gwydion dat soort knoopjes misschien wat minder bedreigend zou vinden. Ze leken eigenlijk nauwelijks op knoopjes, meer op... nou ja, pareltjes.

'...een beetje...'

Ik ging er niet op in zodat hij uiteindelijk zijn mond hield. Toen zei ik: 'Kun je wel tegen dit soort knoopjes?'

'Ja hoor.' Hij zweeg. Mijn vraag leek hem ietwat in verlegenheid te brengen. 'Ik heb je eigenlijk nog helemaal niet gevraagd wat voor opleiding je hebt gevolgd om dit werk te kunnen doen.'

'O. Nou, ik ben eigenlijk opgeleid tot existentieel psychotherapeut.'

'Wat betekent dat in vredesnaam?'

'Het is gewoon een vorm van therapie die de nadruk legt op vrijheid. En keuzes. In plaats van het idee dat je leven al voor je is bepaald door de omstandigheden van je geboorte.'

Hij knikte bedachtzaam. 'Nou, daar ben ik het wel mee eens.' Na een korte pauze vroeg hij: 'Waar heb je gestudeerd?'

'In Londen. Aan de –'

Hij maakte een wegwerpgebaar. 'Dat maakt niet uit. Dat zegt me toch niks.' Weer een stilte. 'En hoelang doe je dit al, dit – hoe heette het... existentiële...'

'Twintig jaar. Ongeveer.'

'Aha.'

Hij keek fronsend naar zijn schoot. Een poosje zaten we in stilte bij elkaar, maar toen de stilte al te luid werd, begon hij weer te praten.

'Sorry als ik een beetje lomp overkwam. Over je jurk.'

'Geeft niet. Dat viel wel mee.'

'En nieuwsgierig. Naar je opleiding.'

'Dat geeft helemaal niks. Je hebt alle recht om dat te vragen. Per slot van rekening leg je je lot in mijn handen. Ik ben je therapeut.'

Hij knikte. Na een korte stilte zei hij: 'Weet je, dat iets in mij waar we het over hadden? Dat iets dat niet wil weten wat er in mijn jeugd is gebeurd?'

Ik knikte.

'Daar zal ik wat aan moeten doen, hè? Als ik erachter wil komen.'

'Waarschijnlijk wel.'

'En je denkt dat je me daarbij kan helpen?'

'Ik hoop het. Het hangt in feite helemaal van jou af. Van de vraag of je, diep vanbinnen, wel echt wilt veranderen.'

'Dat wil ik.'

Hij keek me aan, voor het eerst met een lach. Het was een lieve, oprechte lach, als die van een klein jongetje. Ik dacht aan het kind in de doos, met zijn handen voor zijn oren tot tien tellend. Ik lachte ook en keek toen van hem weg, naar het reliëf aan de muur achter zijn hoofd. Inwendig complimenteerde ik mezelf ermee dat ik de situatie zo rustig had aangepakt, ondanks het feit dat ik me door zijn opmerkingen over mijn uiterlijk ongemakkelijker had gevoeld dan gebruikelijk was bij een nieuwe cliënt. Tot mijn consternatie zag ik echter dat de cirkel nog steeds zacht tussen de vierkanten klopte.

Ik stond achter het fornuis makreelfilets te grillen voor het avondeten. Normaal gesproken vind ik het leuk om 's avonds voor mijn gezin te koken; na een lange dag vol intensieve sessies met geëmotioneerde cliënten is het rustgevend om me onder te dompelen in de simpele ritmes van schillen, hakken, verhitten, roeren en proeven. En nu de meisjes wat ouder worden – Nella net zestien, Rose bijna tien – durf ik ook wat avontuurlijker te koken. Rose is natuurlijk nog steeds een lastige eter, maar ik ben me ervan bewust dat dat ook nooit zal veranderen als ik geen variëteit aanbreng in wat ik haar voorzet.

Wanneer Bob thuis is, eten we meestal met zijn vieren aan tafel, tenzij er iets bijzonders op tv is. Zo ben ik opgevoed. Mijn moeder kookte 's avonds altijd voor het gezin en ik volg nu hetzelfde patroon. Bob doet in het weekend de meeste boodschappen, met behulp van een lijst die ik hem meegeef. Hij houdt zich er nauwkeurig aan, op het fantasieloze af eigenlijk, en hij belt me vaak vanuit de supermarkt om me te vragen wat ik nu precies wil hebben. Vanaf het begin heeft hij begrepen dat mijn werk net zo veeleisend is als het zijne, en over het algemeen emotioneel gezien veel vermoeiender. Hij heeft me door de jaren heen altijd gesteund, vooral toen de kinderen nog klein waren en ik het moeilijk had met mijn beginnende praktijk. In die zin is hij een goed mens. Attent. Zorgzaam. Of was, voordat hij zoveel begon weg te gaan voor zijn werk, en deze affaire, dat moment van gekte – of hoe je het ook wilt noemen – plaatsvond. In zeker opzicht kwam zijn bekentenis als een extra grote schok omdat hij vroeger altijd zo toegewijd was. Ik kon er geen chocola van maken, snapte het niet, hoe ik ook mijn best deed.

'Kun je even de tafel leegruimen, Bob?' Ik probeerde niet in mijn stem te laten doorklinken dat ik gespannen was. 'We gaan zo eten.'

'Wat?' Hij keek op.

Ik boog me voorover om een van de vissen om te draaien, en terwijl ik dat deed, spatte er een druppel hete olie op, bijna in mijn oog.

'Of je even kunt helpen.' Ik schreeuwde niet, maar sprak wel met stemverheffing. 'Het eten is bijna klaar.'

'Oké. Sorry.' Hij pakte zijn laptop en legde hem op het dressoir, naast een schaal met fruit. Ik zag dat hij hem niet had dichtgeslagen. 'Wat wil je dat ik doe?'

'Weet ik veel. De tafel dekken of zo.' De vis begon te roken. 'Gewoon helpen.'

Bob liep naar het keukenraam en zette het op een kier zodat de rook kon ontsnappen. Daarna pakte hij messen, vorken en glazen uit de vaatwasser en ging de tafel dekken. Toen hij daarmee klaar was, kwam hij naast me staan.

'Borden?'

'Hier.' Ik pakte de borden die stonden op te warmen op de kookplaat en duwde ze in zijn handen.

Hij bleef nog even bij me staan. 'Hoor eens, sorry dat ik mijn werk mee naar huis heb genomen, maar ik moet nog zoveel doen. Er komt gewoon geen einde aan.'

Omdat ik het vervelend vind als er mensen om me heen hangen terwijl ik aan het koken ben, wuifde ik hem weg.

'Die stomme bureaucratie,' vervolgde hij, terwijl hij een stap naar achteren deed. 'Commissies. Focusgroepen. Panels. Ik kan er geloof ik echt niet meer tegen.'

'Nou, dan stop je er toch mee.' Ik boog me voorover om nog een vis om te draaien. De olie spetterde weer, maar ik draaide me op tijd weg. 'Dan begin je toch weer voor jezelf?'

'Ik zou niet weten hoe. Ik zit aan de top van wat ik kan bereiken, ik kan niet hogerop.' Hij zweeg. 'En het salaris...'

'Ach wat.' Ik had geen geduld met hem. 'We redden ons wel. We hebben ons vroeger ook altijd gered.'

Bob bleef nog even met de borden in zijn handen staan, met een gekwetste blik in zijn ogen, en toen liep hij weg om de tafel verder te dekken.

We voerden dit gesprek wel vaker, en meestal was ik wat begripvoller. Het verliep altijd hetzelfde. Hij klaagde over zijn baan en dan bracht ik hem in herinnering dat hij nog maar een paar jaar geleden een zelfstandig politiek jurist was geweest die van zijn werk hield; dat hij zich, sinds hij de baan bij de Vergadering had aangenomen, diep ongelukkig voelde omdat hij werd opgeslokt door de bureaucratie. En dan hadden we het erover dat hij, mocht hij zijn baan opzeggen, weer grote politieke zaken kon aannemen en misschien wat consultancywerk doen. De laatste tijd had ik het idee gehad dat er schot in zat, dat hij op het punt stond een besluit te nemen. Maar sinds zijn affaire met de tolk kon ik geen enkele belangstelling meer opbrengen voor zijn tweestrijd.

Ik draaide de laatste vis om, deed de oven open en prikte in de gebakken aardappelen. Toen ik opkeek, zag ik Bob bij het dressoir staan, turend op zijn laptop.

'Wat doe je?' vroeg ik. Mijn ergernis droop van mijn stem af.

'Ik sluit even iets af.'

'O, nou, wil je de meisjes even roepen?'

Bob liep de gang in en riep naar boven, terwijl ik de vis op de borden legde en naar de tafel bracht, samen met de gebakken aardappelen en wat gestoomde groenten. Ik wist dat Rose de groente niet zou aanraken, maar in elk geval gilde ze niet meer net zo lang tot ik ze van haar bord haalde, zoals ze als peuter altijd had gedaan. Toen pakte ik een grote kan water, vulde de glazen en zette de kan midden op tafel. Ondertussen kwamen de meisjes de trap af galopperen en de keuken in.

Er viel even een stilte terwijl ik mijn schort afdeed en we aan tafel gingen en onszelf hielpen aan wat we bij het eten nodig hadden: boter, zout, peper, mosterd, ketchup. Ik kreeg een voldaan gevoel, hoe kort dan ook, toen ik mijn gezin bezig zag met de voorbereidingen op de zorgvuldig samengestelde, lekkere en toch voedzame maaltijd die ik voor hen had klaargemaakt.

Mijn gevoel van tevredenheid was echter geen lang leven beschoren. Het viel me op dat Nella er ongewoon vrolijk uitzag, met blosjes op haar wangen. Toen gooide ze haar nieuwtje eruit.

'Ik ben gespot door een A&R-man,' zei ze. Ze proefde het woord, dat blijkbaar nieuw voor haar was, op haar tong.

'Wat is een A&R-man?' Rose pakte de ketchup en kneep een reusachtige scheut op de rand van haar bord. Daarna begon ze het over haar vis uit te smeren.

Nella negeerde haar.

'Dat staat voor Artist and Repertoire. Een soort talentenscout, Rose,' zei Bob. 'Iemand die op zoek gaat naar goede zangers en muzikanten, om een cd mee te maken.'

'Hij zegt dat ik een fantastische stem heb,' vervolgde Nella. 'Hij wil een demo maken en die dan naar een tv-producer in Londen sturen.'

'Wat leuk.' Bob lachte opgetogen naar haar. 'Wanneer heeft hij je dan horen zingen?'

Hij boog zich naar voren om een stukje boter af te snijden voor bij zijn aardappelen. Een nogal groot stuk, vond ik. Ik vroeg me af of ik niet beter een lightproduct kon kopen.

'Bij het schoolconcert.' Nella lachte breeduit.

'Het spijt me echt dat ik daar niet bij kon zijn, liefje.'

Nella haalde haar schouders op. 'Mama was er toch?'

Ik knikte, terwijl langzaam tot me doordrong wat er na mijn vertrek bij het concert moest zijn gebeurd.

'Ja, je was fantastisch, Nella. Je zong echt prachtig.' Ik aarzelde even. 'Hoe heet die... eh... A&R-man?'

'Emyr. Emyr Griffiths.'

Ik voelde me beroerd worden.

'Hij heeft zelf een opnamestudio, vierentwintig tracks, en hij gaat wat achtergrondmateriaal samenstellen en dan doen we mijn liedje van Billy Holiday en misschien nog een paar andere en dan...'

Nella kletste opgewonden door, maar ik luisterde nog maar met een half oor. Ik had gehoopt dat dit niet zou gebeuren. Ik had haar niet, zoals Emyr me had gevraagd, zijn kaartje gegeven, en daar had ik een reden voor gehad.

Tijdens zijn sessies met mij had Emyr me namelijk verteld waarom hij als leraar was ontslagen. Een van zijn leerlingen, een tiener, was verliefd op hem geworden, had hem haar eeuwige liefde verklaard en was in tranen uitgebarsten toen hij haar had afgewezen. Hij had geprobeerd haar te troosten en bezorgd een arm om haar schouder geslagen toen ze huilde, waarop zij hem prompt had aangegeven bij de directrice. Hoewel de directrice begrip voor hem had gehad, had ze zich toch genoodzaakt gevoeld hem te ontslaan omdat hij het meisje daadwerkelijk had aangeraakt. Emyr had daarna niet meer als leraar aan de slag gekund en daarom was hij depressief geworden. Het was al met al erg oneerlijk, en ik had het rot voor hem gevonden. Hij had me een redelijk fatsoenlijke man toegeschenen, hooguit een beetje naïef. Maar toch, ik moest toegeven, als het om mijn eigen dochter ging... Nou ja, zoals ze zeggen: waar rook is, is vuur...

'We gaan naar Londen, dan kan hij me voorstellen aan die producer. En hij is ook manager...'

Nella werd steeds enthousiaster terwijl ze vertelde over Emyrs plannen om haar beroemd te maken.

'Ik weet het niet, Nella,' onderbrak ik haar voordat ik mezelf kon tegenhouden. 'Je bent veel te jong om met iemand die we helemaal niet kennen naar Londen te gaan. En trouwens, je moet je nu eerst op school concentreren, want de tentamens komen eraan...'

Nella stopte met praten. Haar gezicht kreeg een norse uitdrukking en ze begon met haar eten te spelen, het met haar vork over haar bord schuivend.

Bob probeerde het wat te verzachten. 'Liefje, mama wil alleen maar zeggen dat we dit rustig moeten aanpakken, stap voor stap...'

Nella legde haar vork neer en keek me kwaad aan. 'Jij wilt gewoon niet dat ik gelukkig ben, hè?' In haar ogen welden tranen van woede op. 'Je bent overbezorgd. Niemand van mijn vriendinnen heeft zulke shitouders.'

'Ze zei shit,' mompelde Rose, starend naar haar vis die nu volledig bedekt was door ketchup.

'Toe Nella, niet meteen zo boos. Niemand verbiedt je iets.' Bob sprak op verzoenende toon. 'We willen alleen maar zeker weten of...'

Nella stond op en schoof haar stoel zo hard naar achteren dat hij luid over de vloer kraste. Toen beende ze de keuken uit en sloeg de deur met een klap achter zich dicht.

Er viel een lange stilte.

'Zal ik naar haar toe gaan?' zei Bob.

'Als je dat wilt.' Ik legde mijn mes en vork neer, plotseling doodmoe. Het was een lange dag geweest. 'Ik zou haar maar even met rust laten tot ze wat is afgekoeld.'

'Waarom viel je dan ook zo tegen haar uit? Terwijl ze zo enthousiast was?' Bobs toon was eerder verbijsterd dan beschuldigend.

'Sorry, dat was niet de bedoeling. Het kwam gewoon doordat...' Ik zweeg even. 'Nou ja, niks om je zorgen over te maken. Ik vertel het je later wel.'

Rose keek belangstellend op van haar vis.

'Nella heeft waarschijnlijk wel een punt,' vervolgde ik. 'Misschien ben ik inderdaad een beetje overbezorgd.'

'Nou ja, dat is niet meer dan logisch.' Bob begon de boter in zijn aardappel te prakken. 'Je bent moeder. Het is je biologische lot.'

'Wat is een biologisch lot?' vroeg Rose ineens.

'Iets waar je niks aan kunt doen,' antwoordde ik. 'Zoals dat je een vrouw bent. Of een man.'

Rose keek verward, maar ik kon het niet verder uitleggen, want ik was er met mijn gedachten niet helemaal bij.

'Rose, het betekent dat je, als je moeder bent, uit instinct je kinderen wil verzorgen en beschermen tegen alle kwaad. Daar kun je niks aan doen. Zelfs niet als je kinderen dat heel irritant van je vinden.'

'Zo is dat,' zei ik. Nu ik het hem zo hoorde uitleggen, voelde ik me al wat minder schuldig over het feit dat ik zo ongevoelig had gereageerd en meteen een domper op de feestvreugde had gezet.

'We zullen Nella wel uitleggen dat ze te jong is om in haar eentje met die man naar Londen te gaan,' ging hij verder. 'Ik zal aanbieden om ze met de auto te brengen, zodat ik een oogje in het zeil kan houden. Dat vindt ze vast wel goed.'

Ik knikte, hoewel ik wist dat dat niet zo was.

We aten in stilte verder, tenminste, Bob en ik. Rose nam nog meer ketchup, wat ik uit alle macht probeerde te negeren. Voorlopig had ik er genoeg van om steeds degene te zijn die het enthousiasme van de kinderen temperde, of het er nu om ging dat ze popster wilden worden of om scheuten ketchup.

'Zo kan het wel weer.' Bob boog zich over de tafel heen om de ketchupfles uit haar handen te pakken.

Ik glimlachte naar hem, blij dat hij zich ermee bemoeide. Zelfs als ik kwaad op hem ben, kan ik niet ontkennen dat hij fantastisch is met de meisjes. Hij is dol op ze, en zij op hem, ondanks – of misschien wel dankzij – het feit dat hij tegenwoordig zoveel weg is. Dus vroeg ik me af of ik niet beter mijn best moest doen om het weer bij te leggen, al was het maar voor hen.

Bob stond op van tafel. 'Ik ga wel even met Nella praten. En als ik terug ben, wil ik dat je je vis hebt opgegeten, Rose. Als je dat doet, gaan we daarna samen Dance Party spelen op de Wii.'

Hij nam een houding à la John Travolta aan, en Rose lachte. Onwillekeurig schoot ik ook in de lach. Hij merkte het, keek me aan en gaf me een samenzweerderig knipoogje. Er verscheen ineens een schrikwekkend helder beeld voor mijn geestesoog.

Hij sprak met een jonge vrouw. Ze droeg een koptelefoon, sprak erin. Ze was blond en slank, met volmaakt opgemaakte blauwe ogen en roze gestifte lippen, en ze glimlachte, waarbij ze haar gebleekte tanden ontblootte. Ze droeg zo'n klein jurkje waar alle jonge vrouwen tegenwoordig zo gek op zijn, alleen maar een stukje felgekleurde stof dat om haar gebruinde ledematen hing, waarbij de asymmetrische coupe haar lichaamsvormen onder het bewegen beurtelings toonde en verhulde. Toch keek ze oprecht onschuldig, alsof het volmaakt natuurlijk voor haar was om tijdens haar werk zoveel van haar lichaam te laten zien. Hij glimlachte terug, sprak met haar, bemoedigend knikkend, met zijn ogen gericht op haar gezicht. Toen zag ik hem opstaan en naar haar toe lopen. Hij pakte haar hand, trok haar tegen zich aan en...

Gewoon een plaatselijke tolk. Totaal onbelangrijk. Bobs woorden echoden door mijn hoofd, samen met nog een paar andere, die ik er zelf aan toevoegde. *Leugenachtig. Trouweloos. Achterbaks.*

'Als jij dat ook goed vindt, Jess.'

Het drong tot me door dat Bob het tegen mij had, dat hij op antwoord wachtte.

'Oké,' zei ik, mijn blik afwendend. 'Maar ze mag niet te lang opblijven. Het is al bijna bedtijd voor haar.'

4

In mijn werk hanteer ik een aantal stelregels. Nummer één: nooit te zeer bij cliënten betrokken raken. Twee: buiten de sessies om nooit afspraken met ze maken. Drie: nooit telefoontjes van hun familie beantwoorden. Vier: nooit bij ze op bezoek gaan. Vijf: nou ja, de lijst is eindeloos. Toch maak ik uitzonderingen wanneer ik denk dat een cliënt risico loopt. Dus toen Arianrhod Morgan, Gwydions moeder, me belde om te zeggen dat hij zwaar depressief was en me ook vertelde dat ze bang was dat hij met zelfmoordplannen rondliep, nam ik dat serieus. Ze was van streek en wilde weten of zijn gedrag me zorgen had gebaard toen ik hem had gesproken.

Ik zei dat hij me niet bovenmatig depressief had geleken toen ik hem sprak en daarna stelde ik haar meteen een paar routinevragen, zoals of hij in het verleden weleens een zelfmoordpoging had gedaan of over een specifiek plan daartoe had gesproken, zoals een overdosis nemen, waarop ze antwoordde dat dat niet het geval was. Maar, zei ze, hij lag alleen nog maar in bed en weigerde zijn kamer uit te komen en was blijkbaar niet in staat, of niet genegen, om met iemand te praten. Hij stond 's ochtends niet meer op om zich te wassen en aan te kleden. En de afgelopen paar dagen was hij zo goed als gestopt met eten. Ze klonk oprecht van streek en smeekte me hem op te komen zoeken. Hoewel ik de stellige indruk had dat ze dat van die zelfmoordplannen overdreef, besloot ik voor de zekerheid toch even bij hem langs te gaan. Normaal gesproken zou ik zo'n situatie met mijn supervisor hebben besproken – van alle praktiserende therapeuten, hoe ervaren ook, wordt verwacht dat ze eens per maand een uur of zo supervisie hebben – maar mijn supervisor had onlangs een sabbatical genomen en ik was er nog niet toe gekomen om een nieuwe te zoeken, dus voorlopig moest ik het in mijn eentje zien te rooien.

Het was een natte, winderige dag toen ik Cardiff uit reed, de M4 op, in westelijke richting naar Carmarthen, de wegen gehuld in het soort mistflarden waardoor je als vanzelf aan de oude Welshe legenden uit *Mabinogion* moet denken. Terwijl ik langs de heuvels met fabrieken en windmolenparken reed, drong tot me door dat ik het, hoewel de aanleiding voor mijn trip niet vrolijk was, fijn vond om even de stad uit te zijn. Ik vermoedde dat het iets met het landschap te maken had. Het westen van Wales heeft iets betoverends voor me: de sombere zwarte bergen; de kasteelruïnes; de brede stranden met hun grote getijdenschommelingen; de Keltische kruisen die schots en scheef opdoemen uit begraafplaatsen; de witte huisjes met hun zwarte leistenen daken... Maar laten we de dichtgetimmerde winkels, de ingeslagen telefooncellen, de tandeloze junks, de pubers die zelf al kinderen hebben er even uitknippen. Die maken geen deel uit van dit verhaal.

Na de afslag naar Porthcall werd het rustiger op de weg en op de radio hoorde ik een pianorecital. Zo te horen Chopin, dacht ik. Ik vroeg me af welk stuk het was. Wat mij betrof kon het een prelude, een nocturne of een scherzo zijn. Of zelfs een polonaise, een ecossaise of een mazurka. Omdat ik niet had geluisterd, had ik de aankondiging gemist. Wat het echter ook was, ik vond het ontzettend kalmerend. Vooral dat er geen drums, woorden of Amerikaanse neusklanken te horen waren, was erg prettig. Ik zuchtte, ging wat gemakkelijker zitten en trok mijn rok iets omhoog. Het was een geruit geval, met een plooi aan de achterkant, ietwat strak om de heupen, waarbij ik een crèmekleurige zijden blouse had aangetrokken – zonder knopen –, een kasjmieren trui en brogues met veters. Ik trapte het gaspedaal in.

Terwijl ik over de kustweg reed, zag ik de duivelse hoogovens van Port Talbot, hun hoge schoorstenen hoestten sluiers van gele smog uit die de kust kilometerslang omhulden, en het woord 'schoorsteenvegen' kwam bij me op. Zo noemde Anna O., de eerste psychoanalytische patiënte, haar therapie bij dr. Breuer, Freuds voorganger. (Ze muntte ook het woord 'praatkuur'. Bij dit spel zijn het de cliënten die al het werk doen, inclusief het benoemen van de behandeling.) Een grondige schoonmaakbeurt, dat is het enige wat Gwydion nodig heeft, dacht ik. Een kans om alle spinnenwebben weg te blazen, om zijn diepste angst en vrees te overwinnen. Hij zou vast wel met mij kunnen praten. Mijn hand vasthouden, in de puur metaforische betekenis van het woord – hoewel dr. Breuer Anna O.'s hand daadwerkelijk heeft vastgehouden, urenlang naar haar luisterend, terwijl zij in het donker op haar bed lag en hem sprookjes vertelde. Ik was natuurlijk niet van plan om dat te doen. De moderne beroepsethiek staat dat soort dingen niet toe, en bovendien liep het tussen Breuer en Anna O. niet goed af, zoals we uit de literatuur weten. Toch was ik ervan overtuigd dat ik Gwydion kon helpen. Dat ik hem zou kunnen bijstaan in zijn donkerste uren, zijn tijd van nood. En ook als ik dat niet kon, zou ik er toch alles aan doen om het te proberen.

Het was vroeg in de middag toen ik bij het huis van de Morgans arriveerde. Het stond een paar kilometer buiten een klein vissersdorp, in eenzame pracht, hoog op de rand van een klif, uitkijkend over St Bride's Bay. Ik zette mijn auto aan de kant van de weg en keek even door de grote ijzeren hekken naar het huis, voordat ik mijn komst bekendmaakte. Het was in één woord groots. Grootser dan ik had verwacht. Het was zo'n *Jacobean* bouwwerk met hoge schoorstenen en met om het dak allemaal van die puntgevels en kantelen en dat soort dingen. Het leek net iets uit een sprookje. Overal ramen met tralies ervoor en gekartelde en gedraaide zuilen om het portaal en uit steen gehouwen guirlandes boven de voordeur. Maar hoe indrukwekkend het allemaal ook was, als je wat beter keek, zag je dat delen ervan, vooral de zijvleugels, in verval waren geraakt. Het was het soort huis dat altijd op het punt van instorten zou staan, hoeveel geld je er ook in stopte. Toch bleef het prachtig. Uniek. Rococo. Barok zelfs.

Ik aarzelde even. Het huis was intimiderend, wat ook de bedoeling was geweest van de roofridders van al die eeuwen geleden. En het had ook iets melancholieks. Hoewel ik ineens de aanvechting voelde om er snel vandoor te gaan, dwong ik mezelf de zoemer in te drukken, in het paneeltje te spreken, mijn naam te zeggen en de verleiding te weerstaan om iets onnozels te zeggen zoals: 'Sesam, open u.'

Als door een wonder gingen de hekken meteen open, en ze sloten zich weer nadat ik erdoor was. Mijn hart bonkte in mijn keel terwijl ik over de oprijlaan naar het huis reed. De banden knerpten over het grind. Op het gazon voor het huis liepen pauwen te paraderen. Toen ik erlangs reed, deed een ervan zijn staart omhoog, spreidde zijn veren en krijste naar me. Het zag er allemaal vreselijk gotisch uit. (Rococo, barok, gotisch? Maak een keuze, Jessica.)

Aan het eind van de oprijlaan lag zo'n rond gazon met middenin goudsbloemen strak in het gelid. Ik stopte, zette de motor af, pakte mijn tas, stapte uit en keek om me heen, bang dat de pauw me misschien zou aanvallen. Er verscheen een vrouw onder de guirlandes boven de deur.

'Dr. Mayhew.'

Ze was slank, lang en had donker haar. Haar gezicht was getekend, een beetje verweerd zelfs, maar met fijne gelaatstrekken, hoge jukbeenderen en een breed voorhoofd.

'Mrs. Morgan. Hallo.' Ik gaf haar een hand.

'Zeg maar Arianrhod.' Ze had een krachtige handdruk. Het viel me op dat haar vingers ruw aanvoelden, als die van een tuinman.

'Waar zal ik de auto neerzetten?'

'Ach, laat daar maar staan.' Ze draaide zich om en ging me voor naar de voordeur. 'Kom verder.'

Binnen liepen we door een donkere gang met grote plavuizen op de vloer naar een moderne, goed verlichte keuken. Arianrhod liet me plaatsnemen aan de keukentafel; ze schoof een stapel boeken, kranten en brieven opzij om ruimte voor me te maken. Daarna liep ze naar het fornuis om water op te zetten.

'Wat een mooi huis is dit,' zei ik tegen haar rug.

'Dank je,' reageerde ze zonder zich om te draaien. 'Het is veel werk, maar ik... we zijn er dol op.'

De aarzeling was me niet ontgaan. Ik vroeg me af waar de roofridder was en of hij zich op zeker moment nog zou laten zien.

Ik keek naar Arianrhod terwijl ze zich door de keuken bewoog om koffie te zetten. Het was moeilijk te raden hoe oud ze was. Ze ging eenvoudig, maar elegant gekleed in een spijkerbroek, donkerblauwe trui en versleten bruine loafers. Haar haren had ze in een losse staart gebonden, en van tijd tot tijd veegde ze een lok uit haar gezicht. Haar bewegingen waren snel, als die van een jonge vrouw, maar toen ze zich naar me omdraaide, besefte ik dat ze op zijn minst begin vijftig moest zijn.

'Melk? Suiker?'

Ik zei nee tegen allebei. Ze zette de cafetière op tafel, samen met twee mokken en een pak koekjes, en ging toen tegenover me zitten.

'Ik ben zo blij dat je bent gekomen. Ik weet dat ik veel van je vraag. Maar ik maak me zo'n zorgen. Gwydion heeft altijd al last gehad van sombere buien, maar zo erg als nu is het nog nooit geweest. Aan de huisarts hebben we weinig – hij is geloof ik niet zo goed met dit soort dingen.'

'Dat maakt niet uit.' Ik zweeg even. 'Waar is hij trouwens?'

'Boven, in zijn kamer. Zoals meestal. Ik zal je er zo naartoe brengen.' Ze rommelde wat in haar broekzak en er kwam een pakje shag tevoorschijn. 'Vind je het goed dat ik er eentje opsteek? Ik wil wel buiten roken als je dat liever hebt.'

'Doe niet zo raar. Het is jouw huis.'

Ze trok een asbak naar zich toe. 'Maar het zijn jouw longen.'

Ik wuifde haar bezwaar weg, hoewel ik het aardig vond dat ze het vroeg.

Ze begon een sigaret te rollen. Ik was jaloers toen ik naar haar keek. Hoewel ik al jaren geleden gestopt ben met roken, mis ik het nog steeds. Niet zozeer de smaak, of de prikkeling van de nicotine wanneer je inhaleert, of die lichte duizeling in je hoofd terwijl ze door je hersens tolt, maar gewoon het samenzweerderige gevoel dat je kunt hebben wanneer je samen met iemand anders bij een kop koffie of een drankje een sigaret opsteekt en aan het kletsen slaat.

Arianrhod leek mijn gedachten te hebben gelezen. Ze gebaarde naar het pakje. 'Tast toe.'

'Nee, dank je. Maar ik wil wel een koekje.' Ze gaf me het pak. Het waren zandkoekjes van goede kwaliteit, boterachtig en kruimelig. Ik pakte er een, doopte het in mijn koffie en nam een hapje. Arianrhod ging door met haar sigaret rollen.

'En hoe gaat het vandaag met Gwydion?' vroeg ik na een poosje.

'O.' Ze pakte een aansteker uit haar zak. 'Hetzelfde. Maar hij heeft gezegd dat jij wel bij hem mag.' Ze stak haar sigaret aan, inhaleerde diep en blies toen langzaam de rook uit. 'Godzijdank.'

Onwillekeurig ademde ik gelijk met haar in. De tabak rook warm, lekker, met net dat vleugje bitterheid waardoor het later zurig zou gaan ruiken in het vertrek.

'Weet je, ik kan er nauwelijks meer tegen,' voegde ze eraan toe. Om haar donkere hoofd kringelde blauwe rook op die ze met haar tengere hand wegwuifde. Toen nam ze nog een trekje en blies de rook weer uit. Nog meer rook, nu blauwgrijs, passend bij haar ogen. Het zag er behoorlijk mooi uit, vond ik. Hoewel het een gevaar was voor de volksgezondheid, natuurlijk.

'Nou, dat verbaast me niets,' zei ik. 'Het is zwaar om samen te moeten leven met iemand die... een beetje wankel is.'

Ze lachte kort, bijna ondanks zichzelf. 'Dus zo wordt dat door dokters genoemd.'

'Ik ben geen dokter. Niet in die zin tenminste.'

'O.' Ze zuchtte, nam nog een trekje van haar sigaret en legde hem toen op de rand van de asbak. 'Maar ik mag je toch wel dokter blijven noemen? Dat geeft me een veilig gevoel.'

Dat ontroerde me. 'Je mag me noemen wat je wilt,' zei ik. 'Binnen redelijke grenzen dan.'

Weer lachte ze. Ik voelde dat mijn aanwezigheid haar begon op te vrolijken. Ik voelde me ook al wat beter nu ik het idee kreeg dat mijn bezoekje weleens nuttig kon zijn, niet alleen voor Gwydion, maar ook voor zijn moeder. Tot dusverre bleek Arianrhod een veel minder groot probleem dan ik had verwacht. Maar toen ik naar haar ruwe handen en de nicotinevlekken op haar vingers keek, werd ik eraan herinnerd dat dit allemaal niet gemakkelijk zou worden.

Er viel een lange stilte. De sigaret lag nog in de asbak te branden en de rook die eruit opsteeg was ijl en scherp. Toen de sigaret eindelijk doofde, nam Arianrhod niet eens de moeite om hem weer aan te steken. In plaats daarvan stond ze op, alsof ze plotseling een besluit had genomen.

'Kom,' zei ze. 'Neem je koffie maar mee, als je wilt. Dan breng ik je nu naar boven.'

Arianrhod ging me voor naar boven, door smalle gangen met balkenplafonds en ongelijke vloeren, tot we bij de deur van Gwydions kamer kwamen. Ze klopte, maar toen er geen reactie kwam, deed ze de deur voorzichtig open.

'Gwydi? Dr. Mayhew is er.'

Over haar schouder heen keek ik de kamer in. Het was er donker, de gordijnen zaten dicht. Ik kon nog net een bed ontwaren bij het raam.

'Ze wil graag met je praten.'

Uit het bed klonk een bijna onhoorbare kreun op. Arianrhod

maakte de deur iets verder open, deed een stapje opzij en duwde me zacht naar binnen.

'Succes ermee,' fluisterde ze. Toen sloot ze de deur achter me en ging weg.

Ik bleef even bij de deur staan om mijn ogen aan het donker te laten wennen. Ik wist niet goed wat ik moest doen. Dus bleef ik staan en zei op een naar ik hoopte geruststellende toon: 'Gwydion, ik ben het, Jessica. Vind je het goed dat ik even bij je kom zitten?'

Nog een kreun, die ik maar opvatte als toestemming. Ik liep rustig naar het bed, pakte een leunstoel en ging zitten.

Gwydion lag met zijn ogen dicht op bed. Hij was ongeschoren en zijn haar was vettig. Hij zag er grauw en ongezond uit. Ik kon zien dat hij onder de dekens een trui droeg, en een sjaal, een kamerjas en een pyjama. Hoewel het een nogal tochtige kamer was – zo'n soort huis was het nu eenmaal – was het er beslist niet koud. Ik vroeg me af of hij zich vaker zo overdreven dik kleedde of dat dit iets nieuws was. Zijn knopenfobie schoot even door me heen, maar ik kon het allemaal niet plaatsen.

Het bleef lange tijd stil. Oneindig lang. Ik keek om me heen. Het was duidelijk dat dit al sinds zijn kindertijd Gwydions kamer was. Op de schappen aan de muur lagen stapels stripboeken, een Gameboy en een schaakspel. In een hoek van de kamer stond een cricketbat, met tape om de onderkant waar het hout was gebroken. Op een ladekast lagen een schapenschedel en een zelfgemaakte katapult. Het zag er allemaal idyllisch uit, het deed denken aan het soort jeugd waarover je wel in boeken leest, maar dat je in het echt nauwelijks tegenkomt, het soort jeugd waarin jongens met warrige haren holen graven in het bos en waar het ergste wat je kan overkomen een geschaafde knie is na een klauterpartij in een boom, of een verkoudheid nadat je in de regen hebt gespeeld: gezond, gelukkig, zorgeloos. Behalve dat ik aan de gestalte in bed zag dat het niet zo was geweest. Of misschien ook wel, maar dan was er onderweg iets heel erg misgegaan.

'Ik heb die droom weer gehad.' Gwydions woorden deden me op-schrikken uit mijn gedachten. Hij had zijn ogen nog steeds dicht.

'O ja?' zei ik. Ik probeerde bemoedigend te klinken zonder op-dringerig te zijn.

Opnieuw stilte.

'Deze keer waren er stemmen.' Gwydion sprak zacht fluisterend.

'Stemmen?'

'Ja.' Hij fronste. 'Ik zit weer in die doos,' vervolgde hij. Zijn stem klonk monotoon. 'Het is donker. Ik kan niks zien, maar ik hoor...' Hij stopte. Het leek alsof hij zich enorm moest inspannen om zich iets te herinneren. 'Twee stemmen... van een man en van een vrouw...'

Hij stopte met praten en ging met zijn gezicht naar de muur lig-gen.

Een tijdje zwegen we allebei. Toen vroeg ik: 'Gwydion. Zou je misschien even je ogen open kunnen doen en me aankijken?'

Ik weet niet waarom ik dat zei. Waarschijnlijk uit ergernis omdat hij niet het fatsoen had gehad om zijn ogen te openen en me te be-groeten, me te laten zien dat hij mijn aanwezigheid had opge-merkt. Maar ik had het nog niet gezegd of ik had er alweer spijt van. In mijn stem had duidelijk ongeduld doorgeklonken, iets wat ik niet had kunnen verhullen.

Hij draaide me zijn rug toe.

Mijn ergernis nam toe. Ik vroeg me af of hij me soms voor de gek hield, of dit niet een of ander absurd spelletje van hem was. Ik had het natuurlijk kunnen weten: mensen met geestelijke problemen spelen nu eenmaal spelletjes, ze steken hun therapeuten en ieder-een in hun zak; dat hoort bij hun ziekte. Dus als Gwydion toneel-speelde, dan had hij daar waarschijnlijk een goede reden voor. En als hij geen toneelspeelde, dan was ik niet aardig. Welke van de twee het ook was, door mijn ongeduld liep ik de kans dat ik nooit meer zou uitvinden wat die reden zou kunnen zijn.

'Sorry Gwydion.' Ik zweeg even. 'Dat had ik niet moeten zeggen.

Het maakt niet uit of je me wel of niet aankijkt. Ga maar gewoon door met praten. Ik luister.'

Gwydion bleef echter met zijn gezicht naar de muur liggen zonder iets te zeggen.

Hij bleef nog een halfuur zwijgen en ik bleef mezelf inwendig voor mijn kop slaan omdat ik hem had onderbroken. Maar na een tijdje maakte mijn ongeduld plaats voor een diepe droefheid. Daar lag een jongeman, in de bloei van zijn leven, op bed in een verduisterde kamer, een jongeman die zijn leven langzaam voorbij liet glijden, niet bij machte het beet te grijpen, ervan te genieten. En niemand leek hem te kunnen helpen, te kunnen bereiken, en ik al helemaal niet.

Ik keek naar het raam en zag dat achter de gordijnen de zon was gaan schijnen. Een smal streepje zonlicht kroop over de vensterbank. Ik dacht aan een poëziefragment dat ik kende, een paar regels die ik als kind van mijn moeder had geleerd.

Ik herinner me, ik herinner me,
Het huis, waar ik mijn jeugd beleefde,
Het kleine raam waar de zon
's Ochtends naar binnen zweefde...

Ik schrok op uit mijn mijmeringen toen tot me doordrong dat ik het hardop had opgezegd. Toen hoorde ik Gwydions stem, die het versje afmaakte.

Hij kwam nooit een tel te laat,
En bleef ook altijd even lang;
Maar nu wens ik vaak dat de nacht
Me toen het einde had gebracht!

Er verschenen tranen in mijn ogen toen hij de woorden fluisterend opzei. Tranen om het lijden van Gwydion en ook om iets anders: het plotselinge besef dat mijn moeder me nooit de laatste twee regels van het gedicht had geleerd – misschien in de hoop me te beschermen tegen de pijn van het opgroeien, tegen haar uiteindelijk machteloze liefde, en me nog een tijdje de bescherming van de jeugd te bieden. Ik besefte nu pas dat ze in die eerste jaren haar best voor me had gedaan. Zoals de meeste moeders. Zoals Arianrhod hoogstwaarschijnlijk ook. En als dat niet voldoende was geweest, nou, dan was dat de schuld van de wereld, en van het opgroeien, maar niet de hare.

'Wat die droom betreft, Gwydion.' Het drong tot me door dat ik fluisterde om hem niet het gevoel te geven dat ik aandrong. 'Was hij precies hetzelfde – of was er nog iets wat anders was? Misschien een of ander detail, hoe klein ook, dat ons kan helpen te ontdekken wat er aan de hand is... wat het is waar je voor wegloopt?'

Gwydion bleef bewegingloos met zijn gezicht naar de muur liggen.

'Is er nog iets anders wat je me wilt vertellen?'

Hij schudde zijn hoofd, maar hij draaide zich niet om.

Ik voelde me opeens doodmoe. Ik moest weg uit deze donkere, bedompte kamer, terug naar het daglicht.

'Gwydion, ik denk dat ik maar eens ga. Tenzij je wilt dat ik blijf.'

Hij schudde opnieuw zijn hoofd.

'Je hebt mijn telefoonnummer. Je kunt me altijd bellen. Of...' Ik aarzelde even en zei toen nogal roekeloos: 'Ik kan ook weer hiernaartoe komen.'

Er kwam geen reactie, dus stond ik op en liep naar de deur. Daar bleef ik even staan, afwachtend of hij nog iets zou zeggen voordat ik wegging. Hij zei echter niets, dus deed ik de deur open, sloot hem zachtjes achter me en liep de gang in.

5

Beneden trof ik Arianrhod in de keuken aan. Ze vroeg hoe het was gegaan, en ik vertelde dat Gwydion niet veel had gezegd, alleen iets over een droom die hij steeds had. Ze leek teleurgesteld en vroeg of ik niet een nachtje kon blijven om de volgende ochtend nog een keer met hem te praten. Ik zei nee en vertelde dat ik naar huis moest, wat ook waar was: Bob zou overwerken en ik moest voor de meisjes zorgen en nog wat artikelen lezen voor mijn werk. Bij die woorden keek ze nog somberder; ze stelde voor om even een stukje te gaan lopen, om mijn benen te strekken voor de rit naar huis. Ik stemde ermee in, hoewel ik wist dat ze het zou aangrijpen om het nog even met mij over Gwydion te hebben, en daar had ik eigenlijk weinig zin in.

We liepen de hal in om onze jassen te pakken – het was weliswaar opgeklaard, maar het was nog steeds fris – en we wilden net weggaan toen de heer des huizes zijn opwachting maakte. Hij kwam aanrijden in een Range Rover, trapte op de rem, stapte uit en maakte de achterkant van de wagen open om er twee grote, donkerbruin gevlekte honden uit te laten.

'Wie heeft die auto hier godverdomme –' barstte hij uit. Toen hij mij zag, stopte hij.

Hij was een goedgebouwde, aantrekkelijke man van achter in de vijftig ongeveer, met exact dezelfde heldere groene ogen als zijn zoon.

'Evan. Dit is dr. Mayhew.' De woede-uitbarsting leek Arianrhod niet te verbazen. 'Dr. Mayhew, dit is mijn man, Evan Morgan.'

Ik knikte naar hem.

Hij schraapte zijn keel en gaf me een hand. 'Hallo.'

We schudden elkaar kort de hand. Hij maakte een opmerkelijk jeugdige indruk, viel me op, en leek ook opmerkelijk veel op Gwydion, behalve dan dat hij rimpels op zijn voorhoofd en slapen had en uitstekende jukbeenderen en donkere wallen onder zijn ogen. In zijn gedrag was echter niets van Gwydions onzekerheid terug te vinden.

Nadat hij mijn hand had losgelaten, wendde hij zich tot Arianrhod. 'Is Gwydion al eens uit bed gekomen?'

'Nee, nog niet.' In haar stem klonk iets van ongerustheid door. 'Maar vroeg of laat zal hij heus wel opstaan...'

'Nou, geen succes gehad dus, hè?' Hij wendde zich tot mij, met een geërgerde blik. 'Ik weet echt niet wat we met hem aan moeten. Dat ligt de hele dag maar in bed, als een of andere puber. Nog steeds een moederskindje. Soms weet ik echt niet of het ooit nog goed komt.'

Ik zei niets, maar ik voelde dat ik kwaad werd. Geen wonder dat Gwydion problemen heeft, dacht ik, met zo'n vader.

'Ik hoop dat u hem kunt helpen. Het wordt tijd dat hij eens wat steviger in zijn schoenen komt te staan. Een eigen leven opbouwt, weg van hier.' Hij keek me recht in de ogen toen hij dat zei, en ik voelde een blos opstijgen vanuit mijn nek. Het was alsof hij me de maat nam, mijn bekwaamheid inschatte, en of dat nou was als vrouw of als therapeut, of allebei, dat zou ik niet kunnen zeggen.

'Dr. Mayhew en ik wilden net een eindje gaan wandelen, voordat ze weer naar huis gaat,' zei Arianrhod. In haar stem klonk iets van lijdzaam geduld door. 'We zijn zo weer terug. Als je wilt, kunnen we de honden wel meenemen.'

'Wat je wilt.' Hij slaakte een gefrustreerde zucht. 'Rhiannon komt zo.'

Bij het horen van de naam Rhiannon trok er een gepijnigde blik over Arianrhods gezicht, hoewel ze haar best deed om dat te verbergen.

'We hebben nog ontzettend veel werk te doen...' Hij zweeg, alsof hij zich ineens weer herinnerde dat ik er ook was. 'Tot ziens, dr....'

Hij keek me weer aan en toen hij zag dat ik me ongemakkelijk voelde, verscheen er een klein lachje om zijn mond.

'Mayhew,' bracht ik hem in herinnering. 'Jessica Mayhew.'

Hij knikte kort en liep toen naar het huis, met zijn laarzen knerpend over het grind. Terwijl ik hem nakeek, drong met een schok tot me door waarom hij me zo bekend voorkwam. Het was niet alleen zijn gelijkenis met Gwydion, of vanwege het feit dat ik zijn gezicht waarschijnlijk uit de krant of van tv kende. Hij was, dat leed geen enkele twijfel, de man op de foto die ik had ontvangen, de man met de zwart gemaakte ogen.

Arianrhod en ik staken het gazon over, met de honden opgewonden om ons heen stuivend bij het vooruitzicht van alweer een wandeling. Ze renden voor ons uit, een of ander geurspoor volgend, af en toe als een pijl uit een boog naar ons terugschietend, terwijl we de ommuurde tuin in liepen die op zee uitkeek.

Een tijdje deden we er allebei het zwijgen toe. Mijn hoofd tolde. Ik wist nu dan wel wie de man op die mysterieuze foto was, maar ik wist niet wie hem had gestuurd, of waarom.

'Sorry van daarnet,' verbrak Arianrhod uiteindelijk de stilte toen we buiten gehoorsafstand waren. 'Evan is niet een van de geduldigsten. Hij raakt altijd van streek als Gwydion... ziek is. Hij maakt zich zorgen om hem. En dat laat hij op een nogal... nou ja, rare manier merken. Hij is echt heel dol op hem. Hij bedoelt er niks kwaads mee.'

Ik knikte, maar zei niets. Ik brak me nog steeds het hoofd over de foto. Toen wist ik het opeens. Het moest Gwydion zijn die hem had gestuurd. Ik had de foto immers ontvangen op de ochtend van Gwydions eerste afspraak. Hij was duidelijk instabiel en hij haatte zijn vader – dat had hij me min of meer verteld tijdens onze laatste sessie. En cliënten stuurden me wel vaker van tevoren brieven, dat deden ze liever dan tijdens de sessie moeilijke onderwerpen aansnijden. Dit was duidelijk een variatie op dat thema.

Het was een bevredigend gevoel. Hoewel ik het toen van me af had gezet, was de kwestie met de foto en de boodschap die hij inhield, nooit echt uit mijn gedachten geweest sinds ik hem had ontvangen. En nu kon ik die kleine maar irritante anomalie wegstrepen.

We kwamen bij een hoge stenen muur.

'Deze kant uit.' Arianrhod opende een klein houten poortje en ging me voor.

Tuinen aan zee zijn vreemde plekken. Ze hebben wel een bepaalde schoonheid, maar ze voelen niet aangenaam aan, niet huiselijk of getemd. Door de zoute wind worden de bomen in hun groei belemmerd en krijgen ze gedraaide stammen, en de heesters en struiken hebben iets ruigs, iets verdedigends, alsof ze moeten vechten voor hun recht op leven. De tuin van Arianrhod vormde hierop geen uitzondering, hoewel de stenen muren aan de kant van de zee wel voor enige beschutting zorgden. De tuin was bovendien zorgvuldig aangelegd, met de nadruk op architectonische vormgeving, op de contrasterende vormen en kleuren van takken en bladeren, en niet zozeer op bloemen. En het was een mooi ontwerp, een reeks ommuurde vierkanten met elkaar verbonden door houten poortjes, en met in de vierkanten smalle paadjes die om de gazons en bloembedden heen liepen.

Zelf ben ik niet zo'n tuinierster – dat bewaar ik voor mijn oude dag, wanneer ik meer tijd heb – maar toen we door de tuin rondliepen, kon ik wel zien dat er veel werk was besteed aan het onderhoud ervan. De gazons binnen elk ommuurd vierkant waren gemaaid, de randen van de bloembedden bijgeknipt, de bladeren in keurige hoopjes in de hoeken geharkt. Voor zover dat mogelijk was bij een door de wind geteisterde plek, werd er liefdevol voor gezorgd.

'Doe je dit allemaal zelf?' vroeg ik, toen we het laatste vierkant betraden, dat blijkbaar de moestuin was.

'Nou, er komt een man om de gazons te maaien.' Arianrhod veegde het haar uit haar ogen. 'Maar meer ook niet.'

'Het is vast veel werk.'

'Ja, dat is zo. Maar ik vind het leuk.' In het voorbijgaan trok ze even een verwelkte roos van een struik. 'Het is hier zo vredig. Ontspannend.' Ze zweeg even. 'Ik ben vaak zo gespannen. Door dat gedoe met Gwydion en...' Ze aarzelde even.

Ik voelde dat ze op het punt stond me iets persoonlijks te vertellen, waarschijnlijk over Evan, maar ik sneed haar meteen de pas af.

'Nou, het is prachtig. Je hebt duidelijk oog voor dit soort dingen.'

Het was niet onaardig bedoeld, maar ik wilde het met Arianrhod niet over haar man hebben. Zij was niet mijn cliënt, Gwydion was dat. En als er problemen binnen het gezin waren, wat duidelijk het geval was, dan hoorde ik daar liever over uit zijn mond.

Arianrhod leek de boodschap te begrijpen, want ze veranderde van onderwerp. 'Wil je het uitzicht vanaf de klif zien?' vroeg ze. 'Dat is behoorlijk spectaculair.'

'Prima,' zei ik. Hoewel ik eigenlijk zin had om weg te gaan voordat Arianrhod besloot om me nog verder in vertrouwen te nemen, vond ik het niet aardig om nee te zeggen. Bovendien wilde ik de zee wel even zien voordat ik wegging. Ik wilde hem in mijn geest opslaan voor toekomstig gebruik. Als ik overdag goed naar iets moois kijk, dan kan ik dat 's avonds in bed vaak tot in detail weer oproepen en dat helpt me om in slaap te vallen. Het is een truc die ik mezelf heb aangeleerd en soms beveel ik hem ook mijn cliënten aan als een goedkoop alternatief voor temazepam.

We liepen door nog een poortje naar een smal paadje dat tussen dichte gaspeldoorns en bramenstruiken over de klif naar een kleine open plek leidde. Daar bleven we staan om naar de enorme vlakte van de donkergrijze zee te kijken die zich uitstrekte tot aan de heiige horizon.

Het was inderdaad spectaculair. Het was eb, en de blootliggende zeebodem lag duizelingwekkend diep onder ons, een kraterachtige rotsbodem, als een slijmerige bruine maan, pokdalig, scherp, verraderlijk. Eromheen hing een gordijn van gele kliffen waarvan het zachte kalksteen gelaagd was als de gestapelde stenen van een half vervallen huis.

Onwillekeurig hapte ik naar adem en stapte weg van de rand van de klif. Niets scheidde ons van de afgrond, geen hek, geen heg, en ik had gewild dat dat wel zo was.

'Ik weet het,' zei Arianrhod. 'Het is nogal overweldigend, hè?'

'Niks aan de hand,' zei ik. 'Zolang ik maar bij de rand weg blijf. Ik heb een beetje last van hoogtevrees.'

Zwijgend keken we uit over zee. Toen ik mijn blik naar beneden liet glijden, zag ik dat er in de rots treden waren uitgehouwen en dat er een reling liep, een trap die leidde naar een steiger die uitstak boven de rotsbodem onder ons.

'Kun je daar via die trap komen?' vroeg ik. 'Niet dat ik van plan ben om het te proberen, hoor.'

Arianrhod lachte. 'Het is minder onveilig dan het eruitziet. 's Zomers gaan we vaak naar beneden om van de steiger af te duiken en te zwemmen. En ook in deze tijd van het jaar nog wel, als het mooi weer is. De zee is nu opgewarmd. Met warm bedoel ik...' Ze lachte opnieuw. Het leek haar gewoonte om zinnen te eindigen, of beter gezegd niet te eindigen, met een lach.

Ze nam me mee naar de trap en ik keek voorzichtig naar beneden. Nu ik dichterbij was, zag ik dat de treden behoorlijk diep in de rotswand waren uitgehouwen. Met één hand aan de reling zou het redelijk veilig zijn, hooguit een beetje glibberig. Desondanks was het een hele hoogte.

'Ik moet echt weg,' zei ik. 'Ik wil graag voor het donker thuis zijn.'

'Natuurlijk. Het wordt al laat. Ik besef nu pas dat...' Weer een onaffe zin. Een lach.

Net toen ik me wilde omdraaien, viel mijn oog op een kleine plaquette boven aan de treden, met een naam en datum erin gegraveerd: ELSA LINDBERG 1971-1990. Daaronder een paar woorden in een vreemde taal. Een Scandinavische taal, te zien aan de a's met een rondje erboven en de o's met een umlaut.

'Wat is dat?'

'O, dat.' Ze zweeg even. 'Heel droevig. Een jong meisje, een toeriste, uit Zweden geloof ik. Het is lang geleden. In de loop der jaren zijn hier wel wat mensen omgekomen, helaas. Gewoonlijk mensen die te ver de zee in gaan. De stromingen kunnen erg verraderlijk zijn.'

Haar manier van praten had iets laconieks en dat was in strijd met haar tot nu toe nogal emotionele gedrag. Ik vroeg me af of het ongeluk haar soms meer had aangegrepen dan ze wilde laten merken.

'Dat geloof ik graag.' Even schoot het beeld van het meisje en van haar koude, eenzame dood in het donkergrijze water door me heen. Maar omdat het weinig zin had om er lang bij stil te staan, voegde ik eraan toe: 'Kom, dan gaan we.'

Toen we terug het pad op liepen, wierp ik nog een laatste blik op de trap en de zee. In de korte tijd dat we hier waren geweest, leek het langzaam vloed te zijn geworden, zonder dat ik het had gemerkt, zodat het water inmiddels de onderkant van de kliffen raakte. Onwillekeurig rilde ik. Ik was blij dat ik hier wegging.

6

Toen ik thuiskwam, na een eentonige rit over de snelweg, was er niemand. Ik keek op mijn mobieltje en zag dat er twee berichten waren. Bob moest overwerken – goh, wat een verrassing – en Nella was met vrienden uit. Van Rose wist ik dat ze met school naar een toneelstuk was. Ze hadden het allebei zo geregeld dat Bob hen op weg naar huis zou oppikken. Er viel voor mij niets te doen, er was niemand die me nodig had. Ik kon een beetje uitrusten als ik wilde, leuke dingen doen, wat 'tijd voor mezelf' nemen zoals ze dat in vrouwenbladen noemen: een borrel drinken, een lang, heet bad nemen, wat te eten voor mezelf klaarmaken dat de meisjes niet lusten – risotto misschien, of soep – iets lezen wat niet al te veel inspanning vergde en dan vroeg naar bed.

Ik had vanavond echter helemaal geen zin in 'tijd voor mezelf'. Ik wilde actie, mensen om me heen; lichtjes, lawaai, geklets. Alles om maar niet te hoeven nadenken, om de herinnering aan mijn bezoek aan de Morgans af te zwakken: dat eigenaardige huis, die eigenaardige mensen en mijn eigenaardige aandeel in hun leven. En gelukkig was het vrijdag.

Samen met een stel vriendinnen ga ik op vrijdagavond regelmatig wat drinken in het plaatselijke culturele centrum. Soms eten we er een hapje of zien we er een film, maar meestal zitten we gewoon wat te kletsen om bij te komen van een drukke week. We zijn in totaal met een stuk of zes vrouwen, maar vaak ontbreken er een of twee. Het is een ontspannen, simpele regeling: je gaat als je er zin in hebt, en je gaat niet als je geen zin hebt. Ik belde snel even een vriendin, Mari Jones, om te vragen of zij er ook zou zijn en toen ze zei dat ze wel van plan was te gaan – wat later, na het eten – besloot ik dat ook te doen.

Toen ik bij het culturele centrum aankwam, liep het al tegen tienen. Het was er stampvol, maar mijn vriendinnen hadden een tafel weten te bemachtigen in een rustige hoek van de foyer. Ik begroette iedereen, vroeg of iemand nog wat wilde drinken, nam een paar bestellingen op en liep naar de bar. Na even te hebben nagedacht, besloot ik een glas Reverend James te nemen, het plaatselijk bier, genoemd naar een victoriaanse zielenherder die als bijverdienste bier had verkocht.

Ik liep met de drankjes naar de tafel en ging zitten. Er was een geanimeerd gesprek gaande dat, zoals zo vaak, door Mari werd gedomineerd. Ze is een actrice die veel in het Welshe toneel-, tv- en radiowereldje werkt. Ze is luidruchtig, grappig en glamoureus; en misschien dat ze soms een beetje te veel praat en te hard lacht, maar dat vergeef ik haar graag, want ze is warm en uitbundig en je kunt gewoon niet om haar heen. Naast haar zat Sharon, een Amerikaanse wetenschapster die aan de universiteit werkte. Sharon is een echte boekenwurm en helemaal Mari's tegenpool met haar kalmte en haar bedachtzaamheid. Toch zijn ze elkaars beste vriendinnen, waarschijnlijk de beste van de hele groep. De anderen die die avond waren gekomen, waren Polly, een thuisblijfmoeder – nou ja, dat klinkt in elk geval beter dan 'huisvrouw', toch? – en Catrin, die een vintagekledingwinkel in de Arcade heeft waar ik veel van mijn kleren koop.

Ik luisterde naar Mari die haar betoog hield en samen met de anderen lachte, terwijl ze de absurde hoogdravendheid van de toneelregisseur imiteerde met wie ze die week had gewerkt. Naarmate de tijd verstreek werd het gesprek aan tafel steeds levendiger, maar ik merkte dat ik moeite had om mee te doen. Mijn hoofd zat nog vol van wat er die dag was gebeurd. Natuurlijk kon ik het niet hebben over wat ik van Gwydion en zijn familie had gezien, want hij was een cliënt van me, maar ik kon het ook niet helemaal van me afzetten. Dus begon ik Mari uit te horen over Morgans positie in het toneelwereldje.

'Die regisseur van je. Dat is toch niet toevallig Evan Morgan?'

'Nee.' Mari lachte spottend. 'Hoezo?'

'O, zomaar. Hij is de enige Welshe regisseur van wie ik weleens heb gehoord, meer niet.'

'Was hij mijn regisseur maar,' verzuchtte Mari. 'Hij is geniaal, absoluut geniaal. Eerlijk gezegd de beste regisseur met wie ik ooit heb gewerkt.' Ze zweeg even. 'Maar het is wel een rare kerel natuurlijk. Had vroeger een gigantisch drankprobleem. Verschrikkelijke woedeaanvallen soms. En hij is een vreselijke vrouwengek.'

Ze aarzelde. Ik wachtte. Ik wist dat er meer zou komen. Mari is geen toonbeeld van discretie, en dat is waarschijnlijk ook de reden dat ik haar probeerde uit te horen.

'Ik heb zelf ook iets –' Ze maakte haar zin niet af; om haar lippen speelde een ondeugend lachje.

Ik zei niets. Ik had het gevoel dat het niet nodig was om haar aan te moedigen.

'Het stelde eigenlijk niets voor,' vervolgde ze na een korte stilte. 'Een korte affaire, jaren geleden. Had totaal geen toekomst.' Ze zuchtte weer. 'Maar wel heel veel lol gehad toen.'

Weer wachtte ik af. En er kwam ook meer, precies zoals ik had gedacht.

'Heb hem in geen tijden gezien.' Ze aarzelde even. 'Ik meen me te herinneren dat er een schandaal is geweest, een tijdje geleden. Iets met een... ik weet niet, een jong meisje. Goh, wat een verrassing. Hoe dan ook, het werd allemaal in de doofpot gestopt. Hij doet het ongelooflijk goed tegenwoordig – blijkbaar staat hij op de nominatie voor een ridderorde.' Weer een korte stilte. 'Maar het is geen geheim dat hij niet gelukkig is. Rothuwelijk. Zijn vrouw is zo'n Anglo-Welsh kakwijf uit de provincie.'

Mari zweeg, nam een slok van haar gin-tonic en ging toen weer verder. 'Arianrhod Meredith. Ze was heel jong toen ze iets kregen. Heel mooi. In het begin had Evan grootse plannen met haar, maar daar is niks van terechtgekomen. Ze was uiteindelijk alleen nog maar zijn vrouw, zo eentje die feestjes moest aanrichten voor zijn vrienden.'

Hoewel ik medelijden met Arianrhod kreeg, zat Mari nu helemaal op de praatstoel en ik wist dat ik haar beter niet kon onderbreken.

'Toen ze wat ouder werd en niet meer zo mooi was, hield dat ook op. Ze verdween helemaal uit beeld. Kwam nergens meer, gaf geen feesten meer. Ik geloof dat ze tegenwoordig als een soort kluizenaar leeft. Maar Evan en zij zijn nog wel bij elkaar. En hij neukt er nog steeds op los, heb ik gehoord.' Ze fronste. 'Relatie van niks, maar op de een of andere manier heeft die toch standgehouden.'

'Hebben ze kinderen?' Ik had het niet moeten vragen, maar ik was zo nieuwsgierig naar wat Mari daarover te zeggen zou hebben, dat ik het niet kon laten.

'Eén zoon maar, Gwydion. Echt een stuk, net als zijn vader vroeger. Sexy als wat. Jezus, ik zou zelf ook wel...' Ze wist zich in te houden. 'En hij is ook een goede acteur. Hij zou het stukken beter kunnen doen als hij de contacten van zijn vader zou gebruiken, maar dat wil hij niet. Blijkbaar heeft hij een bloedhekel aan zijn vader, vanwege hoe hij Arianrhod behandelt. Dat kun je hem ook niet echt kwalijk nemen.'

Ik vroeg verder niets meer. Gwydion was mijn cliënt, en eigenaardig genoeg voelde ik me een verrader door naar Mari's roddels over zijn familieomstandigheden te luisteren.

Mari, die merkte dat ik geen zin had om het er verder over te hebben, haalde haar schouders op en pakte toen haar sigaretten en aansteker van tafel. 'Ik ga even buiten roken. Ben zo terug. Zal ik zo iets te drinken voor je meenemen? Wat drink je?'

'Ik hoef niet meer, dank je. Ik ben met de auto.'

Ze rolde met haar ogen. 'Nou, dan neem je toch een taxi naar huis en laat je de auto hier staan? Het is wel vrijdagavond, hoor.'

Haar auto ergens laten staan en hem dan de volgende dag weer ophalen, was iets wat Mari regelmatig deed. Ze was eind veertig, maar dronk en rookte er nog lustig op los, ging tot in de late uurtjes uit, sliep uit, als het maar leuk was. Hoewel ze gescheiden was en haar kinderen al het huis uit waren, leek ze zich niet eenzaam te voelen. Ze was ontzettend sociaal en had her en der ook nog een scharrel. In sommige opzichten was ik jaloers op haar, maar ik wist ook dat ik totaal niet op haar leek. Tot op zekere hoogte vind ik het wel leuk om mensen te zien, maar ik heb ook rust nodig, tijd om na te denken. En als ik 's avonds geen gezin zou hebben dat op me wachtte, dan zou ik me zeker eenzaam voelen. Heel erg eenzaam.

'Ik denk dat ik maar eens ga,' zei ik. 'Ik loop met je mee naar buiten.'

Ik nam afscheid van iedereen en zei tegen Polly dat ik het jammer vond dat we niet even met elkaar hadden kunnen praten, maar ze leek het niet erg te vinden. Catrin en zij waren in een diep gesprek verwikkeld met Sharon, en Polly keek nauwelijks op toen we weggingen.

Buiten regende het. We bleven onder de dakrand staan en Mari stak een sigaret op en inhaleerde diep. Ze hield de rook even vast in haar longen en blies toen langzaam uit, met een zuchtje van genot. Ik keek toe, jaloers op haar vermogen om van dat gevoel te genieten.

'Mag ik er eentje?'

Mari keek verbaasd. 'Maar je rookt helemaal niet.'

'Dat weet ik. Maar ik wil er toch een.'

Ze hield me het pakje voor en ik nam er een sigaret uit. Toen ze me een vuurtje gaf, boog ik me iets naar voren om mijn hand om het vlammetje te leggen.

'Is er iets?' vroeg ze toen ik weer rechtop ging staan.

'Ja,' zei ik. Ik zoog op de sigaret en blies de rook uit, een beetje hoestend. 'Bob is vreemdgegaan. Hij is met een andere vrouw naar bed geweest.'

'Jezus. Wat is er precies gebeurd?'

Ik aarzelde. Zoals ik al zei is Mari niet echt het toonbeeld van discretie. Maar ze is niet boosaardig, totaal niet, en ik moest het aan iemand kwijt. Bovendien was ik nog steeds zo kwaad op Bob dat het me eerlijk gezegd helemaal niet kon schelen wie er allemaal te weten zouden komen wat hij had gedaan.

Ik nam nog een trekje, hoewel ik al een beetje duizelig begon te worden.

'Nou, hij had een paar weken geleden een congres. In München. Toen hij terugkwam, deed hij raar en een paar dagen later biechtte hij op dat hij een slippertje had gemaakt.'

'Wat een klootzak,' zei Mari verontwaardigd. 'Wie was het?'

'Een van de tolken op het congres. Een Duitse, geloof ik. Jonger dan ik, stukken jonger. Rond de dertig. "Totaal onbelangrijk", noemde hij haar.'

'Heeft hij het weleens eerder gedaan?'

'Nee.' Ik zweeg even. 'Hij zegt van niet tenminste. Hoewel ik me dat nu wel afvraag...'

Ze pakte mijn arm beet. 'Hoor eens, ik weet zeker dat hij de waarheid spreekt. Dit was gewoon een eenmalig iets. Bob is een fatsoenlijke vent. Hij aanbidt jou en de kinderen, dat zie je zo.'

'Dat weet ik wel,' zei ik. 'En hij voelt zich ook vreselijk schuldig. Ik wou dat ik het er eens goed met hem over kon hebben en het dan loslaten. Maar dat kan ik niet. Ik vraag me continu af hoe ze eruitzag... wat er precies is gebeurd... wat ze hebben gedaan...' Ik stopte.

'Als ik jou was zou ik daar maar helemaal niet aan denken, *cariad*.' Mari gaf me een kneepje in mijn arm.

'Maar waarom doet hij nou zoiets?' ging ik verder. 'Na al die jaren. Ik dacht dat het goed zat tussen ons. Ik dacht...'

'Was er iets mis tussen jullie?'

'Nee.' Ik nam nog een trekje. Hoewel ik er misselijk van werd, hield ik stug vol.

'Seks oké?'

Ik dacht even na. 'Nou ja, gewoon. Niks spectaculairs. Maar wel... afdoende, denk ik.'

Er viel een korte stilte en toen begon Mari te lachen. 'Afdoende? Nou, misschien moeten jullie allebei eens een beetje wakker worden geschud.' Na een korte aarzeling vervolgde ze: 'Waarom geef je hem geen koekje van eigen deeg? Neem zelf een vrijer.'

'Doe niet zo idioot.' Ik was van mijn stuk gebracht. 'Zoiets zou ik nooit doen.'

'Waarom niet?'

'Omdat... nou, omdat ik geen belangstelling heb voor andere mannen.' Ik zweeg even. 'Vroeger wel natuurlijk. Een beetje te veel zelfs. Maar tegenwoordig komt dat soort dingen niet eens meer bij me op.'

'Echt niet?'

'Echt niet.' Even verscheen voor mijn geestesoog het beeld van Gwydion in zijn strakke T-shirt, maar ik zette het gauw van me af. 'Ik peins er niet over om mijn huwelijk op het spel te zetten. Ik moet ook aan de meisjes denken. Het zou totaal onverantwoordelijk zijn.'

'Niemand zegt toch dat je je gezin in de steek moet laten?' Mari zweeg even. 'En Bob heeft niet echt recht van spreken. Als ik jou was zou ik lekker misbruik van de situatie maken. Je hebt carte blanche gekregen. Geniet van je vrijheid. Wie weet wanneer je die kans weer krijgt.'

Ik was geschokt. 'Maar dat is kinderachtig, Mari. Kinderachtig en gevaarlijk. Het huwelijk is geen machtsspelletje. En het draait ook niet alleen maar om seks.' Hoewel ik wist dat het allemaal nogal schijnheilig klonk, ging ik toch verder. 'Het draait om liefde, en vertrouwen. En...' Hoewel ik mijn best deed om de zin af te maken, kwamen er geen woorden meer.

Met een spottend lachje zei Mari: 'Ach, misschien heb je wel gelijk. Misschien is het allemaal wel veranderd sinds de tijd dat ik nog een man had.'

Schouderophalend nam ze een laatste trekje van haar sigaret. Toen gooide ze de peuk naast de mijne die al in een plas lag te soppen. Samen keken we naar het parkeerterrein, naar de regen die voor ons van het dak af droop. Toen zei ze: 'Ga nog even mee iets drinken, Jess. Volgens mij kun je wel een drankje gebruiken. Meerdere.'

'Nee,' zei ik. Ik kuste haar op de wang. 'Ik ben moe. Ik ga naar huis. Maar ik ben blij dat je even naar me hebt willen luisteren.'

'Geen probleem.' Ze sloeg een arm om mijn schouder en trok me tegen haar aan. 'Hou me op de hoogte.'

'Dat zal ik doen.'

Ik rende de regen in, nog even naar haar zwaaiend terwijl ze zich omdraaide om weer naar binnen te gaan. Toen stapte ik in en reed weg, door de donkere straten naar het huis dat kalmpjes op me wachtte in de regen, in het licht van de straatlantaarn.

De maandag daarop zat ik in mijn kamer op Jean te wachten. Ze was al een halfuur te laat voor haar sessie. Normaal gesproken was ze aan de vroege kant en zat ze al in de wachtkamer te wachten, me een verwijtende blik toewerpend als ik toevallig langsliep, alsof ze wilde laten merken dat het haar niet erg beviel dat ik haar niet eens vijf minuutjes extra tijd gunde. Dus ik wist dat het niets voor haar was om ook maar een seconde van haar sessie te missen, laat staan meer dan de helft ervan.

Ik voelde me geïrriteerd, rusteloos. Ook al vond ik Jean een frustrerende en dodelijk saaie cliënt, het stoorde me toch dat ze me gewoon liet barsten. Het probleem is dat ik me nooit opgelucht voel wanneer cliënten niet komen opdagen voor hun sessie, hoe lastig ze ook zijn. Ik heb dan het gevoel dat ik heb gefaald. Dat ik een slechte therapeut ben. En soms ben ik natuurlijk ook bang dat hun klachten zijn verergerd.

Met Jean zat dat er niet echt in. Ze was niet van het depressieve soort. Te kwaad, te verontwaardigd over de oneerlijkheid van haar situatie – weduwe worden, net op het moment dat haar man en zij met pensioen waren gegaan en zich erop hadden verheugd om het rustig aan te doen. Nee, Jeans afwezigheid zou niet te wijten zijn aan een chronische depressie, eerder aan... Ik dacht aan wat ze me had verteld over dat ze van haar man had gedroomd, dat hij er mager en bleek had uitgezien, net als voor zijn dood. Hij had – hoe had ze het ook alweer gezegd? – haar gesmeekt om hem niet te vergeten. Hetgeen betekende... ja, natuurlijk. Dat ze hem begón te vergeten. En dat ze zich daar schuldig over voelde.

Ik zuchtte en wilde net bij het raam weggaan toen ik ineens mijn oudste dochter over straat zag lopen, in de richting van de koffiezaak. Naast haar liep een man met kastanjebruin haar wiens gezicht ik niet kon zien. Hij was langer dan zij, een volwassen man, geen schooljongen. Ik vroeg me af wat ze met hem deed en of ze soms aan het spijbelen was. Maar toen de man zich omdraaide om de deur van de koffiezaak voor haar open te houden, drong met een schok tot me door dat het Emyr Griffiths was.

Een gevoel van woede steeg in me op en mijn hart begon te bonken. Het liefst was ik naar beneden gerend om ze in de koffiezaak aan te spreken, Nella te vragen waarom ze spijbelde en Emyr op te dragen om haar met rust te laten.

Er werd op de deur geklopt. Het was mijn volgende cliënt van die dag.

Toen ik me herinnerde waarom Emyr was ontslagen, werd ik ineens overvallen door een gevoel van paniek, maar dat wist ik snel te onderdrukken. Hij heeft niets verkeerds gedaan, bracht ik mezelf in herinnering. Er waren geen bewijzen tegen hem. En Nella is verstandig genoeg. Ze kan het wel aan. Waarschijnlijk heeft ze het met hem over Safe Trax of iets soortgelijks onschuldigs. Toch bleef ik nog een paar seconden voor het raam staan, strak naar de koffie-zaak turend, alsof mijn moederlijke blik Nella uit de verte kon beschermen. Toen werd er weer geklopt.

Ik liep naar de deur en deed open.

Ik had niet verwacht dat Gwydion Morgan zou komen opdagen voor zijn sessie. Nog maar drie dagen eerder had hij in bed gelegen, met zijn gezicht naar de muur, weigerend me te woord te staan. Maar tot mijn verrassing was hij stipt op tijd, fris geschoren, met pas gewassen haar. Op de een of andere manier had hij zich weten te vermannen, was opgestaan en had zich aangekleed om vervolgens helemaal uit Pembrokeshire hiernaartoe te rijden voor zijn sessie met mij. Dat stemde me tevreden, ondanks mijn zorgen om Nella.

Ik wachtte tot hij was gaan zitten. Er viel een ongemakkelijke stilte die ik verbrak. 'Zo,' zei ik. Ik zweeg weer, in de hoop dat hij het gesprek zou beginnen.

'Zo.' Hij glimlachte. Hij leek het fijn te vinden me te zien.

Ik glimlachte terug, op een naar ik hoopte vriendelijke, begripvolle manier. En toen voelde ik, tot mijn grote ergernis, een plotselinge hitte vanuit mijn nek opstijgen die mijn wangen rood kleurde.

'Je ziet er goed uit,' zei ik.

'Ik voel me eerlijk gezegd ook wel wat beter.' Hij leek niet te merken dat mijn gezicht in brand stond. 'Trouwens, nog bedankt dat je naar ons toe bent gekomen.' Hij haalde een hand door zijn haar, een mij inmiddels vertrouwd gebaar.

Ik knikte.

'Dat heeft wel geholpen.'

'Fijn.' Ik probeerde zo neutraal mogelijk te klinken.

'Ga je niet vragen waarom?'

'Als je me dat wilt vertellen.' Ik zweeg even. 'Maar niet als je dat niet wilt. Jij bepaalt tijdens de sessie waar het over gaat.'

Met zijn hoofd schuin en met samengeknepen ogen nam hij me op, alsof hij me taxeerde. 'Is dat zo?' vroeg hij. 'Oké. Dank je.' Hij klonk enigszins verbitterd.

Hij deed er het zwijgen toe. Ik overwoog weer naar het raam te lopen, onder het voorwendsel het te openen voor wat frisse lucht, zodat ik de koffiezaak in de gaten kon houden, maar ik dwong mezelf om me op mijn werk te concentreren. Ik begon me af te vragen waar Gwydions overduidelijke woede vandaan kwam. Door de foto die hij me had gestuurd – iets waar ik het vroeg of laat met hem over zou moeten hebben – wist ik dat hij woedend was op zijn vader. En dan had je natuurlijk nog de overdracht. Iets wat te maken had met zijn relatie met zijn moeder, Arianrhod, en wat hij op mij projecteerde. Het idee dat hij mij ter wille moest zijn, dat hij zijn moeder ter wille moest zijn, ook al zeiden we dat hij mocht doen waar hij zin in had. Zoiets...

Hij wendde zijn blik af en keek naar de grond. 'Ik vond het niet fijn dat je in mijn kamer bent geweest, dat je me in die toestand hebt gezien.' Hij aarzelde. 'Mijn moeder heeft je gevraagd te komen, niet ik.'

'Ja,' zei ik. 'Nou, ik snap best dat je daar boos om bent.'

Even vroeg ik me af of ik moest zeggen dat het me speet dat ik zo bij hem was komen binnenvallen, maar ik besloot dat niet te doen.

'Ik ben niet boos, niet echt.' Hij zuchtte. 'Ik... ik schaam me alleen maar.'

'Er is niets om je voor te schamen,' zei ik. Ik sprak zacht. 'We hebben allemaal weleens een slechte dag.' Ik zweeg even. 'En ik ben ervoor om je daarmee te helpen.'

'Dat weet ik.' Hij schraapte zijn keel, als om te kennen te geven dat het onderwerp daarmee was afgehandeld. 'Hoe dan ook, ik zou het graag nog even over die droom willen hebben.'

Ik knikte bemoedigend.

Hij sloot zijn ogen. 'Eens kijken... Waar waren we de laatste keer gebleven? Ik zit in de doos. Het is donker. Ik ben bang.' Hij fronste

zijn wenkbrauwen alsof hij zich moest concentreren. 'Ik hoor geschreeuw, steeds harder en harder. De stem van een man, en van
een vrouw. En dan...'

Hij stopte abrupt.

'Ga verder.'

'En dan hoor ik gegil. De vrouw gilt. En de man schreeuwt terug,
met een zware, agressieve, boze stem...' Hij drukte zijn vingers tegen zijn voorhoofd. 'En dan plotseling een... schok. De doos beweegt, alsof er iets hards tegenaan is gekomen. Ik knijp mijn ogen
stijf dicht en houd mijn adem in. Ik wil wel roepen, maar niemand
mag weten dat ik daar ben...'

Hij sloeg zijn handen voor zijn gezicht. Ik zag dat ze een beetje
trilden. En toen begon hij tot mijn verbazing te snikken, harde uithalen waarvan eerst zijn schouders begonnen te schokken en daarna zijn hele lichaam. Ik boog me voorover naar de salontafel tussen
ons in en schoof de doos tissues naar hem toe. Het liefst had ik mijn
hand op zijn arm gelegd, maar dat leek me niet gepast, niet in dit
geval.

'Het geeft niks, Gwydion.' Mijn stem klonk eigenaardig, alsof ik
geen lichaam had. Het is me opgevallen dat dat soms gebeurt tijdens mijn sessies, op een moment van crisis. Alles lijkt dan te ver-
tragen en geluiden, zelfs het geluid van mijn eigen stem, klinken
als van heel ver weg.

'Ik kan dit niet,' zei hij. Achter zijn handen klonk zijn stem gedempt. 'Het vraagt te veel van me. Ik kan het gewoon niet.'

Het vraagt te veel van me. Ik vroeg me af wat dat betekende. Het
was allemaal heel eigenaardig, zoveel wist ik zeker. Er klopte iets
niet.

'Het spijt me,' zei hij. Het kwam er als een snik uit, terwijl hij een
tissue uit de doos pakte, nog steeds zijn gezicht voor me verbergend. Hij veegde langs zijn ogen en snoot zijn neus. Zijn lichaam
schudde nog steeds van de naschokken, of nasnikken, of hoe het
ook heet, dat bevend naar adem snakken wat kinderen doen wan-

neer ze stoppen met huilen, maar er nog niet helemaal klaar mee zijn.

Na een tijdje nam hij zijn hand van zijn gezicht weg en keek me aan.

'Sorry, Jessica, maar ik kan hier niet mee doorgaan.' Hij probeerde zijn stem onder controle te krijgen, maar er zat nog steeds een bibber in.

Ik zei niets. Ik betwijfelde of hij het meende. Wanneer cliënten zeggen dat ze niet verder kunnen, betekent dat meestal dat we ergens beginnen te komen, dat ze juist op het punt staan om eindelijk te vertellen wat hen dwarszit. Het enige wat ik dan nog hoef te doen is roerloos blijven zitten luisteren en misschien af en toe de doos tissues naar hen toe schuiven, want als het er eenmaal uit begint te stromen, is het meestal een behoorlijke puinhoop. Deze keer echter niet. Tot mijn verbazing ging Gwydion niet verder. Hij stond juist op om weg te gaan.

'Toe, Gwydion,' zei ik. 'Het is toch nergens voor nodig om ineens weg te lopen. Blijf nog even. We hoeven niks te zeggen, als je dat niet wilt. Jij hoeft niks te zeggen.'

'Nee, sorry, ik denk echt dat ik beter kan gaan.' Zijn stem trilde nog steeds een beetje, maar ik merkte dat zijn besluit vaststond.

Hij liep naar de deur.

Ik keek hem na. Voor de tweede keer die dag was het alsof ik een klap in mijn gezicht had gekregen. Dit had ik niet verwacht, ik had het niet zien aankomen. Ik zocht naar iets om te zeggen, iets waardoor hij zou blijven, maar ik kon niets verzinnen.

Hij deed de deur open. Heel even dacht ik dat hij zelfs geen gedag zou zeggen, maar toen draaide hij zich om en zei: 'Het spijt me. Jij kunt er niks aan doen. Je bent een fatsoenlijk mens. Je probeert gewoon je werk te doen. Daarom...'

Zijn stem stierf weg en er viel een korte stilte.

'En daarom? Daarom wat, Gwydion?'

Hij wendde zijn blik af en ik zag een flits van oprechte spijt op zijn gezicht. Hij zag eruit als een klein jongetje dat iets stouts had gedaan en nu was betrapt. Ik had geen flauw idee waarom. Ik kon Gwydion niet meer volgen. Letterlijk en figuurlijk niet.

Ik probeerde een andere aanpak.

'Gwydion,' zei ik. 'Mag ik je nog iets vragen voordat je weggaat?' Hij knikte.

'Heb jij me een foto van je vader gestuurd?' Ik aarzelde even, maar besloot toen om er niet verder over uit te weiden.

Hij keek me verbijsterd aan. Ik wist niet goed of dat was omdat hij deed alsof hij niet besefte waar ik het over had of dat hij werkelijk geen flauw idee had. Hoe dan ook, ik had spijt dat ik erover was begonnen.

Even was er een impasse, hij aarzelend bij de deur, ik op het puntje van mijn stoel, allebei in de wetenschap dat dit een keerpunt was – en geen van ons beiden blijkbaar in staat de kans te grijpen, er iets zinnigs van te maken, erop door te gaan.

Toen liep hij naar buiten en sloot de deur zachtjes achter zich.

Toen ik na mijn avondsessies thuiskwam, ging Bob net weg. Rose was al naar bed. Uit Nella's kamer klonk muziek, dus ging ik naar boven om met haar te praten.

Voor haar deur bleef ik even staan luisteren. Ze speelde het liedje van Billy Holiday dat ze op het concert had gezongen.

Ik klopte aan. Omdat ze zoals gewoonlijk niet reageerde, deed ik na even te hebben gewacht de deur open en liep de kamer in.

'Hallo, liefje.'

Nella zat achter haar computer. Ze draaide zich niet om.

Ik ging op het bed zitten. 'Hoe gaat het?'

Ze was volledig verdiept in Facebook en om haar lippen speelde een lachje terwijl ze een bericht van een vriendin las.

'Ik moet even met je praten.'

Ze draaide zich om en keek me aan. Aan haar gezicht zag ik dat ze kilometers ver weg was.

'Het gaat alleen maar om...' Ik aarzelde. 'Ik zag je vandaag die koffiezaak tegenover mijn praktijk in gaan. Samen met Emyr Griffiths.'

'Nou en?'

'Nou, ik vroeg me af... gewoon... wat je daar deed. Op dat tijdstip. Dat je niet op school was...'

'Ik mag heus de straat wel op als ik een tussenuur heb.'

'Echt waar? Ik dacht dat jullie dan zelfstandig moesten werken.'

Ze richtte haar aandacht weer op de computer, beledigd omdat ik haar ondervroeg. 'Het was werk. Het ging over mijn toekomstige carrière.'

'O?'

Ze keek op, met een verlegen lachje om haar mond. Hoewel ze opgewonden was, probeerde ze dat niet te laten merken.

'Emyr gaat me opgeven voor *Jazz Quest*.'

'Wat is dat?'

'Een nieuw tv-programma.' Haar ogen leken groter te worden terwijl ze sprak. 'Zoiets als *X Factor*, maar niet zo stom.'

'Dat klinkt fantastisch, schat.' Ik deed mijn best om enthousiast te klinken. 'Goed van je.'

Nella probeerde haar lach niet langer te verbergen en keek me stralend aan.

'Hij denkt dat ik het in me heb om een grote ster te worden. Die producer die hij in Londen kent, werkt voor dat programma. Hij bepaalt wie er mee mag doen. Hij zegt dat hij heel enthousiast over me is.'

'Heeft hij je dan horen zingen?'

'Nee, nog niet, maar Emyr heeft hem verteld...'

'Nella,' onderbrak ik haar. 'Ik hoop dat je het niet verkeerd opvat.' Ik sprak zo rustig mogelijk. 'Maar als ik jou was, zou ik een beetje voorzichtig zijn. Je bent nu zestien, je bent een erg mooi meisje en... nou ja...'

Nella keek me kwaad aan. 'Ja hoor. Dus wat je eigenlijk wilt zeggen is dat ze niet geïnteresseerd zijn in hoe ik zing, maar alleen maar –' Ze maakte haar zin niet af. 'Nou, je wordt bedankt, mam. Je bent echt een grote steun voor me.'

Ik zuchtte. 'Hoor eens, ik weet zeker dat ze je goed vinden zingen. Je zingt prachtig. Maar ik wil je alleen maar waarschuwen...'

'Je stelt je aan.' Nella werd nu echt boos. 'Je doet alsof ik nog een kind ben. Ik kan heus wel op mezelf passen, hoor.'

'Natuurlijk. Maar er doen geruchten de ronde over Emyr, daarom.' Ik aarzelde even. 'Er was wat op die school waar hij lesgaf, iets met een meisje, en toen hebben ze hem uiteindelijk ontslagen. Eerlijk gezegd denk ik niet dat hij wat verkeerds heeft gedaan, maar het vermoeden bestond toen wel. Dat is het enige wat ik zeg, Nella. Ik wil dat je je van de situatie bewust bent.'

'Prima. Bedankt dat je het me hebt verteld.' Ze draaide zich om en zette het geluid van de luidspreker op haar bureau wat harder.

Ik stond op, liep naar haar toe en legde een arm om haar schouder.

'Mooi liedje,' zei ik. Ik kuste haar zacht op haar wang. 'Ga je dat voor die show zingen?'

Nella antwoordde niet.

Ze trok haar schouder onder mijn arm vandaan, daarmee te kennen gevend dat ons gesprek was beëindigd.

7

De week daarop was Gwydion er weer. Ik was er blij om, hoewel het me ook weer niet echt verbaasde. Het komt vaker voor dat cliënten van streek bij een sessie weglopen en dan de volgende week weer op de stoep staan alsof er niets is gebeurd. Dat hoort allemaal bij de overdracht, het uitspelen van een oude emotionele dynamiek, en in het algemeen kun je dan niet veel meer doen dan je goed vasthouden en je voorbereiden op een hobbelige rit. Toch kan het voor een therapeut zenuwslopend zijn je steeds te moeten afvragen wat er allemaal kan gebeuren – vooral wanneer het erop lijkt dat een cliënt op het punt staat te ontdekken wat er aan zijn probleem ten grondslag ligt. Of wanneer de tegenoverdracht, zoals in dit geval, bijzonder krachtig lijkt.

Op het afgesproken tijdstip werd er op mijn deur geklopt. Ik liet Gwydion binnen, wees hem zijn stoel en ging zelf tegenover hem zitten in de mijne. Zoals gewoonlijk droeg hij zijn spijkerbroek, met daarop een dikke donkerblauwe trui. Hij zag er een beetje moe uit, vond ik. Hij had wallen onder zijn ogen en maakte een beetje een afwezige indruk, maar verder leek hij redelijk kalm.

Even zaten we zwijgend bij elkaar. Ik voelde dat hij genoot van de rust in de kamer, net zoals ik overdag ook vaak deed. De boom voor het raam wierp zijn bewegende schaduwen op de muur en in de steeds diepere stilte konden we het vage geritsel van de bladeren horen.

'De winter komt eraan,' zei hij. 'Je proeft het in de lucht.'

Ik knikte alleen maar, want ik wilde de stilte nog niet verbreken. Aan het begin van een sessie is er altijd een moment waarop ik een gevoel van verwachting heb, van opwinding bijna; alsof de vertrouwde kaart van het leven van de cliënt in kwestie, en ook mijn eigen kaart, kwijt is geraakt, ergens achtergelaten, heel even, zodat we samen, in de rust van de spreekkamer, kunnen beginnen met de kaart opnieuw in te tekenen, hem voor het eerst zien en begrijpen.

'Sorry dat ik vorige keer zomaar ben weggelopen,' vervolgde hij, met zijn blik op de grond gericht. 'Ik had er gewoon genoeg van. Maar nu... nou ja, ik besef dat ik dit niet in mijn eentje kan oplossen. Ik heb je hulp nodig.'

Hij keek op. Zijn pupillen leken zich te verwijden en donkerder te worden. Ik hield zijn blik vast, keek hem recht in de ogen. Deze keer werd ik er niet zenuwachtig van. Ik accepteerde simpelweg dat ik nu eenmaal op hem reageerde zoals elke normale vrouw op een aantrekkelijke man reageert, dat deze ondergrondse gevoelsstromen van tijd tot tijd door ons heen trekken, hoe ongewenst en ongepast ze misschien ook zijn. En dat er hier bovendien nog iets belangrijkers aan de hand was: Gwydion was een gevoelig, kwetsbaar mens die iemand nodig had die hem kon helpen, iemand die hij kon vertrouwen. Ik moest hem laten zien dat ik diegene was.

'Laten we eens teruggaan naar die droom,' zei ik. 'Ben je al verder in die droom?'

'Nee. Ik zit vast. Iedere keer als ik die schok voel, word ik wakker.'

'De laatste keer vertelde je dat er vlak voor die schok geschreeuw te horen was. Van een man en een vrouw.'

'Ja.'

'Herken je de stemmen?'

'Ik weet het niet zeker.' Hij wendde zijn blik af. 'Ik bedoel, de mannenstem, dat zou natuurlijk mijn vader kunnen zijn. Het is een boze stem, net zoals die van hem toen ik klein was.'

'En de vrouwenstem?'

'Ik weet het niet.' Hij haalde zijn schouders op. 'Het zouden mijn ouders kunnen zijn die ruziemaken. Dat deden ze veel toen ik klein was. Maar ik herken die vrouwenstem niet echt.'

'En die plotselinge schok? Wat zou dat kunnen zijn, denk je?'

'Ook dat zou ik eigenlijk niet goed weten. Ik bedoel, mijn vader had dan wel een pesthumeur, maar ik kan me niet herinneren dat hij mijn moeder ooit geslagen heeft. Of mij.'

Ik dacht een paar seconden na. 'Je zegt dat je in een doos zit. In het donker. Ik vraag me af wat dat te betekenen heeft.'

'Nou, mijn ouders hebben me nooit in een doos opgesloten, als je dat soms bedoelt. Ze waren niet wreed. Het ergste wat ze me hebben aangedaan is dat ze geen aandacht aan me besteedden.'

'Ze? Ik bedoel, je moeder besteedde ook geen aandacht aan je?'

Hij leek even in de war, alsof hij voor zijn beurt had gesproken. 'Nee, nee. Ze is altijd heel goed voor me geweest. We hadden – hebben – een erg nauwe band.'

'In welk opzicht?'

Mijn vraag leek hem te verbazen. 'Gewoon. Ze zorgt voor me, maakt zich zorgen om me. Wat moeders doen.'

Hij zweeg. Ik voelde dat hij het er verder niet over wilde hebben.

'Nee, Evan was het probleem,' ging hij verder. 'Alles draaide om zijn werk. Hij was heel vaak weg, we zagen hem bijna nooit. En als hij er was, dan waren er altijd mensen bij. Acteurs, voornamelijk. Hij heeft nooit tijd voor mij gemaakt.'

Een korte stilte en toen voegde hij eraan toe: 'Hij kende me eigenlijk niet echt. Hij wilde alleen maar met me pronken, als zoon. Op zijn manier zal hij heus wel trots op me zijn geweest. Hij wilde altijd dat ik me met zijn vrienden onderhield, leerde me allerlei dingetjes, zoals poppenkastvoorstellingen maken, van die dingen. Maar hij was altijd zo ongeduldig. Hij werd kwaad als ik een tekst niet onthield of een danspasje vergat. Ik was bang voor hem, hij ondermijnde mijn zelfvertrouwen. Uiteindelijk vond ik het hele gedoe afschuwelijk.'

Ik dacht even na. 'Maar toch ben je acteur geworden.'

Hij lachte spottend. 'Raar, hè? In dat opzicht was hij mijn rolmodel, zou je kunnen zeggen. En misschien heb ik wat ik aan talent heb, wel van hem geërfd.' Hij zweeg even. 'Hij probeert me nog steeds dingen te leren, hij zegt dat ik zijn contacten wel mag gebruiken, maar ik betrek hem totaal niet bij mijn carrière. Ik wil zijn hulp niet. Mocht ik succes krijgen dan wil ik niet dat hij kan denken dat hij er iets mee te maken heeft. Die bevrediging gun ik hem niet, verdomme.'

Hij sprak zo verbitterd dat ik onwillekeurig een beetje medelijden met Evan kreeg. Het was duidelijk dat hij een niet al te aanwezige vader was geweest, dat hij in zijn eigen wereldje had geleefd, maar het leek me toch dat hij, op een naïeve manier, van zijn zoon had gehouden.

'Goed, om terug te gaan naar de droom en dat stel dat ruziemaakt,' zei ik. 'Je zei dat de relatie tussen je ouders niet gewelddadig was. Hoe was hij dan?'

'Hij behandelde haar met totale minachting.' Zijn stem kreeg iets wrangs. 'Zo lang als ik me kan herinneren had hij de ene vriendin na de andere.'

'Hoe wist je dat?'

'Gewoon. Kinderen voelen dat soort dingen toch aan? Een vrouw die vaak langskomt, die een beetje te hard lacht, die je vaders schouder iets te vaak aanraakt. Je moeder die er gekwetst en vernederd bij staat. En dan 's avonds, als je in bed ligt, de ruzies beneden waardoor je bang wordt en van streek raakt.' Na een korte pauze zei hij: 'Ze heeft echt geleden. Evan kende geen enkele schaamte. Hij heeft nooit verhuld dat hij achter de vrouwen aan zat. Iedere keer dat hij ontrouw was geweest, kwam hij dat thuis opbiechten, en dan zwoer hij dat hij het nooit weer zou doen. En ze vergaf het hem iedere keer weer. Het was gewoon zielig.' Wat zachter vervolgde hij: 'Ik haatte hem om wat hij haar aandeed. Ik haat hem er nog steeds om.'

Ik begon al wat minder medelijden met Evan te krijgen. Mijn maag draaide zich zelfs om van woede toen ik hoorde hoe hij zijn vrouw had behandeld, hoe hij haar keer op keer had vernederd in het bijzijn van haar zoon.

'Het punt is dat het nog steeds doorgaat. Hij heeft nu weer een vriendinnetje, Rhiannon. Hij is er heel open over.' Hij maakte een wegwerpgebaar. 'Maar eerlijk gezegd zit ik er allang niet meer mee. Ik kan er toch niets aan veranderen. Mijn moeder gaat heus niet bij hem weg. Voor zover ik kan zien, zullen ze gewoon op de oude voet doorgaan, tot het bittere einde.'

Er viel een stilte, die ik uiteindelijk verbrak.

'Toch denk ik dat je er nog wel mee zit, Gwydion.' Ik sprak op aarzelende toon. 'Volgens mij is dit conflict een deel van je geworden. Dat gebeurt er met kinderen wanneer hun ouders ruziemaken. En daarom draag je het nog steeds met je mee, vanbinnen.' Ik zweeg. 'En misschien is die schok...'

'In de droom?'

Ik knikte. 'Het zou natuurlijk iets kunnen zijn wat echt is gebeurd. Of misschien iets waarvan je wilt dat het was gebeurd. Om eindelijk een einde aan het conflict te maken.'

'Misschien wel.' Hij leek niet al te overtuigd.

Na een korte stilte begon hij te vertellen over de op handen zijnde repetities voor de dramaserie. Hij zou de volgende sessie moeten overslaan, zei hij, omdat hij naar de bijeenkomst met zijn regisseur moest, maar daarna wilde hij graag zo snel mogelijk doorgaan: hij moest zijn knopenfobie onder controle zien te krijgen voordat de kostuumrepetities begonnen, en ook zat de droom hem nog steeds dwars, hij werd er midden in de nacht wakker van en dan was hij de volgende dag te moe om zich op zijn werk te concentreren. Ik leefde met hem mee. Hij had haast om deze urgente praktische problemen die zijn carrière dreigden te ruïneren op te lossen. Op zo'n moment leek het irrelevant om te graven naar oude familieruzies die toch niet meer konden worden veranderd – hij moest verder met zijn leven.

Toch wist ik uit ervaring dat er weinig anders op zat voor Gwydion. Vroeg of laat, wanneer er dingen niet kloppen in ons leven, komt er een schok. De roep van het geweten, zoals Kierkegaard het noemde. We kunnen die negeren en verdergaan, misschien ingeperkt door onze keuze, onze horizon verkleinend, of we kunnen hem als een kans zien om de boel op orde te brengen. Ik wist niet of Gwydion bij machte zou zijn om gehoor te geven aan de roep, maar ik dacht dat er, als het hem lukte zijn droom ten einde te dromen, een gerede kans bestond dat hij op de goede weg was.

We praatten nog wat, voornamelijk over zijn knopenfobie en het kostuum dat hij moest dragen voor zijn rol als Granville Beauclerc, de mannelijke hoofdrol in de serie. Hij zei dat er op het jasje en het vest waarschijnlijk metalen knopen zouden zitten en op het hemd hoornen, door een oogje aan de achterkant vastgenaaid, en niet door gaatjes in de knoop zelf. Hij legde uit dat dat voor hem niet het ergste soort was en dat hij het waarschijnlijk wel zou redden zodra hij het kostuum had aangetrokken. We hadden het over praktische zaken, zoals hoe hij het voor elkaar zou kunnen krijgen om alleen te zijn wanneer hij die knopen dicht moest doen, of dat er toch iemand anders bij moest zijn om dat te doen, en toen was de tijd om. We namen afscheid en ik wenste hem succes met de aanstaande repetities; hij leek geen zin te hebben om weg te gaan en ik vond het ook jammer dat hij ging, want ik was me ervan bewust dat zijn afwezigheid volgende week de gestage vooruitgang zou onderbreken die we tijdens de sessies hadden geboekt.

Toen hij weg was, ging ik achter mijn bureau zitten om mijn mail door te nemen voordat de volgende cliënt kwam. Maar in plaats van mijn e-mails te openen, bleef ik even naar de screensaver zitten kijken, een tekening van ons huis en onze tuin die Rose, toen ze klein was, op school had gemaakt.

Zoals wel vaker het geval is wanneer ik een cliënt heb gehad, had mijn sessie met Gwydion ook bij mij wat vragen opgeworpen. Ik dacht aan de plotselinge schok in zijn droom, de roep van het geweten, zoals ik hem had geïnterpreteerd, die hem vertelde dat er iets fundamenteels fout zat in zijn leven, iets wat hij meteen moest aanpakken. Zou dat ook voor mij kunnen gelden? Was Bobs ontrouw de schok geweest die ik nodig had om me te laten inzien dat ons huwelijk in moeilijkheden was? Misschien was het, onbewust, Bobs manier geweest om me dat te vertellen. Ik had verstandig gereageerd, dat had ik tot dusverre tenminste gedacht. Ik had niet geschreeuwd en gegild, had niet gedreigd met weggaan. Ik had me als een verantwoordelijke volwassene gedragen, als een ouder, niet als een jaloerse geliefde, me ervan bewust hoeveel er op het spel stond, hoeveel ik – wij allemaal – te verliezen had als we ruziemaakten en uit elkaar gingen. Maar in werkelijkheid was ik kwaad op hem. Ziedend, beter gezegd. Dat had ik opgemaakt uit mijn eerste spontane reactie op Gwydions beschrijving van Evans vreemdgaan. Als ik eerlijk tegenover mezelf wilde zijn, dan moest ik mijn woede onder ogen zien, een manier vinden om die tot uiting te brengen en haar niet simpelweg mijn rug toe te keren uit angst voor de schade die ze kon aanrichten. Het probleem was, hoe moest ik dat doen zonder mijn hele leven overhoop te halen?

'Bob, ik zat erover te denken om een paar daagjes weg te gaan.'

'Mmm?' Bob keek op uit de krant. We zaten aan de keukentafel na het ontbijt de zaterdagkranten te lezen.

'Ik moet er even tussenuit.' Ik pakte mijn kop koffie en warmde mijn handen eraan.

'Goed idee? Waar zullen we naartoe gaan?'

'Nee. Niet wij. Ik. In mijn eentje.'

Hij legde de krant neer, onderwijl zijn bril in zijn haar duwend.

'Jess, wanneer hou je eindelijk eens op met me te straffen?' Hij keek me oprecht gepijnigd aan. 'Ik heb al gezegd dat het me spijt. Ik heb mijn best gedaan om het weer goed te maken. Wat kan ik nog meer doen?'

'Ik straf je niet. Ik wil gewoon even alleen zijn, meer niet.'

'Hoor eens.' Hij zuchtte. 'Ik heb een stomme fout gemaakt en ik heb er vreselijk veel spijt van. Maar ik weet zeker dat we er wel uit komen. Waarom wil je er niet over praten, zodat ik het kan uitleggen?'

'We hebben er al over gepraat.' Ik nam een slokje koffie. 'Je bent vreemdgegaan. Ik heb dat geaccepteerd. Jij hebt gezegd dat het niet weer zal gebeuren. Ik geloof je. Verder valt er niets over te zeggen.'

'Godallemachtig, zeg!' riep Bob geërgerd uit. 'Jij bent toch psychotherapeut? Jij hoort toch te vinden dat mensen zich moeten uiten, dat ze moeten communiceren? Waarom kun je dat zelf dan niet?'

'Psychotherapeuten zijn net gewone mensen, Bob.' Ik begon harder te praten. 'Ze worden kwaad als ze bedrogen worden door hun man. Ze zijn jaloers. Gekwetst. Beledigd. We zijn verdomme geen heiligen.'

'Oké, oké. Maar je geeft me gewoon geen kans. We hebben wat tijd samen nodig. Ik weet zeker dat dat –'

'Ik wil geen tijd samen met jou, Bob,' onderbrak ik hem. 'Eerlijk gezegd kan ik jouw aanblik op dit moment nauwelijks verdragen. Maar ik wil toevallig wel getrouwd met je blijven. Ik wil dit allemaal niet kwijtraken.' Ik gebaarde om me heen. 'Of de meisjes van streek maken.' Ik zweeg even. 'Ik weet zeker dat dit gevoel wel zal overgaan. Je moet het me gewoon op mijn eigen manier laten verwerken en daar zul je me de tijd voor moeten geven.'

Hij wilde net iets zeggen toen Nella de keuken binnenkwam. Er viel een ongemakkelijke stilte. Ze liep naar de ijskast, trok de deur open, nam er een pak sinaasappelsap uit en schonk zichzelf een glas in.

'Hebben jullie ruzie?' vroeg ze.

'Ja,' zei ik.

'Nee,' zei Bob. We spraken tegelijk.

'O. Nou, dan zal ik jullie niet verder storen.' Ze deed de ijskastdeur dicht, pakte haar glas, nam een koekje uit de trommel boven op de ijskast en liep weg.

Er viel weer een stilte. We schaamden ons er allebei voor dat we ruzie hadden gemaakt waar Nella bij was.

'Nella wordt behoorlijk sarcastisch de laatste tijd,' veranderde Bob van onderwerp.

'Gewoon puberaal gedrag, denk ik.' Ik probeerde verzoenend te klinken. 'Ze is nogal gauw op haar teentjes getrapt tegenwoordig. Ik wilde het laatst met haar over die zogenaamde A&R-man hebben...'

'Wat is er met hem?' Bob keek bezorgd.

Ik had hem al verteld dat Emyr was ontslagen en ook waarom. Ik had gezegd dat ik het oneerlijk vond, dat er tegenwoordig op scholen een soort hysterie heerste wat betrof lichamelijk contact tussen docenten en leerlingen. Ik had echter nog niet verteld dat Emyr ook een cliënt van me was geweest; ik had niet gewild dat Bob zich zorgen zou maken en ik had ook niet onnodig vertrouwelijke informatie willen openbaren.

'Ik heb het je niet eerder willen zeggen, maar een tijdje geleden heeft hij een paar sessies bij me gehad.'

'O? Waarvoor?'

'Niks bijzonders. Een lichte depressie nadat hij zijn baan kwijt was.' Ik zweeg even. 'Ik heb hem maar een of twee keer gezien, maar hij leek me redelijk normaal, voor zover ik dat kon beoordelen.'

Bob fronste zijn voorhoofd. 'Denk je dat hij te vertrouwen is?'

Ik dacht even na, terwijl ik Emyr voor me zag op het parkeerterrein, ratelend over jongelui en Safe Trax.

'Nou, hij is wel een beetje maf. Maar al met al vrij ongevaarlijk, denk ik.'

'Goed. Maar we kunnen beter maar een oogje in het zeil houden, lijkt me.'

Er viel weer een stilte, deze keer wat langer.

Toen vroeg Bob: 'Wanneer wilde je weggaan dan?'

'Ik dacht misschien eind volgende week en dan na het weekend weer terug. Als jij dan voor de meisjes kunt zorgen.'

'Natuurlijk.' Hij dacht even na. 'Hoewel, wacht even, ik heb die zaterdagochtend een bespreking...'

'Jammer dan,' zei ik. 'Dan zeg je die maar af. Of anders neem je Rose met je mee.'

Hij knikte zwijgend.

'Het is een mooie kans voor je om wat tijd met Nella door te brengen,' vervolgde ik. 'Volgens mij kan ze op dit moment wel wat vaderlijke inbreng gebruiken. Misschien kun jij het met haar over die Emyr hebben. Ik wil niet altijd degene zijn die haar op de huid zit.'

Hij knikte weer. Toen keek hij op zijn horloge.

'Ik kan me maar beter gaan verkleden. Ik had Rose beloofd om vanochtend met haar te gaan tennissen.'

Hij zag er ellendig uit toen hij opstond van tafel.

'Let er op dat ze zonnebrandcrème opdoet. En haar pet.'

'Natuurlijk.' Hij zweeg even. 'Misschien is het wel een leuk idee om daarna samen ergens te gaan lunchen. Met zijn drietjes.'

'Sorry, ik moet nog wat lezen voor mijn werk. Anders ga je toch met haar alleen lunchen, dat zal ze leuk vinden.' Ik ging verder met het lezen van de krant.

Hij kwam bij me staan en legde een hand op mijn schouder.

'Ga jij maar lekker een paar daagjes weg, Jess,' zei hij. 'En maak je niet druk om de kinderen, ik zal goed voor ze zorgen. Het wordt vast leuk.' Na een korte pauze vervolgde hij: 'Als je maar terugkomt en het me probeert te vergeven, oké?'

Voor mijn geestesoog zag ik hem naar de tolk toe buigen, haar koptelefoon van haar hoofd pakken en haar iets in het oor fluisteren.

'Oké.'

Hij wachtte even, misschien in de hoop dat ik zijn hand zou pakken, maar ik bleef roerloos zitten.

'Tot straks dan maar.'

'Tot straks.'

Ik keek niet op toen hij wegging.

De daaropvolgende uren zat ik in mijn eentje aan de keukentafel thee te drinken en een essay van de Franse psychoanalyticus Jacques Lacan te lezen met de puntige titel 'Over structuur als de inmenging van andersheid als voorwaarde voor welk subject dan ook'. Ik probeerde Bob en de tolk uit mijn hoofd te zetten en na een tijdje lukte me dat ook.

Ik moet toegeven dat Lacan lezen een beetje een geheime ondeugd van me is. Ik ben me er natuurlijk zeer van bewust dat de man in vele opzichten een pretentieuze saaie vent is; hij neemt het idee van de freudiaanse verspreking iets te letterlijk en gaat zich te buiten aan veel zwaarwichtige woordspelletjes in het Frans, wat zijn grappen net zo komisch maakt als een film van Jacques Tati. Maar desondanks vind ik veel aan die man goed: zijn volharding om, net als Freud, aandacht te besteden aan de exacte woorden die we gebruiken, de taal die we spreken, als een manier om de barrière tussen wat we wel over onszelf weten en wat niet, te slechten; en dat eigenaardige Franse concept van *jouissance*, van genot dat tegelijkertijd lijden is, het streven ernaar dat ons leven beheerst, ontwricht, en maakt dat we eerder meer dan minder willen leven, hoeveel problemen, ellende of rampen dat misschien ook met zich mee zal brengen.

Waarschijnlijk zouden we allemaal gesloten zijn als een oester zonder die eigenaardige structuur die ons dwingt de grenzen van het genot te doorbreken of ons misschien alleen maar te laten dromen over het met kracht doorbreken van deze grenzen.

Ik wilde me net losrukken uit deze *jouissance* en mezelf tot actie aansporen toen de telefoon ging. Ik nam op.

'Hoi, *cariad*, met Mari. Hoe gaat het?'

'Gaat wel. En met jou?'

'Het is te doen... Kun je praten?'

'Ja, Bob is gaan tennissen met Rose.'

'Zijn er nog ontwikkelingen?'

'Nou, ik heb besloten om er even tussenuit te gaan. Zonder gezin.'

'Heel goed.' Ze zweeg. 'Waar ga je naartoe?'

'Dat weet ik nog niet. Maar niet naar het westen van Wales in elk geval.'

Ze lachte. 'Zou je het leuk vinden als ik meeging?'

Ik dacht even na. 'Nee. Ik heb eerlijk gezegd wat tijd voor mezelf nodig, om na te denken. Maar bedankt voor het aanbod.'

We kletsten nog even verder over van alles en nog wat. Mari vertelde dat ze auditie ging doen voor een rol in een nieuwe film over het leven van Shirley Bassey, gesitueerd in Cardiff, in de jaren vijftig. Ze hoopte Basseys moeder te kunnen gaan spelen, de geduchte Eliza Jane, en had gewerkt aan haar accent. Toen vroeg ze hoe het ervoor stond met Nella's zingen, en ik vertelde haar over Emyr Griffiths. Ik zei dat ik me zorgen maakte en legde uit dat hij was ontslagen op de school waar hij lesgaf, maar ik vertelde niet dat hij daarna een cliënt van me was geweest. Ik heb het al vaker gezegd, Mari is niet echt het toonbeeld van discretie. Zoals ik wel had verwacht zei ze dat ik me geen zorgen moest maken, dat Nella haar eigen leven moest leiden. Daarna vroeg ze hoe het met mijn werk ging.

'Nou, eerlijk gezegd zit ik een beetje over een van mijn cliënten in.' Ik aarzelde, want het was vertrouwelijke informatie en ik wilde mijn eigen stelregel niet overtreden. 'Ik kan je er weinig over vertellen, maar het heeft te maken met die regisseur waar je het over had, Evan Morgan.'

'O, echt?' Mari klonk nieuwsgierig.

'Zei je niet dat er een of ander schandaal was geweest over hem en een jong meisje? Lang geleden?'

'Dat klopt. Dat meisje werkte toen voor de familie.' Mari stiet een ironisch lachje uit. 'De Zweedse au pair. Niet te geloven toch?'

'Was ze Zweeds?'

'Voor zover ik me herinner wel. Er is een of ander ongeluk gebeurd. Ze ging in haar eentje zwemmen en toen is ze verdronken, in de baai achter het huis.'

Mijn hoofd tolde. Dus de Zweedse toeriste over wie Arianrhod me had verteld, was helemaal geen toeriste geweest. Ze was de au pair van de familie.

'Ik kan me de bijzonderheden niet echt herinneren. Maar iedereen in de familie was geschrokken,' vervolgde Mari. 'En dan was er ook natuurlijk nog de verdenking dat...'

'Dat wat?' Ik zag de foto van Evan Morgan voor me, met de zwart gemaakte ogen, en voelde een kille angst vanuit mijn buik omhoogtrekken.

'Nou ja, je weet hoe hij was.'

'Hoe bedoel je? Denk je dat hij iets met dat ongeluk te maken had?'

'Natuurlijk niet. Nee, dat hij en dat meisje samen een beetje hebben lopen scharrelen.' Mari zuchtte. 'Het had er niet goed uitgezien als dat bekend was geworden. Niet gezien de omstandigheden.'

'Maar er is geen politieonderzoek geweest?'

'Vast wel. Maar de familie heeft dat in de doofpot weten te stoppen, tenminste die geruchten gingen toen. De Morgans zijn behoorlijk invloedrijk blijkbaar.'

Ik zag de kleine plaquette op de top van de klif bij Creigfa Bay voor me, het onbekende schrift met de rondjes boven de a's en de umlauts boven de o's. Ik vroeg me af wie dat daar had laten plaatsen. Hoogstwaarschijnlijk haar ouders, als gedenkteken. Ik vroeg me af wat erop stond en of het, als ik daar achter zou kunnen komen, me meer zou kunnen vertellen over het meisje dat daar in die grijze zee was verdronken.

Mari probeerde me uit te horen over wie mijn mysterieuze cliënt zou kunnen zijn. Waarschijnlijk dacht ze dat ze het subtiel aanpakte, maar voor mij was het zonneklaar dat ze slechts op jacht was naar roddels. Dus breide ik een eind aan het gesprek door te zeggen dat ik al aan de late kant was en dat ik nog van alles in huis moest doen en dat we een ander keertje maar verder moesten praten. Hoewel ze teleurgesteld leek, verbrak ik toch de verbinding.

Verdomme, dacht ik, terwijl ik de telefoon neerlegde. Ik liep naar tafel om de ontbijtspullen af te ruimen. Buiten scheen de zon nog steeds. Ik had me erop verheugd om naar buiten te gaan, een beetje rond te klungelen in de tuin, misschien de was op te hangen als het weer goed bleef. Maar nu had ik allemaal dingen om over na te denken en ik wist dat ik me niet zou kunnen ontspannen.

Ik zette de borden en kopjes in stapels naast de vaatwasser en begon hem in te laden, ondertussen nadenkend over het probleem. Waarom had Arianrhod tegen me gelogen over het meisje? Was dat om haar man te behoeden voor een seksschandaal, of was er nog een andere, meer duistere reden? Zou de steeds terugkerende droom van Gwydion, over de man en vrouw die aan het ruziemaken waren, verband kunnen houden met het ongeluk? En dan de vraag of Evan Morgan misschien te maken had gehad met de dood van het meisje? Dat laatste was nog het meest verontrustend.

Ik keek door het raam naar de tuin. Er moest heel veel gebeuren. Voornamelijk snoeien. Ik was van plan geweest om dat die ochtend te doen, in de zon al zwaaiend met mijn snoeischaar de orde te herstellen, vorm en schoonheid terug te brengen in de zich almaar uitbreidende chaos, maar ineens zag ik er als een berg tegenop. Het leek een onmogelijke opgave, gedoemd te mislukken.

Soms moet je jezelf in dat soort tuinsituaties gewoon opdragen om door te zetten. Dwars door het gevoel van hulpeloosheid, hopeloosheid heen te breken. De 'Yes, we can'-routine volgen. De 'Nee, dat kunnen we niet'-optie negeren, zelfs als dat een realistischer reactie is. Dus dat deed ik. Ik trok mijn tuinlaarzen aan, mijn sjofelste trui, wapende mezelf met een zaagje, een snoeischaar en een mes en liep de tuin in.

Twee uur lang was ik aan het zagen, hakken en knippen, aan het stapelen en sleuren en opruimen, en terwijl ik daarmee bezig was, kwamen er voortdurend een paar zinnen uit het essay van Lacan in me op:

Het leven is iets wat, zoals we in het Frans zeggen, 'à la dérive' gaat. Het leven gaat de rivier af, van tijd tot tijd een oever rakend; dan een poosje hier blijvend, dan een poosje daar, zonder ook maar iets te begrijpen... en het is het uitgangspunt van analyse dat niemand iets begrijpt van wat er gebeurt.

Toen ik klaar was, verzamelde ik wat droog dood hout en legde het achter in de tuin op een stapeltje, naast de composthoop. Ik stak het in brand en keek naar de vlammen. Het vuur laaide al snel hoog op en het hout knetterde. Terwijl ik keek naar de hoge vlammen en de rook die omhoog kringelde, besefte ik ineens iets. De foto van Evan die ik had gekregen was een aan mij gerichte smeekbede om uit te zoeken wat er in werkelijkheid was gebeurd, en wie de afzender ook was, ik voelde me genoodzaakt om zijn of haar verzoek in te willigen.

Het begon te regenen. Ik begon nog wat harder te poken, maar de vlammen doofden en het vuurtje begon te roken. In de verte hoorde ik een donderslag. Toen ik opkeek zag ik dat de lucht donker was geworden.

Niemand begrijpt iets van wat er gebeurt.

Toen de regen met bakken uit de hemel begon te komen, pakte ik mijn tuingereedschap en rende terug naar de beschutting van het huis.

8

De stewardess kwam langslopen – cabinepersoneel noemen ze dat tegenwoordig, geloof ik – en ik bestelde nog een gin-tonic. Ik vind het fijn om te drinken in een vliegtuig. Jezelf in een metalen koker persen die door de lucht raast, lijkt dan opeens ontzettend leuk, wat nooit het geval is als je nuchter bent. Ik vind het ook fijn om dan pillen te slikken. Bètablokkers, temazepam, dat soort dingen. Als het niet illegaal was zou ik ook nog cocaïne snuiven. Dat hoort voor mij allemaal bij vakantie. Ik weet dat ik een respectabele psychotherapeut en moeder van twee kinderen ben, maar wat mij betreft laat ik dat allemaal achter me zodra ik in een vliegtuig stap. Het heeft denk ik iets te maken met hoog in de wolken zijn, niet bij machte om wie dan ook te helpen, hoe erg iets misschien ook is. Het brengt je in een roes, zelfs zonder chemische versterking.

Ik nam een grote slok gin-tonic, legde mijn hoofd tegen de stoel en sloot mijn ogen, terwijl ik luisterde naar het doffe motorgebulder, het gedempte praten van de passagiers en het geruststellende getinkel van de ijsblokjes in mijn glas. Ik slaakte een tevreden zucht. Ik was op weg naar een mooie stad waar ik nog nooit was geweest. Ik zou in een comfortabel hotel verblijven met uitzicht op zee. Er was niemand bij me, geen man, geen kinderen. Ik had geen verantwoordelijkheden. Ik was alleen en ik deed weer mee.

Na mijn telefoongesprek met Mari, toen ik te horen had gekregen dat het meisje dat in de baai was verdronken in werkelijkheid de au pair van de Morgans was, had ik de aandrang gevoeld om het verder uit te zoeken. Het was in feite een soort obsessie geworden. Ik wist best dat ik, tot op zekere hoogte, daar mijn eigen redenen voor had, dat ik mijn woede op Bob zonder enige twijfel op Evan projecteerde, de rokkenjager par excellence. Ik was echter ook oprecht geroerd door Gwydions verhaal. Ik wilde hem helpen en de tijd verstreek snel: al over een paar weken zouden de kostuumrepetities beginnen en als hij voor die tijd zijn slapeloosheid en knopenfobie niet onder controle had, kon het weleens moeilijk voor hem worden. Bovendien was ik ervan overtuigd dat de sleutel tot zijn probleem in die droom lag. Ik had het idee opgevat dat die schok niet alleen stond voor zijn verlangen om de breuk tussen zijn ouders te helen en daarmee de breuk in zichzelf, maar dat die ook weleens een herinnering kon zijn aan een waargebeurde, traumatische jeugdervaring – een ongeluk misschien – die in de doofpot was gestopt, en waarover werd gelogen, door Evan.

Ik had op internet naar informatie over het ongeluk gezocht, maar omdat ik niets kon vinden, was ik naar de afdeling plaatselijke geschiedenis van de bibliotheek gegaan om te kijken of er iets in kranten uit die tijd stond. Na eindeloos door microfiches te hebben gescrold, vond ik een berichtje in de *Western Mail*, waarin een korte beschrijving van het ongeluk werd gegeven: een echtpaar dat hun hond aan het uitlaten was had op het strand het lichaam van een jonge vrouw gevonden, de politie had vastgesteld dat het om Elsa Lindberg ging, een negentienjarige studente uit Stockholm die in de buurt op vakantie was, en dat ze was verdronken na te zijn meegesleurd door de stroming terwijl ze in haar eentje aan het zwemmen was buiten 'het als veilig gemarkeerde gebied'. Aan het eind van het bericht stond het commentaar van de moeder van het meisje, Solveig Lindberg, die simpelweg had gezegd: 'Ik ben kapot van het verlies van mijn dochter.'

Het was me gelukt om Mrs. Lindberg via internet op te sporen. Er waren heel veel Solveig Lindbergs en het had me heel wat tijd gekost om de juiste te vinden, maar uiteindelijk was het me gelukt. Ze woonde in Stockholm en was leider van een campagne om de aanplant van genetisch gemanipuleerde bomen tegen te gaan. Ik had via e-mail contact opgenomen, en nadat ik had vastgesteld dat ze inderdaad Elsa's moeder was, had ik haar verteld dat ik psychotherapeut was en dat ik via mijn werk informatie betreffende het ongeluk had gekregen en ik had haar gevraagd of ze daar een paar vragen over zou willen beantwoorden.

Ze had geantwoord dat ze graag met me wilde praten, maar dat ze het er niet per e-mail over wilde hebben. En zo was ik op het idee gekomen om bij wijze van korte vakantie naar het congres over psychotherapie in Stockholm te gaan.

Dat was inmiddels meer dan een week geleden en nu zat ik in het vliegtuig. De stem van de piloot klonk door de intercom, hij kondigde aan dat de landing was ingezet en dat het in Stockholm 15 graden was en helder.

Glimlachend keek ik uit het raampje. Ver beneden me kon ik de zee zien schitteren in de zon. Alles komt goed, hield ik mezelf voor. Ik ga naar het congres en dan op zondag naar de afspraak met Mrs. Lindberg. En ertussenin ga ik alleen maar leuke dingen doen ter ontspanning: de oude binnenstad, Gamla Stan, bekijken, musea en galeries bezoeken, op jacht gaan naar tweedehandskleding in winkeltjes en op markten, koffiedrinken en kaneelbroodjes eten in cafés... en gewoon in het algemeen genieten van mijn korte periode van vrijheid.

Er is iets met het licht in Stockholm. Dat is wat ik me er nu van herinner. Ik vermoed dat de stad meestal gehuld gaat in mist en regen, maar toen ik er was, scheen iedere dag de zon en was de lucht helderblauw. Toch was het anders dan gewoon zonlicht. Het was kristalhelder, koud en scherp, van een soort meedogenloze kracht die tegelijkertijd stimulerend en intimiderend was: een noorderlicht gemaakt voor bevroren woestenijen, toendra's en taiga's, voor wolven en beren en kariboes, niet voor doorsnee menselijke wezens met hun dagelijkse bezigheden in een drukke stad. En de manier waarop het licht op de gebouwen viel, schuin, was ook anders: het kwam van een vreemde positie in de lucht, tenminste, zo kwam het op mij over. De zon stond hoog, zo hoog dat je hem helemaal niet kon zien, behalve als een oogverblindend wit uitspansel waar je niet lang naar kon kijken zonder je ogen te verbranden. Het was een gevaarlijke zon en een gevaarlijke hemel; niet dat ze je iets wilden aandoen, dat niet, het kon hun totaal niet schelen of je leefde of dood was. Je was een nul voor die hemel, niet meer dan een klein stipje dat samen met alle andere kleine stipjes daarbeneden op de aardkorst ronddarde.

Op de een of andere manier kreeg ik een wild en roekeloos gevoel over me nadat ik een paar dagen onder die hemel had doorgebracht en het onbewogen karakter ervan begon te doorgronden. Daar kwam nog bij dat in de buurt mijn hotel, vlak bij het oude gedeelte van de stad, in de straten en stegen tussen de imposante gebouwen de voetstappen van de voorbijgangers echoden; dat er raven om de daken cirkelden, kauwend, vooral tegen het vallen van de avond; dat je, overal waar je keek, de zee kon zien, glinsterend in het felle licht, de spot drijvend met je landrotgewoontes, je wenkend om uit te varen over die bevroren wateren en ijsschotsen en gletsjers naar onbekende, onvoorstelbare verten. Tijdens die paar dagen in Stockholm begon zich iets te roeren in me – zin voor avontuur, denk ik. Ik begon te beseffen hoe beperkt, hoe klein, hoe huiselijk mijn leven was en ik begon te verlangen naar... ik weet niet precies wat. Niet naar iets beters – over het algemeen ben ik best tevreden met mijn lot – maar wel naar iets grootsers. Om met Lacan te spreken, ik was zo 'gesloten als een oester' geweest, verstopt onder een rots aan de kust, en nu had het heldere licht en de frisse lucht van Stockholm me gewekt en begon ik dingen te willen die oesters niet willen. Genot. Opwinding. Ruzie. Verdriet. *Jouissance.* Kortom, ik wilde méér – hoewel ik niet wist waar ik precies meer van wilde.

Het hotel was, zoals ik had gehoopt, eenvoudig en comfortabel, met gelakte houten wanden, donzige handdoeken en frisse witte lakens, en met een prachtig uitzicht op het water dat ik 's ochtends vanuit bed kon zien. De eerste twee dagen woonde ik het congres bij, een reeks wetenschappelijke lezingen over wat *mindfulness* behelsde, dé behandelingsmethode van de hedendaagse psychotherapie. In de lezingen werd geprobeerd aan te tonen dat meditatie en andere praktijken die aan het boeddhisme zijn ontleend bewezen neurologisch nut hadden, dat ze allerlei soorten geestelijke en lichamelijke ziektes verminderden, van depressie en angststoornissen tot psoriasis en tinnitus, door de chronische pijn en stress te verlichten. De meeste voordrachten waren leerzaam en fascinerend en ik was blij dat ik was gegaan. 's Avonds waren er feestjes en etentjes waar ik voormalige collega's trof en heel veel nieuwe leerde kennen. Het was over het algemeen een levendig stel en ik genoot met volle teugen van hun gezelschap, maar ik maakte met niemand een afspraak voor het weekend. Ik wilde de rest van mijn korte vakantie voor mezelf houden.

De daaropvolgende twee dagen veranderde ik naar believen voortdurend van gedachten; ik nam me voor om uit te slapen, maar stond juist vroeg op; ik ging op weg naar een museum dat ik per se gezien wilde hebben, maar werd onderweg afgeleid door een klein marktje; ik sloeg de lunch over, deed 's middags een dutje en at 's avonds allerlei rare visgerechten in een chic restaurant dat zo hoog in een wolkenkrabber zat dat je de lift moest nemen. Voor het eerst sinds jaren kon ik precies doen en laten waar ik zin in had: ik was urenlang bezig met souvenirs uitzoeken en koos uiteindelijk voor de meisjes schattige vingerloze wanten met een randje van geborduurd Laplands lint; voor mezelf kocht ik een donkerrode fluwelen baret met een zwarte strik van kreukzijde, die er nog prima uitzag, en voor Bob een fles aquavit. Het was ontzettend bevredigend om geen plannen te hoeven maken, om niet te hoeven overleggen, om met niemands voorkeuren of aversies en humeur en grillen rekening te hoeven houden, alleen met die van mezelf. Precies zoals ik had gehoopt, begon ik Bob en de tolk na een tijdje te vergeten en dompelde ik me onder in de stad en haar verleden terwijl ik door de geplaveide straten liep, naar het kalme blauwe water eromheen keek en voor mijn geestesoog beelden opriep van Vikingen en Walkuren, van zwanenmaagden, middeleeuwse krijgsheren, megalomane koningen en strenge gerokte dominees.

Op zondag ging ik zoals afgesproken naar het Vasamuseet voor een lunch met Solveig Lindberg. Ze had me verteld dat ze een felroze jasje zou aantrekken zodat ik haar kon herkennen. Ze had gezegd dat ze in de zestig was en grijs haar had. Ik had mezelf omschreven als een vrouw met donker haar, van in de veertig, en had gezegd dat ik ongeacht het weer een zonnebril met schildpadmontuur in jarenvijftigstijl zou dragen.

Ik was iets te vroeg bij het restaurant, maar Solveig Lindberg zat al op me te wachten. Toen ik binnenkwam, zag ik haar meteen zitten. Zoals beloofd droeg ze het roze jasje, en ze zat aan een tafeltje voor twee het menu te bekijken. Toen ik naar haar toe liep en mezelf voorstelde, stond ze op om me een hand te geven. Ze was lang en slank en droeg een wijde donkergrijze trui en broek die perfect bij het roze jasje pasten en tegelijkertijd de felle kleur ervan iets dempten.

'Ik ben zo blij dat u er bent,' zei ze. Ze leek opgewonden. 'Ga zitten.'

Ik nam plaats.

'Wilt u iets drinken?'

Ik zette mijn zonnebril af. 'Een biertje graag.'

Ze wenkte de ober. Te oordelen naar haar hoekige gezicht en grijzende, voormalig blonde haar, was ze ver in de zestig, maar ze was het toonbeeld van gezondheid en elegantie, met doordringende blauwe ogen, een gladde huid en alleen maar rimpels op plekken waar rimpels goed staan.

Nadat ze mijn drankje had besteld, praatten we wat over koetjes en kalfjes; we hadden het over het weer, over wat ik van Stockholm vond enzovoort. Toen de ober terugkwam, bestelden we ons eten. Terwijl hij weer wegliep, verstrengelde ze haar vingers, leunde iets naar voren en zei zonder verdere omhaal van woorden: 'Dus u wilde het met me over mijn dochters dood hebben.'

Het is me opgevallen dat mensen gewoonlijk het woord dood vermijden wanneer ze het over iemand hebben van wie ze hielden. Ze gebruiken 'heengegaan', 'ons verlaten' of soortgelijke eufemismen. Ik vroeg me even af of het soms een cultuurverschil was, of Zweden misschien pragmatischer met dit soort dingen omgingen of dat Mrs. Lindberg zelf ongewoon rechtstreeks was.

'Ja.' Ik zweeg, me afvragend hoe ik het beste kon beginnen. 'Ik kan u niet vertellen hoe ik aan deze informatie ben gekomen, maar laten we het erop houden dat ik een cliënt heb op wie het misschien van invloed is geweest. Ik wil hem helpen, en daarom heb ik besloten het uit te zoeken. Maar ik kan er niet meer over zeggen, omdat dat natuurlijk vertrouwelijke informatie is. Dat begrijpt u vast wel, Mrs. Lindberg.'

'Zeg alsjeblieft gewoon Solveig.'

'Goed. En zeg jij maar Jessica. Iemand heeft me verteld dat er geen volledig onderzoek naar het ongeluk heeft plaatsgevonden. Hoewel ik daar zelf niets over weet. Daarom ben ik ook hier. Om het aan jou te vragen.'

'Ik zal je alles vertellen wat je wilt weten. Ik vind het niet erg om erover te praten.' Ze pakte haar glas water en nam een slokje. 'Eerlijk gezegd ben ik blij dat ik weer eens de kans krijg om het erover te hebben. Zo vaak gebeurt dat niet meer tegenwoordig.'

Er viel een stilte. Toen ik naar haar handen keek, viel me op dat ze geen trouwring droeg.

Alsof ze mijn gedachten kon lezen, vervolgde ze: 'Na Elsa's dood ben ik van haar vader gescheiden. Ze was ons enige kind.'

Ik knikte, maar zei niets.

'Hij is hertrouwd, heeft een nieuw gezin gesticht.' Ze zweeg even. 'Ik heb dat nooit gedaan. Ik weet zelf niet precies waarom niet.'

Ze stopte met praten. Ik besloot haar niet te vragen waarom ze waren gescheiden. Ik dacht dat ik het waarschijnlijk wel wist. Simpel gezegd is het soms zo dat voor een echtpaar dat een kind heeft verloren, alleen liefde niet genoeg is. Wanneer ouders onverwacht samen in de ellende worden gestort, komen ze soms tot de ontdekking dat ze het beter aankunnen door uit elkaar te gaan en een nieuwe start te maken, alleen of met een nieuwe partner. Dat is de simpele, onverbloemde waarheid. Het is natuurlijk niet erg bevredigend. Maar zo is het wel.

'Weet je,' ging ze verder. 'Andreas – Elsa's vader – was kwaad op me. Hij dacht dat ik niet kon aanvaarden dat Elsa's dood een ongeluk was. Dat ik dat idee emotioneel gezien niet aankon.'

Hoewel het er niet toe deed, viel me op dat ze opmerkelijk goed Engels sprak. Zoals veel Scandinaviërs sprak ze beter Engels dan veel Engelsen.

Op dat moment kwam de ober het eten brengen. Het zag er goed uit, maar we lieten het beiden nog even onaangeroerd. Ik voelde dat ze op het punt stond een onthulling te doen.

'Solveig,' zei ik. 'Je hoeft me niks te vertellen wat je niet...'

Ze legde een hand op mijn arm. Zacht, beleefd, maar toch met iets dwingends. 'Het punt is dat dat wel moet. Ik moet het je vertellen. Verder wil er niemand naar me luisteren. Elsa's dood was geen ongeluk. Daar ben ik van overtuigd.'

Ik knikte opnieuw, neutraal deze keer. Het kunstje van de psychotherapeut bestaat er grotendeels uit zo neutraal mogelijk te knikken en ik had dat kunstje de afgelopen twintig jaar geperfectioneerd. Ik ben er nu aardig goed in. Hoewel ik moet toegeven dat het ook weer niet zo moeilijk is.

Ze pakte haar mes en vork en begon te eten. Ik volgde met een ietwat verward gevoel haar voorbeeld. Ik vroeg me af of Solveigs man niet gelijk had gehad met zijn idee dat ze het gewoon niet wilde aanvaarden. Toen ik net kennis met haar had gemaakt, had ik gehoopt dat ik eindelijk een succesverhaal was tegengekomen: iemand die een tragische tegenslag te boven had weten te komen en was ontsnapt aan de depressieve wanhoop die er meestal uit voortvloeide. Nu begon ik me af te vragen of ze niet een andere manier had gevonden om ermee om te gaan door simpelweg te doen alsof een of andere onbekende duivelse hand Elsa's verdrinkingsdood had veroorzaakt. Ontkenning. Paranoia. Allebei gangbare neurotische symptomen met slechts één, en erg nuttig, doel: ons te behoeden voor verdriet, te kunnen vluchten voor de boosaardige, verschrikkelijke werkelijkheid dat er altijd slechte dingen gebeuren, steeds weer, dingen die sommige mensen wel overkomen en andere niet, behoorlijk lukraak en zonder enkele reden.

'Wat is er volgens jou dan gebeurd?' Ik nam nog een slokje bier. Een klein slokje, want het was nogal sterk en begon me al naar het hoofd te stijgen.

Solveig legde haar mes en vork neer. 'Elsa ging die zomer naar Wales als toerist, dat gedeelte klopt. Ze ging met een vriendin van de universiteit, Ingrid. Toen ze daar waren, leerden ze een familie uit de buurt kennen, de Morgans. Ze boden de meisjes gratis kost en inwoning aan in ruil voor de zorg voor hun zoontje, Gwydion, en wat huishoudelijk werk. Het is een heel mooi huis, vlak aan zee, en die zomer was het prachtig weer. Elsa vond het er zo leuk dat ze besloot er nog een paar weken aan vast te knopen, terwijl Ingrid terugging naar Stockholm.'

Het viel me op dat Solveig haar handen weer in elkaar had geslagen en haar vingers verstrengeld.

'Ik was eerlijk gezegd behoorlijk enthousiast toen ze me over de Morgans vertelde,' ging ze verder. 'Het waren onconventionele, kunstzinnige types. Een actrice en een regisseur, in zeer goeden doen. Ik geloof dat ze in Wales behoorlijk beroemd zijn.'

Ik knikte.

'En Elsa leek gelukkig, dus...' Solveigs stem stierf even weg, alsof ze in gedachten verzonken was, maar toen vervolgde ze haar relaas. 'Hoe dan ook, wat had ik moeten doen? Ze was negentien, volwassen. Ik had niets meer over haar te zeggen. En ze hield contact. Ze belde redelijk vaak en heeft ook een paar keer geschreven. Zo te horen had ze het er ontzettend leuk. Tennissen. Zeilen. Zwemmen.' Solveig stopte met praten.

Na een korte stilte vroeg ik: 'Zwom ze vaak in de baai? Die achter het huis? Ik heb gehoord dat de stroming daar erg verraderlijk kan zijn.'

'Ja. Maar ik geloof niet dat ze verdronken is. Omdat... ' Solveig pakte haar bier en nam een slok. 'Weet je, Elsa kon goed zwemmen. En hier in Scandinavië wijzen we onze kinderen voortdurend op de gevaren van de zee. Vanaf dat ze heel klein zijn krijgen ze dat erin gehamerd. Ze zou nooit risico's hebben genomen.'

'Maar toch.' Ik koos mijn woorden zorgvuldig. 'Tieners... jongeren... die kunnen soms behoorlijk eigenwijs zijn. Ze nemen risico's. Dat weten we allemaal.'

Solveig schudde haar hoofd. 'Ik weet zeker dat ze dat niet heeft gedaan.' Ze zweeg even. 'Toen... het gebeurde... Ik ben toen naar Wales gegaan om een kijkje te nemen. Ik heb de baai gezien. Hij zag er redelijk veilig uit, bij kalm weer. En de dag dat ze verdronk, was het mooi weer.'

Ze stopte, pakte haar mes en vork en begon weer te eten. Ik volgde haar voorbeeld. Na een tijdje vroeg ik: 'Wat is er volgens jou dan gebeurd?'

Solveig trok een gezicht. 'Dat weet ik nog steeds niet echt. De politie was weinig behulpzaam. Uit de autopsie bleek dat de doodsoorzaak een ongeluk was. Ze was een tiener, en hoorde daardoor bij een groep met een verhoogd verdrinkingsrisico en ze hadden sporen van alcohol in haar bloed gevonden. Dus wat hun betrof was dat het.'

'Zou het kunnen dat ze dronken was?'

'Nee. Het alcoholgehalte was heel laag. En zoals ik al zei, ze kende de gevaren.'

'Hebben ze verder nog iets gevonden?'

'Wat verwondingen aan haar hoofd.' Solveigs stem trilde een beetje. 'Wat bloed.'

'O?'

'Overeenkomend met een verdrinkingsdood door een natuurlijke oorzaak blijkbaar.' Ze leek zich de woorden uit het politierapport te herinneren. 'De verwondingen aan het hoofd waren toe te schrijven aan de klappen van het water en het bloeden was passief, veroorzaakt door inwendige congestie als gevolg van de hoofd naar beneden-positie van een drijvend lijk.'

De hoofd naar beneden-positie van een drijvend lijk. De woorden bleven in de lucht hangen.

'Soms leidt dat tot een diagnostische verwarring,' vervolgde ze op ietwat verbitterde toon. 'Ik heb begrepen dat het heel moeilijk is om precies uit een autopsie op te maken wat er is gebeurd in het geval van een verdrinkingsdood. Je moet dan ook naar de omstandigheden kijken. Omdat ik die verdacht vond, ben ik teruggegaan naar de politie.'

'En?'

'Omdat de autopsie had uitgewezen dat het geen moord of zelfmoord kon zijn, weigerden ze nader onderzoek te doen. Ze waren best aardig, maar ik merkte dat ze vonden dat ik overdreef, dat ik gewoon buiten zinnen was door de dood van mijn dochter. En het was wel duidelijk dat ze op goede voet stonden met de Morgans en dat ze niets negatiefs over hen zouden zeggen.' Ze zweeg even. 'De familie zelf was geen haar beter. Ze hielden hun lippen stijf op elkaar. De moeder was er vreselijk aan toe. Huilerig, verward. De vader...' Solveig stopte.

Ik wachtte.

'Heb je hem ooit ontmoet?' vroeg ze.

'Eén keer, heel kort. Ik kan niet zeggen dat ik hem erg sympathiek vond.'

'O, nou... Ik vond hem een klootzak en een leugenaar.' Solveig sprak op kalme toon, maar in haar stem lag een stille woede besloten. 'Hij beweerde dat Solveig vast de avond ervoor, toen het al donker werd, in haar eentje was gaan zwemmen. Dat haar huid week was, zoals uit de autopsie bleek, staafde zijn verhaal. Hij zei dat ze vast in de problemen was gekomen vanwege de stroming. Of dat ze misschien kramp had gekregen. Ze hadden pas de volgende ochtend gemerkt dat ze er niet was. Ik geloofde hem niet. Het klopte voor mijn gevoel niet.'

'Weet je dat zeker?'

Solveig keek me recht in de ogen. Ik keek terug, in het doordringende blauw, en dacht aan de zee en de lucht en aan Elsa die ergens tussen die twee in aan het verdrinken was, koud en alleen, zonder moeder om haar te troosten. 'Ja. Ik vertrouwde hem voor geen cent.' Ze zweeg even. 'Om je de waarheid te zeggen, hij begon met me te flirten. Alsof hij dacht dat hij me daarmee kon afleiden van het onderzoek naar de dood van mijn dochter. Waar zijn vrouw bij was, ook dat nog. Ik vond het walgelijk.'

Vol ongeloof schudde ik mijn hoofd. 'En hoe is het uiteindelijk afgelopen?'

'Ik liep vast. Ik ben nog een poosje gebleven om alles te regelen. Ik zorgde ervoor dat Elsa's lichaam naar huis werd gevlogen. Ik heb een plaquette laten ophangen op de plek waar ze is gestorven. Andreas kwam niet naar Wales om me te helpen, hij kon het niet aan. En toen ben ik teruggegaan naar Stockholm waar ik op de een of andere manier de begrafenis heb weten te overleven. Ik probeerde alles te vergeten. Raakte mijn man kwijt. Ben een nieuwe carrière begonnen. Ik ben doorgegaan met mijn leven. Zoals mensen dat doen.' Solveig at haar laatste restje eten op en schoof haar bord weg.

'Een toetje?'

'Nee, dank je.' Hoewel ik van het eten had genoten, had ik plotseling geen trek meer. 'Zullen we koffie nemen?'

Solveig knikte, wenkte de ober en bestelde koffie. Toen maakte ze haar tas open en haalde er iets uit.

'Wil je een foto van haar zien?'

Heel even begreep ik niet waar ze het over had. Toen drong tot me door dat ze een foto van Elsa in haar hand hield.

'Ja. Natuurlijk.'

Solveig gaf me de foto. Het was een kleurenfoto, nogal beschadigd aan de randen. Het meisje was blond en had lange, slanke armen en benen, net als haar moeder. Dezelfde verfijnde Scandinavische gelaatstrekken. Ze droeg een hemelsblauwe sweater en lachte uitbundig.

'Wat is ze mooi, hè? Ze lijkt op jou.' Ik schrok toen ik besefte dat ik in de tegenwoordige tijd had gesproken, alsof ze nog leefde.

Terwijl ik de foto teruggaf, vulden mijn ogen zich met tranen. Ik dacht aan mijn eigen kinderen en stelde me voor hoe vreselijk het voor Solveig moest zijn geweest – nog steeds moest zijn – dat haar dochter zo jong was gestorven, terwijl ze nog een heel leven voor zich had gehad. En er trok een rilling van angst door me heen toen ik aan Nella dacht en wat er nu thuis misschien gebeurde met Emyr en *Jazz Quest* en de manager, producer, of wie het dan ook was. Ik had Bob op het hart gedrukt dat hij haar, terwijl ik weg was, geen beslissingen mocht laten nemen over de auditie, maar de laatste tijd drong steeds meer tot me door dat ze het stadium bereikte waarin ze zomaar zou kunnen besluiten om zich niets meer van me aan te trekken.

Solveig boog zich naar me toe en legde weer haar hand op mijn arm. Deze keer was haar greep steviger.

'Help me alsjeblieft om uit te zoeken wat er is gebeurd, Jessica. Ik moet het weten. Ik heb alles gedaan wat ik maar kon. Jij woont daar. Jij zou me kunnen helpen.'

'Nou, ik zal het proberen. Maar ik ben geen detective.'

'Dat weet ik, maar ik weet ook dat je beseft dat er iets niet klopt. Anders was je niet hiernaartoe gekomen.'

Ik ontkende het niet.

'Ik wist gewoon dat er ooit wel iemand zou komen,' vervolgde ze, terwijl ze mijn arm losliet. 'Dit soort dingen kan niet eeuwig verborgen blijven.'

Even verschenen er drie beelden voor mijn geestesoog. Ik dacht aan Gwydion in bed, met zijn gezicht naar de muur. Aan Arianrhod in een wolk van blauwe rook, wriemelend aan haar mouw. Aan Evan Morgan op de oprijlaan van het huis, gefrustreerd en kwaad.

'Luister,' zei ik. 'Ik denk dat je weleens gelijk zou kunnen hebben. Het is goed mogelijk dat ze je niet de hele waarheid hebben verteld over wat er toen is gebeurd.'

Een moment vroeg ik me af waar ik in godsnaam mee bezig was. Ik lette erop dat ik me niet liet ontvallen wat ik al over de familie wist – vertrouwelijke informatie en zo. Maar ik meende ook dat het niet verstandig zou zijn om haar in dit stadium al te veel hoop te geven. Ik was er niet van overtuigd dat er sprake was van een misdrijf, als dat het was waar Solveig op doelde. Dus koos ik mijn woorden zorgvuldig.

'Als je wilt, kan ik wel proberen om iets meer te weten te komen. Maar ik moet je op voorhand zeggen dat ik niks kan beloven.'

'Dank je wel.' Hoewel Solveig het op luchtige toon zei, hoorde ik de emotie in haar stem.

De ober kwam de koffie brengen. Onder het drinken ervan hadden we het weer over koetjes en kalfjes. Na een tijdje keek ze op haar horloge en zei dat ze moest gaan.

Nadat ze was opgestaan, gaf ze me een hand. Toen, in een opwelling, boog ze zich naar me toe en gaf me een kus op de wang.

'Tot ziens,' zei ze. 'En succes ermee.'

'Dank je.' Ik legde even mijn hand op haar arm. 'Ik hou je op de hoogte.'

'Niet vergeten, hoor.'

Ze schonk me nog een laatste glimlach. Een vrolijke, bemoedigende lach. Toen pakte ze haar tas, gooide hem over haar schouder en liep weg.

9

Bob kwam me van het vliegveld afhalen. Hij was in een vrolijke bui, blijkbaar in de veronderstelling dat we ons onmiddellijk zouden verzoenen. Hij omhelsde me stevig, pakte mijn koffer en sloeg zijn arm om me heen terwijl we naar de auto liepen. Onderweg naar huis vertelde hij dat het in het weekend allemaal goed was verlopen met de meisjes: op zaterdag had hij Rose op sleeptouw genomen en op zondag had hij zijn moeder voor de lunch uitgenodigd. Nella had hem geholpen met het eten. Ze hadden de gelegenheid gehad om even met elkaar te praten en ze had tegen hem gezegd dat we ons geen zorgen over haar hoefden te maken. Emyr probeerde haar alleen maar te helpen haar zangcarrière van de grond te krijgen. Ze was aan het repeteren voor de auditie en zou ons laten weten wanneer het zover was. 's Avonds, vertelde Bob, hadden de meisjes en hij samen naar een film op tv gekeken. Rose was op de bank tegen hem aangekropen en Nella had haar hoofd op zijn schouder gelegd, net zoals ze altijd had gedaan toen ze nog klein was.

'Wat leuk,' zei ik. Mijn woede op hem was wat aan het afnemen sinds mijn korte avontuur in Stockholm. 'Misschien moet ik maar wat vaker weggaan.'

Hoewel Bob lachte, keek hij me toch even nerveus aan.

'Voel je je al wat beter?'

'Ik weet het niet.' Ik dacht erover na. Ik voelde me wel rustiger. De korte vakantie had me goed gedaan, had me geholpen mijn gevoel van hulpeloze rancune ten opzichte van hem achter me te laten. 'Ik geloof van wel.'

'Mooi zo.' Hij gaf een klopje op mijn knie. 'En vertel me nu eens hoe het in Stockholm was.'

Ik vertelde hem over de stad: de blauwe lucht, de fonkelende eilandjes in zee, het leuke hotelletje aan het water, de geplaveide straatjes van Gamla Stan, het restaurant in de wolkenkrabber met het panoramische uitzicht, het prachtige houten oorlogsschip in het Vasamuseet, dat ik na mijn lunch daar had bezocht. Koning Gustaaf Adolf had het schip in de zeventiende eeuw laten bouwen en er hadden zoveel kanonnen op de smalle kiel gestaan dat het schip bij de eerste vaart al was gezonken. De ambitie en gekte van die hele onderneming had grote indruk op me gemaakt. Zoals het feit dat niemand – de ontwerpers niet, de scheepsbouwers niet, de specialisten van de marine niet, de politieke adviseurs niet – de koning had durven vertellen dat het schip niet overeind zou blijven in het water, nog niet eens in de haven. En het feit dat er, wanneer de koning een kijkje kwam nemen, een heel legertje matrozen werd opgetrommeld om heen en weer te rennen over de dekken om de indruk te wekken dat het schip stabiel was.

'Ik denk dat je Zweden wel leuk zou vinden.' Ik zweeg even. 'Misschien kunnen we er samen een keertje naartoe.'

Ik vertelde maar niet dat alles er schrikbarend duur was. Dat was een hele schok voor me geweest, en voor mijn banksaldo. En ik vertelde ook niet met wie ik in het Vasamuseet had geluncht.

Toen we thuiskwamen, kwam Rose op me afstormen, blij dat ik weer thuis was. Nella was ook blij, dat zag ik, hoewel ze eerst deed alsof ze niet eens had gemerkt dat ik weg was geweest. Ze vonden de handschoenen allebei mooi en Bob reageerde aardig op de aquavit, hij maakte de fles meteen open en schonk ons een aperitiefje in. Het huis was opgeruimd en Bob had voor het avondeten een stoofschotel klaargemaakt. Nella had een salade gemaakt en Rose had wat muffins met suikerglazuur versierd, voor de toet, zoals ze het noemde. We aten samen en ik voelde me meer relaxed dan ik me in tijden had gevoeld. In de gezellig verlichte keuken leek het onmogelijk dat iets, wat dan ook, deze kleine eenheid – Bob, ik en de meisjes – zou kunnen kapotmaken. Maar die nacht, toen we naar bed gingen en Bob met me wilde vrijen, kwam de tolk weer terug.

Ze had haar koptelefoon op en droeg haar piepkleine jurkje. Bob was in pak, hij had zijn bril op het puntje van zijn neus en keek ernstig. Hij zat achter een tafel, met zijn naam op een klein bordje voor hem. De tolk glimlachte naar hem. Hij glimlachte naar haar. Alles wat hij zei, werd door haar herhaald. Hij vond het fijn om naar haar stem te luisteren die de strekking van zijn zinnen vormgaf in haar eigen taal. Ze vond het fijn om de zinnen voor hem te modelleren, ze opgepoetst en gepolijst te presenteren aan alle mensen die zaten te luisteren. Toen veranderde de plaats van handeling en zag ik een bed, een hotelbed zoals dat waar ik tijdens mijn korte vakantie in had geslapen, alleen was dit breder en luxueuzer, en in het bed lagen Bob en de tolk, en de koptelefoon was weg en het kleine jurkje...

'Sorry,' fluisterde ik. 'Ik kan het nog niet.'

In de daaropvolgende dagen kwam het er op de een of andere manier niet van om Bob te vertellen over mijn ontmoeting met Solveig Lindberg in Stockholm. Ik had het druk na mijn terugkeer, ik moest werk inhalen, het huishouden weer op gang zien te krijgen, de meisjes van hot naar her rijden. De werkelijke reden dat ik er niets over zei was echter dat ik nog niet goed wist wat mijn volgende stap zou moeten zijn. Natuurlijk was het niet belangrijk dat ik die ontmoeting geheimhield, dat hield ik mezelf tenminste voor, maar ik ging er toch onder gebukt, want tot op dat moment had ik, over het algemeen genomen, geen geheimen voor hem gehad – zelfs geen onbelangrijke.

Nella leek in een opperbeste stemming. 's Avonds hoorden we het liedje van Billy Holiday uit haar kamer opklinken, samen met haar eigen stem terwijl ze meezong. Blijkbaar was ze hard aan het repeteren voor *Jazz Quest*. En toen, op een avond aan het eind van de week, ik was net thuis uit mijn werk, kwam ze de keuken in, gekleed in een strak kort rokje en een niemendalletje van een T-shirt, en zwaar opgemaakt.

'Mam, kun je me even brengen? Ik moet naar Fairwater.'

'Nu?' Ik keek op mijn horloge. Het was al zes uur.

'Ja.'

'Maar het eten dan?' vroeg ik. 'En je huiswerk?'

'Ik eet daar wel wat. En mijn huiswerk heb ik al af.'

'Goed dan.' Ik kon geen reden bedenken waarom ze niet een paar uurtjes weg zou mogen. 'Waar moet ik je afzetten?'

'Bij het huis van een vriendin.'

'Wie dan?'

'Tamsin.'

'Wie is dat? Je hebt het nog nooit over haar gehad.'

Nella zuchtte. 'Mam, ik heb heel veel vriendinnen, weet je.' Ze sprak langzaam, alsof ze het tegen een debiel had.

Ik knikte. 'En hoe kom je dan terug?'

'Ik bel je wel.'

Even overwoog ik om mijn afgezaagde preek te houden over dat ik geen taxi was, maar ik besloot dat het niet de moeite waard was.

'Oké,' zei ik. 'Kom, dan gaan we.'

We liepen de gang in. Ze pakte haar tas en bleef bij de deur staan wachten terwijl ik mijn jas aantrok. Hoewel ze naar me keek, trok ze haar eigen jas niet aan.

'Je gaat toch niet zo, hè?' vroeg ik. 'Je vriest nog dood.'

Wanneer ik tegen mijn oudste dochter praat lijkt het soms net alsof ik alleen maar in clichés kan praten. Ik had kunnen vragen: 'Zal ik je je jas even aangeven?' Of zoiets. Maar in plaats daarvan lijk ik altijd dezelfde versleten zinnetjes te papegaaien. Ik wou dat ik mezelf kon stoppen, maar blijkbaar kan ik dat niet. Misschien is het een of ander oud moeder-, of loeder-, instinct dat in mijn DNA zit.

'Wil je anders een vestje lenen?' vervolgde ik toen we in de auto zaten en wegreden. 'Ik geloof dat er nog eentje achterin ligt.'

Nella negeerde mijn opmerking. Ze klapte de zonneklep boven haar hoofd open en begon haar gezicht in het spiegeltje te inspecteren, hoewel het donker was en ze bijna niets kon zien.

'Stop het vest anders in je tas. Voor het geval dat.'

'Voor het geval dat wat, ma?' Nella noemt me altijd 'ma' als ze zich aan me ergert. 'Ik stap uit de auto en dan ga ik iemands huis in. En dan ga ik iemands huis weer uit en stap ik in de auto. Wat denk je dat er onderweg zou kunnen gebeuren? Een Bijbelse zondvloed? Een orkaan? En mocht dat al zo zijn, denk je dat een vestje me dan zal helpen?'

Ik voelde me behoorlijk op mijn plaats gezet en knikte alleen maar. In zekere zin had Nella gelijk. Maar ik had ook gelijk. Ik begreep haar standpunt, maar het zou nog een hele tijd duren voordat ze het mijne zou kunnen begrijpen. Dus had het geen enkele zin om erop door te gaan.

We reden in stilte verder. Ik overwoog even om te zeggen dat ze haar ogen wel erg zwaar had opgemaakt, maar zag daar vanaf. Toen we in Fairwater waren, klapte ze de zonneklep terug, keek even om zich heen om te zien waar we waren en loodste me toen naar een rustige, goed verlichte moderne woonwijk met keurige gazonnetjes voor de vrijstaande huizen.

'Stop hier maar,' zei ze. 'En dan kun je meteen keren.'

'Welk huis is het?'

'O, een van die daar.' Ze maakte een vaag gebaar.

'Hoe laat zal ik je komen ophalen?'

'Ik zei toch dat ik wel zou bellen.'

'Niet vergeten, hè? En voor elf uur graag.' Ik gaf haar een kus op de wang.

Ze stapte uit en sloeg het portier dicht. Ik merkte dat ze pas naar het huis zou lopen als ik was weggereden, dus keerde ik en reed langzaam weg. Onder het rijden keek ik in de achteruitkijkspiegel en zag dat ze het tuinpad van een van de huizen op liep. Toen ze bij de deur was, ging hij meteen open. Er stond iemand in de deuropening, afgetekend in het licht uit de gang. Een man met krullend rossig haar. Ik kneep mijn ogen tot spleetjes in een poging te zien wie het was, en toen herkende ik hem: Emyr Griffiths.

Ik schrok op toen een van de banden de stoeprand raakte. Tegen de tijd dat ik de auto weer de weg op had gestuurd en de hoek om was, waren het huis en de man in de deuropening uit het zicht verdwenen.

Zodra het kon, parkeerde ik de auto aan de stoeprand, pakte mijn mobieltje uit mijn tas en belde Nella. Hoewel haar telefoon overging, nam ze niet op. Ik probeerde het nog een keer, maar ze nam nog steeds niet op. Ik stuurde haar een sms'je waarin ik haar opdroeg me meteen te bellen. Terwijl ik op een reactie zat te wachten, werd ik almaar kwader. Nella had tegen me gelogen. Ze had gezegd dat ze naar een vriendin ging, maar dat was niet zo, ze was bij Emyr... Als ze niet belde, besloot ik, zou ik teruggaan, aankloppen en vragen wat er aan de hand was.

Mijn mobieltje ging over.

'Wat is er?' Nella klonk geïrriteerd.

'Luister eens,' zei ik. 'Je zei dat je naar een vriendin ging, Tamsin. Maar je bent daar bij Emyr Griffiths...' Ik stopte toen ik besefte dat ik steeds harder ging praten.

'Nou en? Tamsin is er ook. We hebben het met Emyr over onze opnamesessie.' Er viel even een stilte toen Nella wegliep bij wie het dan ook was die meeluisterde. Toen vervolgde ze fluisterend: 'En hou op met me te bespioneren.'

'Ik bespioneer je niet. Ik wil alleen zeker weten dat –'

'Hoor eens, mam, er is niks aan de hand,' onderbrak ze me. 'Wind je niet zo op.' Ze sprak alsof ze een gekkin tot bedaren moest brengen. 'En bel me niet meer.'

'Oké. Maar bij wie ben je precies? Wie woont daar?'

'Emyr.'

'Dat had je me niet verteld.'

'Nou, ik heb hier met Tamsin afgesproken – in de studio. Die is hier in huis.'

'Oké. Maar je had me dat gewoon moeten zeggen.' Ik zweeg even. 'Maar maak het niet te laat, hè? Hoe laat kom je terug?'

'Ik hou je op de hoogte.' Meteen na die woorden verbrak ze de verbinding.

Met een boos gevoel reed ik terug naar huis, me afvragend of ik niet een tikkeltje overdreven had gereageerd. Nella had niet echt gelogen, hoewel ze me ook niet de waarheid had verteld. Toen ik thuiskwam, hield ik me bezig met Rose, ik hielp haar met haar huiswerk, en toen ze naar bed was, ging ik tv zitten kijken, met mijn mobieltje in mijn hand. Het ging niet over, maar om precies vijf voor elf kwam Nella thuis. Toen ze de voordeur opendeed, hoorde ik een auto wegrijden.

'Dus je hebt een lift gekregen,' zei ik, terwijl ik de gang in liep.

Nella knikte en liep de keuken in. Ik volgde haar.

'Sorry dat ik zo paniekerig reageerde,' zei ik, terwijl Nella een boterham met pindakaas voor zichzelf maakte. 'Maar ik zou gewoon graag willen dat je me vertelde waar je mee bezig bent, meer niet. Ik maak me zorgen om je. Emyr...' Ik stopte en begon overnieuw. 'Nou ja, zo goed kennen we hem niet, toch?'

Nella zwaaide ongeduldig met het mes. 'Ik heb geen zin om het daar nu over te hebben, mam. Ik heb van alles aan mijn hoofd.'

Ik zei niets. Het was wel duidelijk dat het alleen maar tot ruzie zou leiden als ik erop doorging. Dus besloot ik maar naar bed te gaan.

'Wil je de lampen uitdoen als je naar boven gaat?' vroeg ik. 'Papa blijft vannacht in Londen.' En terwijl ik de gang in liep, voegde ik eraan toe: 'Denk eraan, Nella, ik vind het niet fijn om te worden voorgelogen. Doe dat alsjeblieft niet weer.'

De dag daarna had ik het te druk om nog langer stil te blijven staan bij mijn woordenwisseling met Nella. Ik had die ochtend een nieuwe cliënt, die de vrijgekomen plek van Jean opvulde, en daarna zou Gwydion komen, die afgelopen week niet was geweest. Ik vroeg me af in wat voor bui hij zou zijn.

Om elf uur precies werd er op mijn deur geklopt en kwam hij binnen lopen. Hij droeg een hoody, een spijkerbroek en zijn hardloopschoenen met de riempjes. Hij maakte een ontspannen en zelfverzekerde indruk.

'Welkom terug,' zei ik, terwijl hij tegenover me ging zitten.

'Dank je,' zei hij.

'En, hoe ging het?'

'Prima. Heel goed zelfs. De regisseur en ik hebben wel een klik. Hij is erg slim, erg intuïtief. We hebben aan het script gewerkt, een paar dingetjes veranderd.' Hij glimlachte. 'Ik heb nog nooit echt met de topmensen gewerkt. Het is van een heel ander niveau allemaal.'

'Nou, dat is fantastisch.' Na een korte pauze vroeg ik: 'Geen slaapproblemen meer?'

'Nee.' Zijn stem had een opgewonden klank. 'Weet je wat het is, Jessica, sinds de laatste keer dat ik hier was, is alles anders. Ik ben namelijk tot het einde van die droom gekomen.'

'O?'

'Ik weet nu wat er gebeurt.' Hij zweeg. 'Kun je je nog herinneren waar we gebleven waren?'

'Ik geloof van wel.'

Dit doen cliënten vaak. Ze verwachten van je dat je je meteen weer exact alle details herinnert van hun innerlijke landschap en vergeten dat je je misschien wel met een stuk of tien andere innerlijke landschappen tegelijk moet bezighouden. Maar om redenen die met mijn eigen innerlijke landschap te maken hebben, herinnerde ik me de belangrijkste onderdelen van Gwydions droom inderdaad behoorlijk nauwkeurig.

'Je zat in de doos. De donkere ruimte. Je was bang. Je hoorde stemmen boven je, mensen die schreeuwden. En toen plotseling een schok.'

'Precies. Ik zit daar in het donker.' Zoals gewoonlijk kwam hij meteen ter zake; hij deed zijn ogen dicht en begon te fluisteren. Het viel me op dat hij in de tegenwoordige tijd was gaan praten. 'Ik ben doodsbang. Bang dat ik doodga. En dan... buiten de doos, vlak daarbuiten, een plons. Een harde plons, alsof er iets zwaars, een lichaam bijvoorbeeld, in het water is gevallen. De doos beweegt nog een keer en dan dringt tot me door dat hij op het water drijft, met mij erin.' Zijn stem begon een beetje te trillen. 'Ik begin te gillen. Steeds harder. Er komt niemand, niemand kan me horen, dus ik gil zo hard als ik kan. En dan word ik ineens wakker.'

Er viel een stilte. Ik verbrak hem niet, maar mijn hoofd tolde. De puzzelstukjes begonnen op hun plaats te vallen. Gwydion had niet opgesloten gezeten in een doos zoals hij eerder had beschreven, maar hij had zich in het ruim van een boot bevonden, terwijl er boven, aan dek, een of andere ruzie gaande was – een ruzie tussen een man en een vrouw, die eindigde met een plons: met iemand die overboord sprong – of werd geduwd. Wat als de mannenstem die van Evan was? En de vrouwenstem die van Elsa?

Gwydion deed zijn ogen open en keek me aan. Op zijn gezicht viel iets van opluchting te lezen, alsof hij zich van een lastige taak had gekweten en tevreden was dat hij die tot een goed einde had gebracht.

'Nou, wat denk je ervan?' vroeg hij.

Ik wierp de vraag naar hem terug, zoals mijn gewoonte is. 'Wat denk je er zelf van?'

Hij fronste. 'Nou, het gaat duidelijk over mijn vader. Over iets wat heel lang geleden is gebeurd, van voor ik me kan herinneren... iets slechts...'

Ik knikte. Zoals ook mijn gewoonte is.

'Ik weet dat Evan me, toen ik heel klein was, vaak mee uit zeilen nam op zijn jacht. Ik kan me dat ook vaag herinneren. Naar het schijnt vond ik dat als kind verschrikkelijk. Vind ik nog steeds. Ik word altijd zeeziek.'

Ik leidde hem weer terug naar de droom. 'Maar je kunt je dit incident niet herinneren. Niet bewust tenminste.'

'Nee, totaal niet. Misschien was ik toen nog erg jong. Ik weet het niet.'

Opnieuw viel er een stilte. En opnieuw begon ik de puzzelstukjes aan elkaar te leggen. Zou het kunnen dat Evan Elsa mee uit zeilen had genomen en haar overboord had geduwd? Haar in de koude zee had laten verdrinken terwijl hij verder zeilde met zijn jonge zoontje beneden in het ruim? Maar als dat zo was, waarom dan? Wat zou zijn motief kunnen zijn geweest?

Ik zei: 'Laten we teruggaan naar de stem van de vrouw. Je weet zeker dat het niet de stem van je moeder was?'

'Helemaal zeker.'

'Geen stem die je herkende?'

'Nee.'

Ik gooide het over een andere boeg. 'Hoe klonk de stem?'

'Hoog. Jong. Eerst giechelde de vrouw een beetje. Ik denk dat ze zaten te drinken. En toen hij vervelend werd, ging haar stem omhoog. Paniekerig. En ze gilde heel hard voordat ze... voordat ik die plons hoorde.'

Ik knikte. Ook dat klonk logisch. Mari had me verteld dat Evan een reputatie had als alcoholist en vrouwenversierder. Als een van zijn vele veroveringen wist ze dat uit de eerste hand. En zelf was ik tijdens mijn korte bezoek aan het huis van de Morgans getuige geweest van een van zijn woedeaanvallen. Wat als Evan Elsa had meegenomen op zijn boot, haar had geprobeerd te versieren en vervolgens een driftbui had gekregen toen ze hem had afgewezen? Misschien had hij met haar gevochten en haar per ongeluk overboord geduwd. Of nog erger, misschien had hij het expres gedaan, in dronken razernij.

'Kun je je nog herinneren wat er gebeurde nadat je die plons had gehoord?'

'Nee, helemaal niks.' Gwydion keek nadenkend. 'Ik weet zeker dat de droom gaat over iets wat echt is gebeurd. En ik zal ook uitvinden wat het precies was.' Hij zweeg even. 'Ik voel me stukken beter, alleen al door het einde te weten. Daarna is de droom ook niet meer teruggekomen. Ik slaap als een os.'

'Mooi. Daar ben ik blij om.'

'Eigenlijk,' vervolgde hij, 'voel ik me zoveel beter dat ik denk dat ik hier niet meer hoef te komen.

Zijn opmerking overdonderde me. Hoe blij ik ook was met de vooruitgang die Gwydion had geboekt – waarbij ik moet toegeven dat het meeste zonder mijn hulp was gebeurd – ik had niet verwacht dat hij me nu al aan de kant zou zetten. Ik had verwacht dat ik, nu hij terug was, de hele reis met hem zou meemaken, de hele rit zou uitzitten, en niet dat ik slechts een tussenstop voor hem was geweest. Bovendien was mijn nieuwsgierigheid gewekt. Ik wilde het eind van dit verhaal weten, hoe het vanaf hier verder ging.

'Dus je hebt het idee dat je het verder wel in je eentje kunt?' Ik deed mijn best om bemoedigend te klinken.

'Ja. Je hebt me een opening gegeven. En ik denk dat ik nu gewoon verder moet met mijn leven.'

Ik had dit al vele malen meegemaakt. Als psychotherapeut krijg je door de tegenoverdracht, of die nu positief of negatief is, automatisch het gevoel dat je bij het leven van je cliënt hoort. Je kunt je gewoonweg niet voorstellen dat ze het zonder jou zullen redden. En als je heel eerlijk bent kun je dat ook andersom stellen. Zoals ik al eerder heb gezegd lijkt iemands psychotherapeut zijn een beetje op het ouderschap. Als je het goed doet, word je vroeg of laat aan de kant gezet. Het enige verschil is dat je van je cliënten, de mensen die je zo goed hebt leren kennen – misschien beter dan hun geliefdes, families en vrienden hen ooit zullen kennen – voorgoed afscheid neemt. Geen wekelijkse telefoontjes, geen ansichtkaarten van vakanties, geen familiereünies. Wanneer zij de deur uit lopen, dan is dat het. Voorgoed. Soms is dat een beetje moeilijk te aanvaarden.

Gwydion keek me glimlachend aan. Het was een vriendelijke, open glimlach die ik niet eerder bij hem had gezien. 'Bedankt voor al je hulp, Jessica.'

Ik glimlachte terug. 'Nou, je lijkt het meeste werk in je eentje te hebben verzet.'

'Niet echt. Het was belangrijk voor me om met je te kunnen praten.' Hij zweeg. 'Maar ik besef nu dat ik de rest zelf moet doen. Ik moet uitvinden waar die droom over ging. Volgens mij ben ik getuige geweest van een ongeluk. Misschien zelfs...'

Zijn zin bleef in de lucht hangen. Ik wachtte, maar hij maakte hem niet af.

'Er is nu niets meer met me aan de hand,' ging hij verder. 'Het is wel duidelijk dat ik een trauma heb opgelopen van wat het ook is wat er toen is gebeurd. Maar nu ik me begin te herinneren wat er is gebeurd, heb ik het gevoel alsof er een enorme last van mijn schouders is gevallen.'

'En de knopenfobie? Hoe zit het daarmee?'

'O ja.' Hij fronste.

'Heb je daar ook geen last meer van? Nu je... nu je het eind van die droom kent?'

'Niet helemaal. Nee.' Na een korte pauze vervolgde hij: 'Maar ik heb besloten je raad op te volgen. Ik ga me ervoor laten behandelen.'

'O?' Onwillekeurig voelde ik me lichtelijk gekwetst omdat hij zich niet had aangemeld bij een van mijn collega's een verdieping hoger, zoals ik had voorgesteld.

'Ja, wat dichter bij huis.'

'Logisch.' Ik zweeg. Hoewel ik meer zou willen weten, had ik het gevoel dat ik al genoeg vragen had gesteld. 'Nou dan...' Het was tijd om een einde aan de sessie te maken.

Gwydion stond op uit zijn stoel en ik stond ook op om hem gedag te zeggen.

'Succes met alles.'

Ik gaf hem een hand, en tot mijn verbazing hield hij hem even vast.

'Dag, Jessica,' fluisterde hij. Hij deed een stap naar voren en kuste me zacht op mijn wang. Ik ving de geur van zijn lichaam, van zijn haar op. Het was een aangename, intieme, vertrouwde geur, als die van het hoofdje van een baby. Ik besefte dat ik me er onderbewust bewust van was geweest, vanaf het moment waarop hij voor het eerst mijn spreekkamer in was komen lopen. Feromonen, noemen ze dat. Seksueel, moederlijk, primitief, biologisch, zoiets. Je kunt die geur niet verbergen met parfum, deodorant of shampoo. En feromonen ruiken ook niet lekker of vies. Ze ruiken naar zichzelf, ze zijn uniek voor die ene persoon, wie of wat hij of zij ook is. En of ze nu van een baby afkomstig zijn, van een potentiële sekspartner of van een aartsvijand, je kunt niet anders dan erop reageren, als een beest.

'Dag, Gwydion.' Heel even vroeg ik me af wie van de drie hij was, diep in mijn geest. Een kind. Een minnaar. Een mogelijke dreiging. Of misschien wel een combinatie van die drie. En die was het allerkrachtigst.

Ineens werd ik duizelig. Ik sloot mijn ogen en wankelde op mijn benen. Terwijl ik me tegen de duizeling verzette, voelde ik zijn lippen over mijn wang strijken tot ze mijn mond raakten. Ik kon zijn warme, zoete adem op mijn gezicht voelen. Mijn hart bonsde in mijn keel. Ik wist dat we, als ik me ook maar iets naar hem toe zou buigen, hoe weinig ook, elkaar zouden kussen, als minnaars. Maar ik verroerde me niet.

Ze bleven we staan, allebei roerloos, alsof de tijd was stilgezet. Na een poosje voelde ik zijn hand uit de mijne glippen, en toen ik mijn ogen opende, zag ik dat hij al naar de deur liep, met zijn rug naar me toe. Ik keek hem na, half opgelucht, half vervuld van spijt, terwijl hij de deur opende, de gang in liep, de hoek omsloeg en uit beeld verdween.

10

Het weekend daarop gingen Bob en ik met de meisjes naar Pembrokeshire. We gaan altijd naar dezelfde plek waar we een klein huisje aan het strand huren, met een adembenemend uitzicht over zee. We zijn er al heel vaak geweest en de kinderen vinden het er altijd erg leuk. Ik had me zelfs menigmaal afgevraagd of de kinderen het vakantiehuis – vol met namaakbarometers, porseleinen bloempotten en zelfgemaakte decoraties van dennenappels, waarvan de meeste egels in mensenkleren leken voor te stellen – niet leuker vonden dan ons eigen huis. Maar toen we er deze keer binnenliepen, bedacht ik lichtelijk bedroefd dat de kinderen langzamerhand natuurlijk te oud werden om nog van dat soort dingen te kunnen genieten. Nella had helemaal al niet mee gewild. Het huis, en het strand beneden, had geen enkele aantrekkingskracht meer voor haar – ze werd volwassen en zulke simpele genoegens waren niet meer aan haar besteed.

Dat gezegd hebbende, Bob en Rose leken zich er nog prima te vermaken. Ze hielden allebei van surfen en trokken meteen na aankomst hun surfpakken aan en verdwenen met hun surfplanken naar het strand, erop gebrand om de laatste golven van het seizoen te pakken nu het water nog relatief warm was. Voor mij was het echter veel te koud, dus ik bleef thuis. Nella, die nooit echt sportief was geweest, bleef bij me. Ze was voornamelijk in haar kamer aan het lummelen, om haar liedjes te oefenen, of ze zat in een stoel bij het raam, met een dekbed om zich heen geslagen en een koptelefoon op, haar vriendinnen te sms'en. Ondertussen hield ik mezelf onledig met het opmaken van bedden die niet opgemaakt hoefden te worden en met zwoegen op zelfs de allersimpelste maaltijden. En wanneer er echt niets meer te doen was, ging ik naast haar aan het raam zitten met een boek, of staarde ik naar de zee en naar de twee kleine zwarte stipjes van mijn man en jongste dochter die op de golven dobberden.

Maar ik zat voornamelijk aan Gwydion te denken en aan wat hij me tijdens de laatste sessie had verteld. Het leek me waarschijnlijk dat hij als klein kind op de boot was geweest waar Elsa dodelijk was verongelukt en dat hij dus een getuige was. Het leek ook heel goed mogelijk dat Evan de dood van het meisje had veroorzaakt. Mocht dat inderdaad het geval zijn, dan vroeg ik me af wat ik moest doen met deze gevaarlijke informatie.

Mijn wettelijke positie, als psychotherapeut, was redelijk duidelijk. Een cliënt die je in vertrouwen vertelt dat hij of zij op het punt staat een moord te begaan, moet je onmiddellijk aangeven, en als een cliënt dreigt om zelfmoord te plegen, kun je waarschijnlijk ook maar beter iets ondernemen. In alle andere gevallen heb je de vrijheid om gewoon je mond te houden, wat voor schokkende dingen je cliënt je misschien ook vertelt. Gwydion had me in zeer algemene bewoordingen verteld over een ongeluk van jaren geleden. Er zou in de nabije toekomst niemand om zeep worden geholpen. Dus juridisch gezien was er eigenlijk niets wat ik zou moeten doen.

Maar had ik als burger – een brave burger – niet de morele plicht om Gwydion op de hoogte te stellen van bepaalde feiten aangaande zijn verleden waar hij niets vanaf leek te weten? Feiten die zijn ouders misschien voor hem achterhielden? Met als belangrijkste feit dat, toen hij klein was, een jong meisje, Elsa Lindberg, die zijn au pair was geweest, was verdronken in de baai achter zijn huis, mogelijkerwijs tijdens een zeiltochtje met Evan. En dat ik bovendien Solveig Lindberg had gesproken, de moeder van het meisje, die ervan overtuigd was dat de Morgans logen over de omstandigheden waarin haar dochter de dood had gevonden.

Aan de andere kant, als ik dit aan Gwydion vertelde, zou aan het licht komen dat ik zonder zijn medeweten in zijn verleden had lopen rondsnuffelen. Als ik toegaf dat ik achter zijn rug om met mensen had gepraat – mensen als Mari Jones en Solveig Lindberg – dan zou het niet raar zijn als hij zich boos en verraden voelde. En dat wilde ik niet.

Behalve de onthullingen over zijn verleden had ik natuurlijk ook rekening te houden met de manier waarop we afscheid van elkaar hadden genomen. Terwijl ik naar zee zat te staren, stelde ik me voor hoe het zou zijn geweest als zijn lippen de mijne wel hadden geraakt, als ik dat kleine stapje in zijn richting had gezet, gereageerd had op zijn avances. En terwijl ik naar de golven keek die op de kust sloegen, hield hij me meer dan eens in een hartstochtelijke omhelzing, duwde hij zijn lichaam tegen het mijne en... en dan... Afijn, ik probeerde me niet al te schuldig te voelen over wat ik me daarna voorstelde. Fantaseren is een gezond, normaal deel van ons seksuele leven, toch? Een erg belangrijk deel voor de meesten van ons. Daar is niets mis mee. Maar in dit geval ging het gepaard met een onnozele, puberale dagdroom over dat hij straalverliefd op mij werd en ik straalverliefd op hem.

Gewoon een emotionele reactie op wat er tussen Bob en de tolk is gebeurd, hield ik mezelf voor. Een manier om wraak te nemen. En misschien ook een reactie op het gevoel van vrijheid dat ik in Stockholm had ervaren. Het zou snel genoeg overgaan. Wat de situatie natuurlijk nog verwarrender maakte, was het feit dat Gwydion een cliënt van me was geweest. En dat ik, door hem te hebben leren kennen, verwikkeld was geraakt in het duistere verleden van de Morgans door mijn poging uit te vinden wat er al die jaren geleden precies met dat jonge meisje in de baai was gebeurd.

Wat het nog erger maakte, was dat ons huisje op maar een paar kilometer afstand van het huis van de Morgans lag. Ik was me er maar al te zeer van bewust dat ik alleen de telefoon maar hoefde te pakken, zeggen dat ik in de buurt was en dan terloops voorstellen om even langs te komen. Maar dat deed ik niet. Ik zat bij het raam naar de zee te staren, in een toestand van besluiteloosheid.

Zondagochtend besloot ik in actie te komen. Ik kon het Elsa Lindberg-mysterie niet uit mijn hoofd krijgen en ik wist dat ik, als ik even bij de Morgans langsging, misschien meer te weten zou kunnen komen.

Ik stond op en kleedde me eenvoudig, maar zorgvuldig, in een bruine corduroybroek en een donkergroene kabeltrui. Mijn haar kamde ik naar één kant en ik zette het vast met een haarspeld, een beetje in een jarenveertigstijl. Nella lag nog in bed en ik wist dat ze daar minstens tot de middag zou blijven. Bob en Rose zaten te ontbijten en te wachten tot hun surfpakken droog waren en ondertussen hun volgende tochtje op de golven te plannen. Ik verzon een smoes en zei dat ik boodschappen ging doen in het dorp en dat ik later voor de lunch zou zorgen. Toen stapte ik in de auto, reed de weg op en begaf me naar het huis van de Morgans.

Onderweg stopte ik om mijn komst telefonisch aan te kondigen. Arianrhod nam op. Ik zei dat ik toevallig in de buurt was en me afvroeg of Gwydion er was en of ik even langs kon komen om te praten. Ik zou er over een kwartier kunnen zijn. Ze klonk verbaasd, maar ze zei dat, ja, Gwydion thuis was en dat ze het allebei leuk zouden vinden om me te zien. Hoewel ze redelijk aardig had geklonken, werd ik toch zenuwachtig terwijl ik over de landweggetjes naar het huis reed. Ik wist dat ik het met Arianrhod zou moeten hebben over wat er was gebeurd en haar misschien zelfs onder de neus moest wrijven dat ze tegen me had gelogen – nou ja, niet echt gelogen, maar de waarheid achter had gehouden – en ik wist niet goed hoe ik dat moest aanpakken.

Pas toen ik voor de imposante ijzeren hekken stopte en op de zoemer drukte, begon ik me af te vragen of het eigenlijk wel zo'n goed idee was om bij de Morgans langs te gaan. Als het zou uitlopen op een of andere confrontatie tussen Arianrhod en mij, dan was ik beslist in het nadeel, want zij was op eigen terrein. Terwijl de hekken opengingen en ik erdoor reed, bedacht dat ik misschien beter Gwydion of Arianrhod, of hen allebei, had kunnen vragen om naar mijn praktijk te komen, hoewel dat misschien een beetje een raar verzoek zou zijn geweest. Het was echter al te laat om nog van gedachten te veranderen. Ik was er nu eenmaal en er zat niets anders op dan de gevolgen van mijn besluit onder ogen te zien. Of misschien moesten de Morgans dat wel. Tenzij ik natuurlijk de hele kwestie uit de weg ging en deed alsof ik gewoon even gedag had willen zeggen en een beetje wilde babbelen over de geneugten van een vakantie aan de kust van Pembrokeshire. Wat nog raarder zou zijn.

Ik parkeerde de auto op het grind van de oprijlaan, ervoor zorgend dat ik niet op Evans plek ging staan. Net als de vorige keer kwamen de pauwen over het gazon naar me toe paraderen, met schuddende kopjes en schril krijsend. Ik stapte uit, sloeg het portier dicht en keek de pauwen na die wegstoven. Toen ik me omdraaide, zag ik Arianrhod overeind komen uit een van de bloembedden naast het gazon.

'Welkom terug.' Met een brede lach op haar gezicht kwam ze naar me toe lopen. Ze leek oprecht blij me te zien.

Ik glimlachte ook. 'Ik hoop dat ik niet stoor.'

'Helemaal niet. Ik was een beetje aan het wieden.' Ze liet haar handen zien. Ze zaten onder de aarde. 'Ik kan wel even een pauze gebruiken. Kom, dan gaan we naar binnen.'

We liepen naar de voordeur, die ze met haar elleboog openduwde. Door de donkere gang volgde ik haar naar de keuken. Daar liet ze me aan de tafel plaatsnemen, terwijl zij naar de gootsteen liep om haar handen te wassen.

'Thee? Koffie?'

'Ik neem gewoon wat jij neemt.'

'Dan wordt het koffie.'

Ik keek naar haar terwijl ze haar handen en armen afdroogde aan een handdoek. Ze zag er blozend uit, haar haren zaten een beetje in de war en ze droeg een versleten trui die bij de polsen begon te rafelen.

'Gwydion komt zo naar beneden. Wil je ook iets eten?'

'Nee, nee, ik heb niet zoveel tijd. Ik moet terug om voor de lunch te zorgen. We zitten in een huisje niet zo ver hiervandaan.'

Terwijl Arianrhod koffiezette, babbelden we wat over dorpjes en stranden in de buurt, wat de leukste plaatsen waren, waar je beter niet naartoe kon gaan. Ze zette de cafetière op tafel, samen met twee kopjes, een flesje koffiemelk en een rol volkorenbiscuit.

'Iets anders heb ik helaas niet in huis,' zei ze. Ze ging tegenover me zitten en schonk me een kop koffie in.

Ik pakte een biscuitje en doopte dat in de koffie die ze me aangaf. Ik zag dat zij met haar biscuitje hetzelfde deed. Het leek erop dat ze deze keer wat informeler was, met het flesje melk en de rol biscuit op tafel – ze behandelde me meer als een vriendin dan als de therapeut van Gwydion.

Een tijdje peuzelden we zwijgend aan onze doorweekte koekjes. Hoewel het me speet om de vertrouwelijke, ontspannen sfeer te verbreken, deed ik het toch.

'Arianrhod, er is iets wat ik je wil vragen.'

'Hm?' Arianrhod pakte een tubetje handcrème uit haar zak en kneep wat crème in haar hand.

'Die Zweedse toeriste die hier is verdronken. Dat meisje over wie je het had toen ik hier de vorige keer was. Toen we boven op de klif naar de baai stonden te kijken.'

Ze knikte langzaam, zich zo te zien enigszins verbijsterd afvragend waar dit heen moest, en begon de crème in haar handen te wrijven.

'Ik heb ontdekt…' Ik zweeg weer. Nog steeds geen reactie. 'Ik heb ontdekt dat ze die zomer als au pair voor jullie werkte.'

'Echt?' zei ze. Ze keek me verbaasd aan. 'Is dat zo? Dat kan ik me niet herinneren.'

'Natuurlijk kun je je dat wel herinneren.' Ik probeerde zonder stemverheffing te blijven praten. 'Dat meisje werkte voor jullie en toen verdronk ze. Dat is niet iets wat je gauw vergeet.'

'Nee, natuurlijk niet.' Ze zweeg even. 'Het zou natuurlijk best kunnen dat ze hier een keertje is geweest. Voordat ze verdronk, bedoel ik.' Ze wreef de crème zorgvuldig in een ruwe, eeltige plek op haar wijsvinger. 'Maar we hadden in die tijd zoveel au pairs. We hadden hier continu meisjes in huis die ons een handje kwamen helpen.'

Ze stopte met wrijven en draaide het dopje weer op de tube. Ik zag dat haar handen een beetje trilden.

Het leek me wel duidelijk dat ze loog, en ik vroeg me af of ze dat deed om Evan op de een of andere manier te beschermen; mogelijkerwijs had het iets met het schandaal te maken. Maar ik besloot om er vooralsnog niet dieper op in te gaan.

'Hoe gaat het met Gwydion?' veranderde ik van onderwerp.

Ze keek me aan. 'Het lijkt wat beter met hem te gaan,' zei ze. 'Maar hij is op het ogenblik niet zo spraakzaam, niet tegen mij tenminste.'

'Heeft hij...' Ik aarzelde, want ik wist niet goed hoe ik mijn volgende vraag moest formuleren. 'Heeft hij je nog... naar zijn jeugd gevraagd?'

Weer die verbaasde blik. 'Hoe bedoel je?'

'Gwydion denkt dat hem misschien iets traumatisch is overkomen toen hij klein was. Iets wat de oorzaak is van zijn... problemen.'

'Nee. Hij heeft het daar niet met me over gehad.' Ze legde haar hand even op haar voorhoofd, alsof ze nadacht, maar het gebaar had iets nerveus, iets koortsachtigs. 'En ik kan ook niets bedenken wat –' Ze maakte haar zin niet af. 'Ik snap niet waar hij blijft. Wacht, dan ga ik hem even halen. Ik ben zo terug.'

Ze stond snel op en liep weg. Ik wachtte, in de veronderstelling dat ze wel gauw zou terugkomen, maar dat gebeurde niet. Na vijf minuten was ze er nog steeds niet. Ik kreeg het gevoel dat dit allemaal weleens een poosje kon gaan duren, dat het weleens ingewikkelder kon worden dan ik had voorzien, dus pakte ik mijn mobieltje en stuurde Bob snel een sms'je om te zeggen dat er iets tussen was gekomen en dat ik later die middag pas zou terugkomen. Toen liep ik naar het keukenraam en keek naar het gazon.

Een van de pauwen had zijn staart omhoog en spreidde zijn veren voor een nerveus kijkende slonzige bruine hen die, blijkbaar in een poging om aan de pauw te ontsnappen, vrij zinloos voor hem uit rende. Toen het mannetje zich omdraaide, zag ik het merkwaardige verendek van zijn rug, twee stevige bruine vleugels en een brede waaier van grijze veren die het fragiele baldakijn erboven omhooghielden. Gefascineerd volgde ik de balts, waarbij de pauw al heen en weer paraderend het vrouwtje steeds dichter naderde, terwijl zij naar een ontsnappingsroute bleef zoeken.

De minuten tikten voorbij en ik begon te vermoeden dat Gwydion en Arianrhod een of ander lastig gesprek voerden, misschien zelfs wel ruzieden. Ik vroeg me af wat ze tegen elkaar zeiden.

De pauw kwam steeds dichter in de buurt van de hen en zette haar klem tegen de rand van een bloembed. Hij begon met zijn staart te zwaaien, zodat het groen en blauw van de rimpelende veren schitterden in het zonlicht, net zo lang tot het vrouwtje erdoor verblind was. Toen stapte hij naar voren om haar te dekken. Ik wendde mijn blik af.

Gwydion kwam de keuken in. Alleen. Hij droeg oude, comfortabele kleren, een verschoten corduroybroek en een slobberig wollen vest over een T-shirt dat zo te zien was gekrompen in de was. Op zijn wangen had hij stoppels van een paar dagen. Hij leek een beetje nerveus. Hij had een lichte blos op zijn wangen en hij bewoog zich snel, bijna ongeduldig, alsof hij stond te trappelen.

'Jessica. Wat fijn om je te zien. Wat kom je hier doen?'

'Ik zit in een huisje hier in de buurt, dus het leek me wel leuk om even langs te gaan. Om te kijken hoe het met je gaat.'

Hij kwam naar me toe om me een kus op de wang te geven, maar bedacht zich toen. Elkaar een hand geven zou te formeel zijn geweest, dus bleven we even naast elkaar voor het raam staan, wat nogal raar voelde – voor mij tenminste.

'Waarom ben je hier echt?' vroeg hij. Zijn stem klonk zacht, bijna fluisterend. Net als Arianrhod werd hij blijkbaar nogal zenuwachtig van mijn bezoek.

'Je maakte zo abrupt een einde aan je sessie en ik vroeg me af waarom.'

Ik zei niets over wat er aan het eind van de sessie was gebeurd, maar ook die vraag bleef in de lucht hangen.

'Ik dacht dat ik het je had uitgelegd. Maar luister...' Hij zweeg even. 'Ik was van plan je nog te bellen.'

'O?'

'Ja. Ik wil mijn moeder steeds naar die droom vragen. En naar die vrouw. En Evan.' Zijn woorden leken er gehaast uit te komen, alsof hij bang was dat zijn kans anders verkeken zou zijn. 'Maar...' Hij zweeg weer. 'Het lukt me gewoon niet om het ter sprake te brengen. Ik denk dat het wel zou helpen als jij erbij bent als ik met haar praat.'

Ik haalde diep adem. 'Nou...'

Soms vragen therapeuten ouders of andere gezinsleden om erbij te zijn wanneer er een probleem met de cliënt wordt besproken. Het is een veel toegepaste methode, hoewel ik er zelf nooit gebruik van heb gemaakt. Ik wist niet goed wat ik ervan moest denken. Zoals ik al eerder heb gezegd voel ik er in het algemeen meer voor om de hele familieballast maar te vermijden en de cliënten als individuen te behandelen. Per slot van rekening ben ik een existentialist – qua opleiding en qua voorkeur. Natuurlijk zijn de familiekwesties ontzettend belangrijk, maar wanneer een ziel in nood is, om welke reden dan ook, is het naar mijn mening meestal beter om de familie erbuiten te houden.

'Alsjeblieft, Jess. Help me. Ik kan dit niet in mijn eentje.'

Ik blies mijn adem uit, zo zacht mogelijk. Het was niet zozeer een zucht als wel een teken van berusting. 'Goed dan.'

Hij glimlachte opgelucht. 'Fijn. Fantastisch. Ze zit in de zitkamer te wachten. Ik heb haar gezegd dat we samen naar haar toe zouden komen om met haar te praten. Kom.'

Ik voelde me lichtelijk gemanipuleerd. Ik nam het Gwydion zelfs een beetje kwalijk dat hij me zo voor het blok had gezet en er gewoon van uit was gegaan dat ik wel voor chaperonne zou willen spelen als hij zijn moeder met zijn vragen confronteerde.

'Oké dan. Maar je moet goed begrijpen, Gwydion, dat je het vroeg of laat toch in je eentje met haar zult moeten uitpraten. Zonder mij erbij.'

'Tuurlijk.' Hij liep de keuken uit en ik volgde hem.

'En hoe zit het met je vader?' ging ik fluisterend verder, terwijl we door de gang liepen. 'Wil je hem er ook bij betrekken?'

'Evan is er niet.' Gwydion praatte op zijn normale volume, het kon hem blijkbaar niet schelen of iemand hem hoorde.

'Ja, maar ik zou zo denken dat...'

We kwamen bij een deur. Gwydion bleef staan, luisterde even en klopte toen aan.

Er klonk een stem aan de andere kant van de deur. 'Kom verder.'

Hij deed de deur op een kiertje open. 'Klaar?' vroeg hij, op een soort toneelfluistertoon.

Ik vond het raar. Maar de Morgans waren een raar stelletje, dat stond vast, dus ik besteedde er niet al te veel aandacht aan.

Het antwoord kwam meteen. 'Klaar.'

Gwydion deed de deur open en we liepen de kamer in. Arianrhod zat op een grote bank en stond op om ons te begroeten. Ze zag er moe en bezorgd uit, maar had, net als Gwydion, ook iets van hoopvolle opwinding over zich, wat niet helemaal bij de situatie leek te passen.

Het was een grote, frisse kamer, nogal chic, met openslaande deuren naar het gazon en met een open haard. Boven de schoorsteenmantel hing een groot olieverfschilderij van een jong, slank meisje met donker haar, dat een doorschijnend kledingstuk droeg, misschien een nachthemd. Wat het ook was, het was weinig verhullend. Het was een modern schilderij, een en al hoeken en schaduwen en vreemde perspectieven, en daarom drong niet meteen tot me door wie het was. Toen zag ik plotseling dat het Arianrhod was, als jonge vrouw, zoals ze er moest hebben uitgezien toen ze met Evan trouwde.

Arianrhod liet ons plaatsnemen in leunstoelen en ging zelf weer op de bank zitten. Het was koud in de kamer. De open haard was niet aan. De kou leek echter heel toepasselijk voor wat onmiskenbaar een ongemakkelijk gesprek zou worden.

'Dus, Gwydion.' Arianrhod sprak rustig. Ik vond haar beheerster overkomen dan anders. 'Je zei dat je met me moest praten. En dat je daarbij de hulp van dr. Mayhew – Jessica – nodig hebt.' In haar stem klonk een vleugje spot door, maar slechts een vleugje.

Gwydion ging op het randje van zijn stoel zitten. 'Ik herinner me iets, Ari.' Het ontging me niet dat hij haar met haar voornaam aansprak. 'Weet je nog die droom, waarin ik geschreeuw hoor en dan een plons?'

Arianrhod knikte. Het was duidelijk dat hij de laatste ontwikkelingen in zijn droom al met haar had besproken.

'Nou, ik weet nu wie het is. De man die schreeuwt is Evan. En het meisje... Het meisje is de au pair die we hadden, Elsa.'

Ik had Gwydion niet verteld dat de au pair Elsa heette, daar moest hij zelf achter zijn gekomen. Misschien door de plaquette op de klif. Of misschien had Arianrhod het hem net verteld, tijdens hun onderonsje toen ik in de keuken was.

'Ik moet toen een jaar of vijf, zes zijn geweest. Evan nam me samen met Elsa mee op de boot. Hij stond achter het roer en leerde Elsa sturen, en toen zag ik ze kussen. Ik was misselijk, dus ik ging naar beneden, de kajuit in, om te gaan liggen. Maar ik kon niet slapen. De boot schommelde en ik kon Evan en Elsa aan dek horen praten. Evan was dronken. Ik haatte het als hij zo was. Dan was ik bang voor hem.'

Met een beschaamde blik staarde Arianrhod naar haar handen.

'In elk geval, ik hoorde dat hij steeds dronkener werd. En Elsa leek met hem mee te doen. En toen begon het vervelend te worden, zoals altijd bij Evan.' Gwydions stem trilde en hij ging iets sneller spreken. 'Ik hoorde geschreeuw. Evan kreeg een van zijn woedeaanvallen. En Elsa begon te gillen. En toen hoorde ik een bons, en een plons, alsof er een lichaam in het water viel. Evan rende vloekend over het dek. De boot slingerde alle kanten uit en ik vroeg me af of Evan nog wel in staat was om terug te zeilen. Ik was doodsbang. Ik dacht dat we dood zouden gaan, dat we allemaal zouden verdrinken.' Gwydion stopte even. 'Dat is alles wat ik me ervan kan herinneren. Daarna niets meer.'

Er viel een stilte. Toen zei Arianrhod: 'Het spijt me zo, Gwydi. Ik had nooit –'

'Nee, dat had je inderdaad niet.' Gwydion verhief zijn stem. 'Je had me nooit met hem moeten laten meegaan op die boot. Ik vond dat doodeng. Iedere keer weer. Die man was een dronken klootzak. Je had moeten ingrijpen. Je zoon beschermen. Maar dat deed je nooit, hè? Je bent nooit voor me opgekomen. Helemaal nooit.'

'Ik heb het heus wel geprobeerd… ' Arianrhods stem was niet meer dan een fluistering.

'Dat heb je verdomme niet. Je was een complete lafbek. Dat ben je nog steeds…'

Arianrhods gezicht schrompelde ineen. Ze trok haar schouders op en haar lichaam leek in haar rafelige trui te verdwijnen. Ik kreeg medelijden met haar. Het was duidelijk dat ze deels schuld had aan wat er in het verleden was gebeurd, maar zoals zo vaak het geval is, leek haar zoon het gemakkelijker te vinden om zijn woede tegen haar te spuien dan tegen zijn vader.

'En het allerergste is nog dat je tegen me hebt gelogen.'

'Gelogen?' Arianrhod keek op. 'Hoe bedoel je?'

'Je wist heel goed wat er toen is gebeurd. Evan nam Elsa mee op de boot om haar te versieren. Ik heb ze zien kussen. Dat herinner ik me nog heel goed. Door de droom is die herinnering weer naar boven gekomen. En daarna hoorde ik ze, in de droom, ruziemaken. Evan moet Elsa overboord hebben geduwd. Hij heeft haar aan haar lot overgelaten en is zonder haar terug gezeild. Ik was beneden, ik hoorde de klap toen ze het water raakte. Dat is ook echt. Dat is waar ik 's nachts steeds wakker van schrik, al zo lang ik me kan herinneren.' Gwydion was steeds harder gaan praten. 'Hij was verantwoordelijk voor haar dood, die klootzak. Maar jij hebt hem geholpen door hem een alibi te geven. Jullie hebben er allebei over gelogen – tegen de politie, tegen iedereen. Jullie hebben tegen mij gelogen. Jullie hebben er nooit bij stilgestaan wat voor impact dat op mij zou hebben, om getuige te zijn van een moord.' Gwydion schreeuwde nu, met zijn vinger naar zijn moeder wijzend. 'En daarom ben ik al die jaren zo verknipt geweest. Ik werd er bijna gek van, en al die tijd heb je de waarheid voor me verzwegen.'

'Nee, Gwydi.' Arianrhod was bijna in tranen. 'Ik wist niet...'

Ik besloot in te grijpen. 'Volgens mij wil Gwydion zeggen dat...'

Ik stopte toen ze me allebei aankeken. Het was alsof ze even waren vergeten dat ik er ook nog was.

'Nou ja,' vervolgde ik, 'er zijn nog een paar zaken die opgehelderd moeten worden. Elsa Lindberg was wel je au pair, hè, Arianrhod?'

'Ja.' Arianrhod knikte. Ze leek te hebben aanvaard dat het weinig zin meer had om dat nog te ontkennen. 'Sorry dat ik daar net nog tegen je over heb gelogen. Ik wilde niet dat je iets van het schandaal wist. Ik dacht...'

'En ze is inderdaad met Evan en Gwydion gaan zeilen, hè?'

Arianrhod knikte weer.

'En toen is er... een ongeluk gebeurd?'

Gwydion steunde zijn hoofd in zijn handen.

'Hoe is het gegaan?' Ik probeerde zo kalm mogelijk te praten. 'Je moet het ons vertellen. Omwille van Gwydion. Hij heeft dat nodig.'

Arianrhod begon te huilen. Het was duidelijk dat ze dat deed om

Gwydions kritiek en mijn vragen te ontwijken, maar toch had haar reactie ook iets oprechts, waardoor het ongevoelig leek om te blijven aandringen.

Ik zocht in mijn tas naar een papieren zakdoekje en gaf het haar. Arianrhod snoot haar neus en depte haar ogen. We wachtten tot ze haar zelfbeheersing had teruggevonden, en toen stak ze van wal.

'Het was geen moord, Gwydi. Toen Evan thuiskwam, vertelde hij me wat er was gebeurd. Hij zei dat hij met Elsa was gaan zeilen en dat hij had geprobeerd haar te versieren – daar was hij heel eerlijk over. Het was een zonnige middag en omdat ze vrij dicht bij de kust waren, zei ze dat ze overboord zou springen om naar huis terug te zwemmen. Hij zei dat ze dat beter niet kon doen, maar ze wilde het per se. Hij probeerde nog achter haar aan te zeilen om te kijken of alles goed ging, maar hij is haar kwijtgeraakt.'

Ze stopte. Gwydion keek haar nog steeds kwaad aan.

'Echt, Gwydion, zo is het gegaan.'

'En wat gebeurde er toen?' Ik wilde dat Arianrhod verderging met haar verhaal.

'Nou, Evan kwam thuis, hij had Gwydi bij zich. Ik stopte Gwydi in bed en toen hebben we op Elsa zitten wachten. De hele nacht. De volgende ochtend werd haar lichaam op het strand gevonden.'

'Maar toch heb je de politie nooit verteld dat ze bij Evan op de boot was.' Hoewel ik probeerde te voorkomen dat er iets beschuldigends in mijn stem doorklonk, vond ik het echt ongelooflijk. 'Waarom eigenlijk niet?'

Arianrhod liet haar hoofd hangen. 'Evan heeft me overgehaald dat niet te doen.' Ze hief haar hoofd en keek haar zoon smekend aan. 'Want dat zou een enorm schandaal zijn geworden, weet je. Als mensen hadden geweten dat hij met dat meisje – ze was nog zo jong, negentien pas – was gaan zeilen en had geprobeerd om –'

'Haar te neuken?' onderbrak Gwydion haar.

'Alsjeblieft.' Er gleed een traan over Arianrhods wang. 'Probeer het alsjeblieft te begrijpen, Gwydi. Evan kon er niets aan doen. Hij was niet direct verantwoordelijk voor haar dood, maar het zou er toch slecht voor hem hebben uitgezien als het was uitgekomen?' Ze zweeg even. 'Ik wilde alleen maar een loyale echtgenote zijn. Het zou zijn carrière hebben verwoest... Ik zou alles zijn kwijtgeraakt...'

Bij die woorden stond Gwydion op en liep naar de deur.

Arianrhod probeerde hem niet tegen te houden. Ze boog haar hoofd en sloeg haar handen voor haar gezicht. Ik bleef naar haar zitten kijken, terwijl Gwydion de kamer verliet en de deur met een klap achter zich dichtsloeg. Ik wist niet goed wat ik moest doen. Dus deed ik niets.

Toen sprak ze weer, vanachter haar handen. 'Ga alsjeblieft naar hem toe. Hij gaat vast naar de baai. Probeer hem alsjeblieft te kalmeren.'

Ik dacht aan de kliffen boven de baai en er joeg opeens een scheut van angst door me heen.

'Goed,' zei ik. 'Ik zal mijn best doen. Tot zo.'

Ik liep kalm naar de deur en opende hem. Toen ik omkeek, zat ze nog steeds, ineengedoken en stilletjes, met haar hoofd in haar handen, onder haar eigen portret.

11

Ik haalde Gwydion in toen hij over het gazon liep, op weg naar het poortje in de muur waardoor je naar de baai kon. Toen hij me zag, zei hij niets, maar hij ging wel iets langzamer lopen zodat ik hem kon inhalen. We deden het poortje open en liepen toen over het pad naar de rand van de klif en keken naar de zee. Het was een sombere dag, met mistflarden boven het water, en verder een enorme grijs-bruine massa van water en lucht en modder en zand en rotsen, die bijna niet van elkaar te onderscheiden waren. Een plek waar iemand die naar de kust probeerde te zwemmen, in het koude water, met de hemel die steeds donkerder werd, heel gemakkelijk zou kunnen verdwalen, koud, vermoeid; een plek waar je zo snel gedesoriënteerd raakte, en gevoelloos, en moe, dat je de kust waarschijnlijk niet eens meer zou bereiken.

Gwydion was nog steeds te zeer van streek om met me te kunnen praten. Hij staarde naar de zee, met zijn ogen samengeknepen tegen de wind. Ik bleef een poosje zwijgend, ook met samengeknepen ogen, naast hem staan, in de hoop dat hij zou gaan praten. Toen hij dat niet deed, liep ik naar de bovenste tree die in de rots was uitgehouwen en keek naar de inscriptie op de kleine plaquette. Ik bestudeerde de naam. *Elsa Lindberg*, en de data, 1971-1990, alsof ik daar iets uit op zou kunnen maken wat ik nog niet wist; daarna liet ik mijn blik over de woorden eronder glijden, met die voor mij ongewone j's en g's en de kleine rondjes en umlauts boven de letters, me afvragend wat er stond.

Gwydion kwam bij me staan. 'Het is een gedicht,' zei hij. Hij sprak zacht en aarzelend, alsof hij zelf nog niet goed wist of hij weer tot bedaren was gekomen. 'Ik heb er een vertaling van gevonden. Het is geschreven door een vrouw, Edith Södergran. Eind negentiende eeuw.' Hij begon de regels in het Engels op te zeggen. *'Te voet moest ik door de zonnestelsels, voor ik de eerste draad van mijn rode gewaad vond.'* Zijn stem trilde licht. Hij aarzelde even, hernam zich en ging toen verder. *'Ik heb al een voorgevoel van mezelf. Ergens in de ruimte hangt mijn hart, er stromen vonken uit, ze schokken de lucht, op weg naar andere mateloze harten.'*

Er viel een stilte. *De eerste draad van haar rode gewaad.* Door die woorden moest ik ineens denken aan, niet aan een nederlaag, niet aan Elsa die aan het verdrinken was in die koude zee, die zich moest overgeven aan de golven, maar aan een overwinning – aan het felle, onverzettelijke licht van Stockholm dat neerscheen op zwanenmaagden en Walkuren en krijgsvrouwen die door de bevroren woestenijen reden, naar de sterren toe, door tijd en ruimte, om de doden te wreken.

'Heftig,' zei ik. 'Heel Scandinavisch. Wanneer heb je dat opgezocht?'

'O.' Hij leek even in verlegenheid gebracht. 'Pas geleden.' Na een korte stilte stelde hij voor: 'Zullen we naar beneden gaan? Ik wil je graag het strand laten zien.'

Ik aarzelde. Zoals ik al eerder heb gezegd, heb ik last van hoogtevrees. En er ging iets bijzonder dreigends uit van de baai beneden me dat maakte dat ik geen zin had om ernaartoe te gaan. De manier waarop de kliffen eruit oprezen, gelaagd en afbrokkelend als half gesloopte gebouwen. De manier waarop de rotsen uit het strand staken, grijs en pokdalig, als een maanlandschap. Wanneer je vanaf de klif naar het strand keek, zag het eruit als een oerlandschap, als een oude zeebedding: het riep het beeld op van aardverschuivingen, van vulkanen en aardbevingen, van reusachtige tektonische platen die daar verschoven, als een breuk in de geschiedenis, in de tijd zelf.

'Ik weet niet,' zei ik. 'Ik moet eigenlijk terug...'

Hij keek me grijnzend aan. 'Je bent toch niet bang, hè?'

'Nee...' begon ik.

Hij trok geamuseerd zijn wenkbrauwen op.

'Nou ja, misschien wel een beetje.' Ik keek naar de trap. 'Die ziet er vreselijk steil uit. En glibberig.'

Hij liep naar de trap, draaide zich om en stak zijn hand naar me uit. 'Kom.'

Ik wuifde zijn hand weg. 'Volgens mij is het beter als ik me hieraan vasthoud,' zei ik, terwijl ik de leuning beetpakte.

'Ik ga wel voor. Dan kan ik je val breken. Niet dat je zult vallen, tuurlijk niet,' voegde hij eraan toe, toen hij mijn angstige blik zag.

Voetje voor voetje klauterden we naar beneden. Toen we eenmaal op de trap stonden, leek de rotswand waar de treden uit waren gehouwen, lang niet meer zo duizelingwekkend steil. En de trap was ook best veilig, hield ik mezelf voor, zolang ik me maar goed aan de leuning vasthield zodat ik niet kon uitglijden. Gwydion liep voor me, zonder de leuning zelfs maar aan te raken. Hij had hier blijkbaar al vaak naar beneden gelopen. Voor mij was de afdaling echter een gevaarlijke onderneming en pas toen we beneden waren, liet ik de leuning los en liep ik voorzichtig achter hem aan naar de steiger.

Ik volgde hem naar het eind ervan. De steiger liep over het strand, dat bezaaid was met slijmerige zeewierklonters en korstige mosselen, de zee in. Niet echt een mooie plek om te gaan zwemmen, dacht ik. Of om wat dan ook te doen. Het was het soort plek dat je doet beseffen hoe prettig het is om in de comfortabele en veilige eenentwintigste eeuw te leven, met af en toe een wilde fantasie over wraakzuchtige zwanenmaagden en Walkuren in plaats van zelf als wraakgodin te moeten optreden.

Toen we aan het eind van de steiger waren, draaide hij zich naar me om. We bleven naast elkaar naar zee staan kijken, terwijl de wind in onze oren floot en het water om ons heen klotste. De golven maakten een vreemd klappend geluid wanneer ze de houten planken van de steiger raakten.

Geen van ons beiden zei iets, maar toen draaide hij zich langzaam naar me toe en keek ik in zijn groene ogen, omrand met die donkere, dikke wimpers.

Hij boog zich iets dichter naar me toe. Ik wendde mijn hoofd af, maar het lukte me niet om mijn lichaam mee te draaien. Ik voelde zijn adem tegen mijn hals en kreeg het warm.

De eerste draad van haar rode gewaad.

Dat waren de woorden die bij me opkwamen, en ze gaven me moed. Gwydion is geen cliënt meer van je, zeiden ze. Hij is een man, en jij bent een vrouw. Niet zo laf. Grijp je kans, nu het kan.

Ik heb al een voorgevoel van mezelf.

Ik draaide mijn hoofd weer naar hem toe.

De lagunes waren erg groen, erg diep. Ik wilde erin duiken.

Dus dat deed ik.

Het was een lange kus: vol, en warm, en bevredigend. Er kwam ook wat gefoezel aan te pas, een aarzelende hand die over mijn topje gleed en stopte voordat hij bij mijn borsten kwam, het tegen elkaar aan duwen van essentiële lichaamsdelen, naar adem happen, dichtvallende ogen, zintuigen die duizelden, gelach, een vreemd soort verrukking over de sprong in de hyperrealiteit, het zondigen tegen de regels... en de verrassing en het genot en het ongemak van dat alles, de idiote warboel aan gevoelens, zijn mond op de mijne, zijn tong in mijn mond, de mijne in de zijne, de warmte van zijn huid, van mijn huid, de huid van zijn buik, van mijn buik, onder onze handen en met om ons heen de golven die tegen de steiger sloegen met dat eigenaardige klappende geluid, en de gure zeewind waarvan onze ogen gingen tranen en onze oren pijn deden. En terwijl we daar op dat krakkemikkige houten geval stonden dat in zee uitstak, dat plotselinge gevoel, voor mij en misschien ook wel voor hem, dat in de fysieke wereld andere regels golden; alsof we op de een of andere manier over water liepen; of vielen, in een parallelle wereld vielen, waar iets surrealistisch is gebeurd waarvan je wilde dat het zou gebeuren, maar wat je nooit hebt toegegeven aan jezelf; en er dan weer uit vallen en jezelf terugvinden waar je was begonnen, in het gewone, het alledaagse, je aan elkaar vastklampend, onhandig, op die half verrotte steiger met overal om je heen grijs water, in een koude wind, lichtelijk gegeneerd om wat je hebt gedaan, en dan alleen nog maar weg willen, naar huis.

Het was natuurlijk de wind die elke verdere verkenning de kop indrukte. Hoe opwindend de kus ook was, we zouden geen van beiden in een gierende storm onze kleren van ons lijf rukken om op verder onderzoek uit te gaan. Het was gewoon te koud om er zelfs maar aan te denken. Dus maakten we ons van elkaar los, ik zei dat ik naar huis moest en we klauterden terug over de rotsen, de trap op en toen over het pad langs de klif, door het poortje en over het gazon, zwijgend, zonder elkaar aan te raken, afstand bewarend. We hadden het niet over wat hij zich herinnerde van toen hij als kind op die boot had gezeten. Onze lichamen lieten op geen enkele manier merken dat we elkaar hadden gekust. Het was alsof het nooit was gebeurd.

Toen we eindelijk bij het huis waren, was Arianrhod, tot mijn opluchting, in geen velden of wegen te bekennen. Dus zei ik snel tegen Gwydion dat hij haar maar gedag van me moest zeggen, stapte in mijn auto en zette de motor aan. Ik popelde om weg te gaan.

Voordat ik wegreed, draaide ik het raampje naar beneden.

'Nou, tot ziens dan maar,' zei ik. 'Pas goed op jezelf. En succes met... alles.'

Gwydion leunde met zijn arm op het dak van de auto, boog zich naar voren en probeerde me stiekem op mijn mond te kussen, maar ik draaide snel mijn hoofd weg.

'Niet doen, zo meteen ziet iemand ons nog.'

Hij negeerde me. 'Ik bel je.'

Ik knikte op een naar ik hoopte niet al te bemoedigende manier. 'Oké. Doe voorzichtig.'

Hij tikte zacht op het dak van de auto, alsof hij me daarmee toestemming verleende om te vertrekken. Ik reed achteruit terwijl hij naar me keek, met een geamuseerde grijns op zijn gezicht.

Ik reed over het grind naar het hek. Onderweg zag ik de pauw in het bloembed paraderen, de lange sleep van zijn staart achter zich aan sleurend, met het vrouwtje ingetogen naast hem tippelend.

Ik was net op tijd terug in het huisje voor de late lunch die Bob en Nella voor ons hadden klaargemaakt. Ik was bang geweest dat ze me hadden gemist en zich zouden gaan afvragen waar ik was, maar niemand leek zich zorgen te hebben gemaakt over mijn afwezigheid, integendeel zelfs. Bob leek ontspannen, hij had rode wangen van zijn inspanningen op de golven. Rose was zoals altijd vrolijk en zelfs Nella leek een beetje uit haar schulp te zijn gekropen. Niemand vroeg waar ik was geweest. Dus hoefde ik ook geen verhalen te verzinnen, waar ik blij om was, want liegen, vooral tegen mijn eigen gezin, voelt altijd als een last, alsof ik mijn ware ik geweld aandoe.

Na het eten gingen we een tijdje in de huiskamer zitten, wij met de kranten, de kinderen voor de tv. Toen het tijd was om te vertrekken, ging ik in mijn eentje het huis door om onze spullen te verzamelen. En in plaats van me zoals anders te ergeren aan de troep die ze bij het koken hadden gemaakt en aan de stapels kleren en natte handdoeken op de vloer in de slaapkamers, merkte ik dat ik oprecht genoot van mijn rol als ordehersteller. Voor het eerst sinds maanden voelde ik me edelmoedig ten opzichte van mijn gezin. Mild. Geduldig. Ik werd me er intens van bewust hoeveel ik van hen hield en ik prees mezelf gelukkig dat ik een gezin had om voor naar huis te gaan, om de rotzooi van op te ruimen, om voor te zorgen; een gezin dat afhankelijk van me was, mensen voor wie ik nog steeds het belangrijkste was en nog vele jaren zou blijven.

Het was maar een kus, hield ik mezelf voor toen we die avond terug-reden naar Cardiff. Niks om me druk over te maken. De meisjes wa-ren in slaap gevallen, opgekruld onder hun dekbedden op de ach-terbank, en Bob zat zachtjes naast me te snurken. Dus ik was alleen, met *Late Junction* op de radio, de reflectorpaaltjes langs de weg en nog een lange rit naar huis.

Het was donker op de weg, en omdat er geen ander verkeer was kon ik mijn grote lichten aandoen. Het regende en af en toe zag ik een kikker wegspringen, of de witte staart van een konijntje dat de heg in schoot. Ik reed voorzichtig, me bewust van de kostbare la-ding die om me heen lag te slapen, en ik dacht aan Gwydion, aan de kus, aan Elsa Lindberg, en aan wat me te doen stond.

Zoals ik al zei had de kus weinig te betekenen. Eerlijk gezegd voelde ik me er ook niet al te schuldig over. Integendeel, ik was op-gelucht. Er was nu iets uit mijn systeem. Nadat Bob zijn ontrouw had opgebiecht, was ik gekwetst en boos geweest en ik had geen manier kunnen vinden om het hem te vergeven. Maar nu begon ik het hem te vergeven, besefte ik. Ondanks mijn protesten toen Mari het huwelijk als een machtspelletje had omschreven, vond ik nu dat ze er niet ver naast zat. Natuurlijk, het was kinderachtig en on-verantwoordelijk om wraak op Bob te nemen door een aantrekke-lijke jongeman te kussen, maar eerlijk gezegd voelde ik me er stuk-ken beter door. Tegelijkertijd wist ik dat ik mijn huwelijk niet op het spel wilde zetten door echt een verhouding te beginnen. Ik wil-de Gwydion niet echt als minnaar – hij was te jong, te gretig, te kwetsbaar. Ik had die kus laten gebeuren omdat ik me verwaar-loosd had gevoeld; ik wilde gewoon dat iemand, ergens, me als vrouw zou zien en daarnaar zou handelen. En nu had iemand dat gedaan. Dus kon het daarbij blijven. De kus had zijn werk gedaan en dat was dat.

Voorzichtig reed ik de invoegstrook op de snelweg op; ik keek in mijn achteruitkijkspiegel en gaf gas toen ik me tussen het verkeer op de rijbaan voegde.

Nee, ik zat niet in over mijn moment van zwakte met Gwydion, maar wel over wat ik met de hele situatie aan moest. Zou ik geen contact met Solveig moeten opnemen en haar vertellen wat er aan de hand was? Ze had me gesmeekt om haar te helpen, om uit te zoeken wat er al die jaren geleden echt was gebeurd, en het zag ernaar uit dat we dichter bij de waarheid kwamen. Toch zei iets me om te wachten. Tot ik me een duidelijker beeld had gevormd van de gebeurtenissen die tot Elsa's dood hadden geleid, was het niet echt eerlijk om Solveig met iedere nieuwe ontwikkeling te belasten. Het verhaal moest me helemaal duidelijk zijn voordat ik naar haar toe ging.

Toen ze een van mijn lievelingsmuzikanten, de Afrikaanse koraspeler Toumani Diabaté, draaiden, zette ik de radio wat harder. Het zachte getokkel deed me altijd denken aan vuurvliegjes en kolibries en vleermuizen, half zichtbare wezentjes die in het donker rondfladderen, en aan warme Afrikaanse nachten met miljoenen sterren aan de hemel. Mooie, mysterieuze plekken waar ik nooit was geweest en misschien ook nooit zou komen. Ik had mijn keuzes gemaakt. Ik was hier in Wales, met de kikkers en de konijntjes, en de mist en de regen, en dat had ook zo zijn eigen vreemde schoonheid en mysteries.

Naast me bewoog Bob zich even. 'Gaat het? Moet ik het van je overnemen?' Hij klonk alsof hij nog half sliep.

'Nee, het gaat prima.'

'Vind je het goed als ik de radio wat zachter zet?'

'Ga je gang.'

Hij leunde naar voren, draaide aan de knop en de muziek werd zachter. Toen sliep hij weer verder.

Ik reed door. Hoewel het al laat was en de anderen sliepen, voelde ik me klaarwakker en helder van geest. Er stak een wind op en het begon hard te regenen, en de auto's voor me wierpen in hun kielzog een fijne mist op, zodat ik bijna niets meer zag. Door onze adem begon de voorruit te beslaan, dus moest ik de verwarming aan- en uitzetten om de ruit schoon te houden, zonder dat het te warm zou worden, en ik kon ook geen raampje openzetten, want dan zou een van mijn passagiers misschien wakker worden van de kou. Af en toe voelde ik de wind aan de auto rukken, alsof hij ons van de weg wilde blazen. Al met al was het lastig om de auto op de weg te houden, maar ik reed door, en Bob en de meisjes sliepen door, tot we eindelijk veilig en wel thuis waren.

12

Op maandagochtend was ik weer in de praktijk en zat ik achter mijn bureau van de rust te genieten, terwijl ik een artikel over hervonden herinneringen las. Ik heb er tientallen liggen over dat onderwerp. Het centrale vraagstuk – of een kind slachtoffer kan zijn geweest van seksueel misbruik of getuige van een traumatische gebeurtenis, om dat dan volledig te vergeten en het zich vervolgens, tijdens de therapie, weer te herinneren – was in de jaren negentig van de vorige eeuw een heet hangijzer. Maar recentelijk lijken de gemoederen te zijn bedaard. Niet omdat er daadwerkelijk conclusies zijn getrokken of bewijzen zijn gevonden; helaas is het allemaal niet zo rationeel of verstandig. Het is eerder dat iedereen de hele kwestie een beetje beu is. Psychotherapie is, net als de medische wetenschappen, onderhevig aan mode. De hervonden herinnering is zo'n modegril; en nu is ze simpelweg uit de mode. Ritueel misbruik, ook ouwe koek. Zelfs het Valse Herinneringen Syndroom, de theorie die hervonden herinneringen probeert te weerleggen, heeft zijn beste tijd gehad. En de voornaamste reden dat we ze hebben laten vallen is dat het allemaal gewoon veel te ingewikkeld is; de hele kwestie van hoe en waarom we ons herinneren wat we als kind hebben meegemaakt is te duister, te verwarrend; bovendien gaat het met zoveel woede gepaard – woede gericht tegen ouders, tegen therapeuten en tegen wie er ook maar toevallig in de vuurlinie staat – dat het bijna onmogelijk is geworden om achter de waarheid te komen... als er al zoiets als een waarheid bestaat.

Toch vond ik dat ik mijn artikelen over het onderwerp weer eens moest lezen, omdat ik nu een cliënt had, Gwydion Morgan, met een blijkbaar bonafide hervonden herinnering. Mijn eerste, om eerlijk te zijn. Natuurlijk had ik al eerder cliënten gehad met verhalen over misbruik – waarvan sommige plausibel klonken en andere duidelijk niet klopten. En ik had ook mijn portie verhalen van cliënten, huidige en voormalige, gehoord over traumatische, vreselijk gewelddadige gebeurtenissen waar ze als kind getuige of slachtoffer van waren geweest. Maar ik had nog nooit met een overlijdensgeval te maken gehad. En dan in het bijzonder een dat door een droom weer naar boven was gekomen. Dat was dubbelop. En ik moet toegeven dat ik er onwillekeurig toch behoorlijk opgewonden over was – als het verhaal inderdaad zou blijken te kloppen.

Onder het lezen probeerde ik een verband te leggen tussen wat ik las en Gwydion en zijn hervonden herinnering. En wat ik las, leek wat hij me had verteld te onderbouwen. Als zesjarige moest hij in staat zijn geweest om zich te herinneren wat er op de boot was gebeurd en het daarna accuraat hebben kunnen navertellen; het was ook heel goed mogelijk dat hij de herinnering aan die traumatische gebeurtenis had onderdrukt en dat die herinnering jaren later, naar aanleiding van een droom, weer naar boven was gekomen. En daarbij kwam ook nog dat in zijn geval de onthulling werd gestaafd door feiten.

Ik begon me af te vragen of ik niet naar de politie moest stappen, hun vragen of ze de zaak verder wilden onderzoeken, misschien het rapport van de lijkschouwing nog eens na te kijken. Maar ik besloot te wachten tot ik meer bewijzen had; ze zouden waarschijnlijk niet echt staan te trappelen om me te helpen – het enige wat ik vooralsnog te bieden had was Gwydions verslag van zijn droom.

Toen ik aan de laatste bladzijde van het artikel bezig was, ging de telefoon. Ik wachtte tot het antwoordapparaat aansloeg. De stem die sprak, herkende ik onmiddellijk: het was Arianrhod Morgan.

'Jessica? Ben je daar?' Stilte. Ze belde vanaf een mobieltje. Ik hoorde verkeersgeluiden. 'Wil je alsjeblieft opnemen? Ik moet echt met je praten. Het is een noodgeval.'

Omdat het niet klonk naar een noodgeval, nam ik niet op.

'Ik sta voor je praktijk.' Lange stilte. 'Kun je alsjeblieft naar beneden komen? Zo snel mogelijk. Ik wacht hier op je.' De verbinding werd verbroken.

Verdomme, dacht ik. Even voelde ik iets van paniek. Ik vroeg me af of er nog meer schokkende onthullingen over de dood van Elsa Lindberg zouden volgen en zo ja, hoe ik daarmee om moest gaan. En ik vroeg me, wat banaler, af of Gwydion haar had verteld over mijn misstap, over die stomme kus op de steiger. Arianrhod en hij leken erg close – te close misschien wel. Als hij het haar had verteld, zou het allemaal erg gênant worden.

En toen dacht ik, kom op, Jessica, wees niet zo'n watje. Misschien ben je wel een moord op het spoor, en als je ook maar enig fatsoen in je donder hebt zul je je in de zaak moeten vastbijten tot de waarheid boven tafel is. En dat met die kus stelt niks voor. Gwydion is geen cliënt meer van je. Je hebt niks gedaan wat heel erg verkeerd was. Bovendien gaat het hier om iets veel groters: de dood van een jong meisje, de noodzaak, al is het alleen maar vanwege haar treurende moeder, om precies uit te vinden wat er al die jaren geleden is gebeurd; en misschien, met een beetje geluk, het recht laten zegevieren...

Ik ging niet onmiddellijk naar beneden. Toevallig had een van mijn cliënten van die ochtend afgezegd, dus het was niet nodig om me te haasten. Maar ik wilde een punt maken. Het overkwam me niet vaak dat ik werd gesommeerd op stel en sprong naar beneden te komen, en het beviel me helemaal niet. Dus las ik, voordat ik naar beneden ging, eerst het artikel uit, maakte een paar aantekeningen en ruimde mijn bureau nog even op. Ik liep naar de kapstok in de hoek van de kamer, trok mijn jas aan en hing mijn tas over mijn schouder. Vervolgens bleef ik nog even voor de spiegel staan om mijn neus te poederen en wat lippenstift op te doen. Ik wilde bij deze ontmoeting een kalme en beheerste indruk maken. Bedaard. Maar eerlijk gezegd voelde ik me verre van bedaard en toen ik de trap afliep, klopte het hart me in de keel.

Ik deed de voordeur open. Arianrhod zat buiten, op het lage muurtje van het pleintje voor het gebouw, op me te wachten. Toen ik naar haar toe liep, stond ze op, met een gespannen glimlach op haar gezicht.

'Fijn dat je wilde komen,' zei ze. Ze pakte met een nogal theatraal gebaar mijn arm beet. Het viel me op dat ze er bleek en afgetrokken uitzag. Ze had donkere wallen onder haar ogen.

Zo beleefd mogelijk maakte ik me van haar los. 'Ik heb niet veel tijd.' Ik keek achterom naar het gebouw, hopend dat niemand ons zou zien.

'Dat geeft niet. Het duurt niet lang. Zullen we even ergens koffie gaan drinken?' Arianrhod tuurde vaagjes naar de gebouwen aan Cathedral Road, een van de belangrijkste doorgangswegen van de stad. In het gedeelte waar ik praktijk houd, zitten voornamelijk artsen, tandartsen, dat soort mensen, pas verderop, dichter bij het centrum wordt het anders. Ik besefte dat ze Cardiff nauwelijks kende, hoewel het de hoofdstad van Wales was.

'Nee.' In de nabije Pontcanna Street zaten wel een paar koffiezaken, en er zat er ook eentje recht tegenover mijn praktijk waar we naartoe hadden kunnen gaan, maar Cardiff is niet groot en ik zou er vast een bekende tegen het lijf lopen. 'Ik heb echt geen tijd. Laten we even een stukje langs de rivier wandelen, oké? Dat is dichtbij.'

Het was een stralende herfstdag; de bomen kleurden goud onder een zachtblauwe hemel, maar het was wel frisjes. We sloegen Llandaff Fields in en liepen langs het sportcentrum de hoge oever van de rivier op. Zo vroeg op de dag waren er weinig mensen op de been, alleen een paar mensen die hun honden uitlieten en wat fietsers die geen acht op ons sloegen.

Blijkbaar had Arianrhod me wat belangrijks te vertellen. Anders hadden we het onder het lopen wel over koetjes en kalfjes gehad. Maar we deden er beiden het zwijgen toe. Ik had de indruk dat het aan mij was om dat te doorbreken.

'Hoe gaat het?' Ik probeerde hartelijk, bemoedigend, te klinken, maar dat kostte me enige moeite. Ik nam het haar nog steeds een beetje kwalijk dat ze me had ontboden vanwege dat zogenaamde noodgeval.

Ze voelde mijn ongeduld en keek me meteen ontdaan aan. 'Sorry dat ik je midden op de dag lastigval…'

'Dat geeft niks.' Mijn ergernis begon zich al op te lossen. 'Zeg nou maar gewoon wat er is.'

'Het gaat om Gwydion.' Ze veegde een lok haar uit haar gezicht. Ik zag dat haar hand trilde. Ineens kreeg ik medelijden met haar en had ik er spijt van dat ik zo bits had gereageerd.

We kwamen bij een bankje naast het pad. Het is een van mijn lievelingsplekjes, hoog op de oever, een beschutte plek vanwaar je de rivier kunt zien stromen; en als je geluk hebt, zie je er ook reigers, aalscholvers en ijsvogels het water in en uit schieten; en als je geen geluk hebt, kun je naar de eenden en waterhoentjes in de ondiepe gedeeltes kijken, en naar de wilgen die buigen in de wind, een drukke andere wereld vol vogels en vissen en bomen, midden in de stad.

'Laten we even gaan zitten.' Ik wees naar de bank en we liepen ernaartoe. Het was een fijne plek. De metalen zitting van de bank was warm van de zon. Ik keek of ik reigers bij de rivier zag, maar ik zag ze niet.

Arianrhod slaakte een zucht. Een diepe, vermoeide zucht. Toen stak ze van wal. 'Nou, Gwydion heeft zich nog meer herinnerd over dat boottochtje van toen. Hij heeft me alles verteld. Hij heeft niet alleen gehoord wat er is gebeurd, hij heeft het ook gezien.' Ze zweeg even toen ze mijn verbazing zag. 'Hij zegt dat hij, toen hij het geschreeuw hoorde, naar boven is geslopen. Hij heeft heel even zijn hoofd uit de kajuit gestoken om te kijken wat er aan de hand was.

Evan en Elsa zagen hem niet. Ze stonden met hun rug naar hem toe en waren aan het vechten. Elsa verzette zich en gilde, maar hij wilde haar niet loslaten. Dus toen schopte ze hem hard in zijn ballen. Hij was woest en ging haar te lijf. Ze zat op de rand van de boot. Ze probeerde zich vast te houden, maar hij duwde haar overboord.'

Haar stem trilde en ze stopte met praten. Ik zag dat ze gespannen over haar mouw wreef en aan de stof pulkte.

'Ga verder,' zei ik.

'Vlak voordat ze in het water viel, ving ze Gwydions blik op en ze schreeuwde om hulp. Evan keek om, maar Gwydion dook snel weg en ging weer in zijn kooi liggen. Hij bleef daar liggen wachten, met zijn ogen stijf dicht, totdat Evan de boot rechttrok en ze weer verder zeilden.'

'En hij heeft je daar niks over verteld toen hij thuiskwam?'

'Nee, geen woord. Maar het viel me wel op...' Ze zweeg even. 'Na die dag deed hij anders tegen Evan. Ze waren nooit erg close geweest, maar na die dag leek hij doodsbang voor hem.'

Ik was verbaasd. Ik vroeg me af waarom Gwydion me dit niet zelf allemaal had verteld.

'Dus dit is de afgelopen paar dagen allemaal naar boven gekomen? Sinds ik bij jullie op Creigfa House ben geweest?'

Arianrhod knikte. 'Het was zo'n schok.' Ze rilde en sloeg haar armen om zich heen tegen de kou. 'Ik kan gewoon niet geloven dat mijn eigen man...' Ze maakte haar zin niet af, maar liet hem, verdrietig, in de lucht hangen.

'Natuurlijk zou ik hem nooit een alibi hebben gegeven als ik dit had geweten,' vervolgde ze. 'Hij heeft mij verteld dat hij met haar was gaan zeilen en dat ze toen in een opwelling had besloten om naar huis te zwemmen.'

Er viel een stilte. Die ik uiteindelijk zo tactvol mogelijk verbrak.

'Maar je wist toch wel dat Evan Elsa had meegenomen op de boot om haar te versieren? Dat hij de situatie waarschijnlijk had uitgelokt?'

Arianrhod staarde naar de rivier. 'Je moet begrijpen... als je dag in dag uit met dat soort dingen te maken hebt, dan leer je die te negeren. Je moet wel.'

Ze sloeg haar handen voor haar ogen. Het gebaar deed me denken aan Gwydion.

'En je wist dat hij een alcoholist was. En dat hij een kwade dronk had.' Ik probeerde zo vriendelijk mogelijk te klinken, maar feiten zijn feiten en Arianrhod had blijkbaar jarenlang haar best gedaan om die uit de weg te gaan.

'Natuurlijk wist ik dat.' Ze boog haar hoofd. 'Ik was daar meestal zelf het slachtoffer van. Nog iets waar je mee leert leven.' Ze stopte even. 'Maar ik had niet gedacht dat hij in staat zou zijn om iemand te...'

Ze kreeg het woord 'vermoorden' niet uit haar mond, maar de stilte die tussen ons hing, sprak boekdelen.

'Maar zelfs als je het niet wist, dan was het toch nog steeds verkeerd om hem een alibi te verschaffen? Je had niet mogen liegen tegen de politie. Tegen de moeder van het meisje.'

Ze begon zacht te snikken. Ik pakte een papieren zakdoekje uit mijn tas en gaf het haar. Dat doe ik tegenwoordig zonder nadenken. Het lijkt wel of iedereen die met me praat in huilen uitbarst.

'Ik weet het.' Achter het zakdoekje klonk Arianrhods stem gedempt. 'Ik voel me er verschrikkelijk bij. Maar nu... nu zal het allemaal uitkomen.'

'Hoe bedoel je uitkomen?'

Ze veegde langs haar ogen en snoot haar neus. Toen keek ze me aan. 'Gwydion heeft besloten om naar de politie te stappen. Hij wil aangifte doen. Hij gaat ze vertellen dat Evan Elsa Lindberg heeft vermoord.'

Het duurde even voordat echt tot me doordrong wat ze had gezegd. Ik wist dat Gwydion kwaad was op zijn vader, maar dat hij zover ging, verbaasde me. Ik was verbaasd en... nogal trots. Gwydion durfde zijn demonen eindelijk onder ogen te komen. En hij had dat op eigen kracht gedaan, zonder dat iemand hem daartoe had aangezet, voor zover ik kon beoordelen.

'Heel goed van hem,' zei ik.

Arianrhod leek niet naar me te luisteren. 'Het wordt natuurlijk de ondergang van Evan. Als dit allemaal uitkomt. De ondergang van... ons.' Ze zweeg.

Ik knikte langzaam, want het drong nu pas goed tot me door wat het voor haar betekende als Gwydion besloot om Evan voor de rechter te slepen: simpel gezegd, de totale ondergang van haar gezin, van alles wat ze haar hele volwassen leven lang had proberen te beschermen. Haar man en zoon zouden, vanwege een smerig misdrijf, de degens kruisen, publiekelijk, waardoor er, ongeacht de uitkomst, een heleboel vuiligheid zou worden opgerakeld, en dat zou voor haar uiteindelijk net zo vernederend zijn als voor Evan. Ik bedacht dat het voor haar stukken eenvoudiger zou zijn om de sporen uit te wissen en Gwydion proberen over te halen niets te doen.

'Maar het is het enige wat erop zit.' Ze leek zich in haar lot te hebben geschikt. 'En ik moet mijn zoon steunen.'

'Dat is erg moedig van je.'

'Het punt is dat ik niet zeker weet of de politie hem wel zal geloven.' Arianrhod hief haar hoofd en keek naar de rivier. 'Het is allemaal zo lang geleden. En hij is de enige getuige.'

Ik volgde haar blik. Voor ons landde een aalscholver op een kleine rots die uit de rivier stak.

'Hij was toen pas zes. En dan nog het feit dat hij het zo lang was vergeten. Dat hij het zich nu pas weer herinnert.'

Ik zag de aalscholver het water in duiken op jacht naar een vis. Hij kwam met een lege snavel weer boven.

'Het zou...' Ze aarzelde even. 'Het zou natuurlijk helpen als jij...' Ze stopte.

'Als ik wat?' Ik keek haar verbaasd aan.

Ze haalde diep adem. Toen tuimelden haar woorden er in een stortvloed uit. 'Jessica, ik ben hier om je te vragen of je als getuige wilt optreden, als er een rechtszaak komt. Als getuige-deskundige.'

Ik was met stomheid geslagen. 'Ik? Maar...'

'Jij kunt uitleggen hoe het komt dat hij zich nu weer herinnert wat er toen is gebeurd. Via die droom. Tijdens de therapie. Hoe hij door jou heeft ontdekt...'

'Ik heb niks gedaan, hij heeft het zelf ontdekt.' Ik dacht terug. 'In feite hebben we maar heel weinig sessies gehad.'

'Ja, maar je hebt hem enorm geholpen. Je bent zo aardig voor ons geweest. Dat je op bezoek bent gekomen toen hij... zich niet lekker voelde.'

Haar ogenschijnlijke dankbaarheid ontroerde me. Het drong tot me door dat ze zich erg eenzaam moest hebben gevoeld gedurende al die jaren met haar overspelige man en overgevoelige zoon.

'Nou ja, ik zal natuurlijk doen wat ik kan.' Ik zweeg even. 'Ik wil best verslag doen van onze sessies, als je dat bedoelt.' Ik schoof ongemakkelijk heen en weer. De metalen zitting van de bank begon hard en koud aan te voelen. 'Maar ik weet niet of dat wel echt zal helpen. Zoveel valt er eigenlijk niet te vertellen.'

'Dank je.' Arianrhod schonk me een opgeluchte glimlach. 'Ik weet ook niet of het gewicht in de schaal zal leggen. Het zal heel moeilijk worden. Maar het is fijn om te weten dat er iemand aan onze kant staat.'

Ik glimlachte terug, een beetje op mijn hoede. Toen keek ik op mijn horloge. 'Ik moet terug naar de praktijk.'

'Natuurlijk. Het spijt me dat ik je heb lastiggevallen.'

'Geeft niks.'

Toen we opstonden keek ik nog een laatste keer naar de rivier. De aalscholver was weggevlogen.

'Maar doe me een lol, Arianrhod,' zei ik, toen we terugliepen over het pad. 'Bel me de volgende keer voor een afspraak, oké?'

'Dit klinkt me vreemd in de oren, Jess.'

Bob en ik zaten na het eten aan tafel wat te praten. De kinderen waren tv gaan kijken.

Ik had hem niet alles over mijn gesprek met Arianrhod verteld. En ik had hem ook slechts een beknopte versie gegeven van de gebeurtenissen die eraan vooraf waren gegaan. Ik had hem niet verteld dat ik een paar keer bij de Morgans thuis was geweest en natuurlijk ook niet wat er de laatste keer dat ik er was geweest tussen Gwydion en mij op het strand was voorgevallen. En ik had hem ook niets verteld over mijn ontmoeting met Solveig Lindberg in Stockholm, hoewel ik het gevoel had dat dat vroeg of laat toch zou moeten gebeuren. Ik had hem het verhaal slechts in grote lijnen geschetst. Ik had hem verteld dat een ex-cliënt van me, Gwydion Morgan, van plan was zijn vader, Evan, voor de rechter te slepen in verband met een vermoedelijke moord die hij hem als kind had zien plegen, iets wat hij zich tijdens zijn therapie bij mij weer was gaan herinneren. Ik had ook verteld dat Arianrhod, Gwydions moeder, die ochtend bij me langs was geweest met het verzoek of ik als getuige-deskundige wilde optreden, mocht het tot een rechtszaak komen, en dat ik niet goed wist wat ik moest doen.

'Ik ken Evan redelijk goed. Ik heb met hem te maken gehad in de Vergadering. Ik weiger te geloven dat hij een moord zou begaan en die dan zou proberen te verdoezelen,' vervolgde Bob. 'Dat lijkt me gewoon niks voor hem...'

Er was me nooit eerder gevraagd om als getuige-deskundige in een rechtszaak op te treden en bij nader inzien had ik spijt van mijn toezegging om, in principe, te willen helpen. Bob is advocaat; hij heeft verstand van dit soort zaken en ik niet. Wat ook de reden was waarom ik hem om raad vroeg.

'Ik bedoel, iedereen weet dat hij te veel drinkt en dat hij dan strontvervelend kan worden. En hij heeft natuurlijk een kleurrijk liefdesleven.' Bob lachte spottend. 'Maar eigenlijk is het een fatsoenlijke vent. Ik heb altijd bewondering voor hem gehad. Hij is enorm belezen. Getalenteerd. En vrijgevig. Hij heeft veel voor Wales en de Vergadering betekend…'

'O, ik snap het al.' Ik voelde dat ik boos werd. 'Dus omdat hij veel voor de Vergadering heeft betekend, mag hij iedere vrouw die hij tegenkomt ongestraft neuken.'

Bob leek zich te verbazen over mijn uitbarsting. Maar toen drong tot hem door dat hij zich op glad ijs begaf.

'Nou, nee. Natuurlijk niet. Ik beweer alleen maar dat die man vast wel fouten heeft, maar dat ik gewoonweg niet geloof dat hij een moordenaar is. Of een leugenaar.'

'Maar waarom zou zijn vrouw dan zeggen dat het wel zo is, als het niet zo is?'

'Weet ik veel. Van horen zeggen is het nogal een eigenaardige vrouw.' Hij zweeg even. 'Waarschijnlijk is ze gewoon jaloers. Ze heeft het moeilijk gehad met hem en dat zal zijn tol geëist hebben, lijkt me zo.'

'En de zoon? Waarom zou hij het op zijn vader hebben gemunt?'

'Nou, misschien kiest hij partij voor zijn moeder. Dat soort dingen gebeurt in gezinnen…'

'Bob, er is een jong meisje in zee verdronken,' onderbrak ik hem. 'Ze was negentien. Evan Morgan probeerde haar te versieren. Zijn zoon heeft hen vlak voor haar dood op de boot zien ruziemaken.' Ik slaakte een geïrriteerde zucht. 'Vind je niet dat hij ons een verklaring schuldig is? Hoe fantastisch hij dan ook mag zijn?'

'Ja, natuurlijk wel.' Bobs stem werd lager, als reactie op mijn gefrustreerde toon. 'Haar dood verdient een grondig onderzoek, wat toen blijkbaar niet is gebeurd.' Hij zweeg. 'Maar dat bewijs waar jij nu mee op de proppen komt, vind ik gewoon niet overtuigend. We moeten ook Evans kant van het verhaal horen, lijkt me.'

Ik reageerde niet.

'En als ik jou was,' vervolgde hij, 'zou ik me maar nergens op vastpinnen.'

'Nou, dank je wel voor je raad.' Ik probeerde beleefd te klinken.

'Maar toch denk ik dat ik het maar doe.'

Bob schoof zijn bord weg, stond op, liep naar de gootsteen en spoelde zijn handen af.

'Oké, wat je wilt.' Toen voegde hij eraan toe, terwijl hij zijn handen afdroogde: 'En ik zal Evan eens bellen. Ik wil er even met hem over praten, uit zijn mond horen wat dit eigenlijk allemaal te betekenen heeft.'

Hoewel hij met kalme stem sprak, merkte ik dat hij kwaad was, maar ik zei niets toen hij zich omdraaide en de keuken uit liep, net op het moment dat Nella binnenkwam.

Ze liep naar de ijskast, trok de deur open en liet haar blik over de schappen dwalen. 'Er is hier in huis nooit wat te eten.'

'O jawel.' Ik gebaarde naar de fruitschaal op het dressoir.

'Geen koekjes?'

'We proberen te minderen. Vanwege papa. Er zijn wel crackers als je wilt. Kaas...'

'Oké oké.' Ze deed de deur dicht, liep naar het dressoir en pakte een banaan.

'Hoe gaat het met je huiswerk?'

Ze haalde haar schouders op.

'Heb je hulp nodig?'

Ze schudde haar hoofd en liep weer naar de deur. In de deuropening draaide ze zich nog even om en zei: 'O ja, mam, dat wilde ik nog zeggen, ik ga zaterdag naar Londen.' Ze sprak op terloopse toon. 'Voor de auditie.'

'O ja?' Ik probeerde ook terloops te klinken.

Nella schuifelde wat heen en weer. 'Maar het punt is, het kan zijn dat ik er een nachtje moet blijven slapen.'

'En waarom dan wel?' vroeg ik zo kalm mogelijk.

'Blijkbaar zou het weleens kunnen dat die producer pas 's avonds tijd voor me heeft. Hij heeft het heel druk, maar hij wil echt graag dat ik auditie doe...'

Er viel een stilte. Toen zei ik wat ze al wist dat ik zou zeggen.

'Het spijt me, Nella. Je mag best een dagje met Emyr naar Londen, met de trein.' Ik stopte. Hoewel ik het vreselijk vond om een domper op de feestvreugde te zetten, kende ik geen enkele twijfel. 'Als die producer je zo graag wil ontmoeten, dan kan dat ook overdag.'

'Maar dan kan hij niet. Hij kan alleen maar later...'

'Nou, dan brengt papa je met de auto. Maar je blijft daar geen nacht slapen. Geen sprake van.'

Normaal gesproken zou Nella me hebben tegengesproken. Maar omdat ze wist dat ik in dit geval niet te vermurwen zou zijn, probeerde ze het niet eens.

'Het spijt me, lieverd,' ging ik verder. 'Het spijt me echt. Maar het mag echt niet. Dat begrijp je best.'

Ze antwoordde niet. Ze smeet alleen de banaan tegen het dressoir en stormde de keuken uit, de deur met een klap achter zich dichtsmijtend.

De banaan kwam tegen de rand van het dressoir terecht en belandde toen op de grond. Ik liep ernaartoe, pakte hem op en had heel even zin om hem tegen de deur te gooien, achter haar aan. Maar in plaats daarvan legde ik hem rustig terug op de fruitschaal, naast de tros.

13

Het was zaterdag en ik was op de markt. Boven, op de dierenafdeling, om precies te zijn. Nella was met Emyr naar Londen, voor haar auditie bij de producer. Ik had het er met hem nog even wat uitgebreider over willen hebben, maar Nella had me dat verboden. Dus had ik haar op het hart gedrukt om de trein van zes uur 's avonds terug te nemen en gezegd dat ik haar zou komen afhalen. In de tussentijd probeerde ik mijn gedachten te verzetten en daarom had ik Rose mee naar de markt genomen. Ze wilde een konijn. Daar zeurde ze al weken om, en uiteindelijk was ik gezwicht.

Het is een gek, maar prachtig gebouw, de oude overdekte markt van Cardiff, met zijn gietijzeren deuren en glazen overkapping, net een victoriaans station, en het ruikt er naar verbrand vet, naar slagerijen en natte vis, naar oud leer en snijbloemen. Beneden bevinden zich de slagers, met de varkenskoppen op een rijtje als het publiek in een theater, en met de prijskaartjes aan hun oren geprikt, en de visboeren, waar je behalve enge diepzeemonsters ook verse kokkels en krabben en gebakken zeewier kunt krijgen, dat rare, groene, zoute, slijmerige spul dat in Wales voor delicatesse doorgaat. Er zit ook een fourniturenhandelaar, waar ik vaak langsga voor knopen, ritsen en biasband, en je kunt daar ook stoffen vinden waarvan je dacht dat die na de jaren zestig niet meer werden gemaakt: meters en meters nylon vitrage, rollen Trevira, in felle kleuren en allerlei patronen, flanel voor nachthemden en pyjama's. Er wordt geen enkele concessie gedaan aan de moderne tijd: bij de lederwarenwinkeltjes kun je goedkope, ouderwetse handtassen kopen, koffers zonder wieltjes, bandjes voor horloges van het niet-digitale soort. En boven, op de galerijen, wordt het nog vreemder: je hebt er een oud tweedehandsplatenwinkeltje met een levensgroot beeld van Elvis voor de ingang; daarnaast zit de waarzegster, een vrouw van middelbare leeftijd met een plastic bloem in haar zwart geverfde haar, die je hand leest en als een duveltje uit een doosje steeds tussen paarse fluwelen gordijnen opduikt en weer verdwijnt; daarnaast een cafetaria, waar oude mannetjes die eruitzien als de afstammelingen van Steptoe and Son mokken hete thee, bacon, eieren en worstjes naar binnen werken en over de paardenrennen lezen. En daartegenover de dierenzaak, waar Rose en ik stonden te kijken naar de zangvogeltjes in kooien, de pasgeboren poesjes, de konijnen met hun snuffelende neusjes, de bizar gekapte cavia's, de blinde babymuisjes en de dikke witte ratten met hun enge lange, roze staarten.

'Wreed, hè? Om ze zo op te sluiten.'

Ik draaide me om. De vrouw die me had aangesproken, was in de zestig en goed gekleed en ze had onberispelijk geknipt en geverfd haar. Ze was in het gezelschap van een zwierige man, ietsje ouder dan zij en net zo goed verzorgd.

Het duurde even voordat ik haar herkende.

'Jean.' Ik zweeg. 'Goh. Je ziet er... je ziet er ontzettend goed uit.'

'Dank je.' Jean glimlachte. 'Dit is Windsor.'

Ik knikte naar haar metgezel. Hoewel hij terug knikte, zei hij niets. In plaats daarvan liep hij naar een van de kooien en keek samen met Rose naar de konijnen.

'Dat is zeker je dochter,' zei Jean.

'Ja, Rose. De jongste.' Ik knikte naar Windsor. 'Is dat...'

'Mijn nieuwe vriend. Hij trekt volgende maand bij me in. We gaan in zonde samenleven.' Jean giechelde.

Ik begreep er steeds minder van. Jean gedroeg zich als een compleet andere vrouw dan degene die ik had gekend. Op iets als een gevoel voor humor had ik haar nooit kunnen betrappen. Ik had niet gedacht dat ze dat bezat.

Ik keek naar de konijnen. Windsor had een korreltje voer van de toonbank met dierenvoeding gepakt en voerde dat aan het konijn, tot grote vreugde van Rose.

'Wat leuk,' zei ik. 'Ik ben blij voor je.'

'O ja. Het heeft allemaal heel goed uitgepakt.' Jean ging wat zachter praten. 'Hij is heel handig.'

Ik knikte, denkend aan de gordijnrail.

'Sorry dat ik niks meer van me heb laten horen.' Jean wapperde luchtig met haar hand. 'Ik heb het ook zo druk gehad. Het was gewoon een wervelstorm.'

Ik overwoog even om haar erop te wijzen dat het wel zo netjes zou zijn geweest als ze haar afspraken met mij had afgebeld, maar ik besloot het er maar bij te laten. Zwijgend keken we allebei naar Windsor, Rose en de konijnen.

'Nou,' zei ze na een tijdje. 'Leuk om je weer eens gezien te hebben.'

'Ja, vond ik ook.' Ik meende het. 'En veel geluk met alles.'

'Dank je.'

Ze wuifde even, liep toen naar Windsor en pakte zijn arm. Terwijl ze samen weg slenterden, ging ik bij Rose voor de konijnenkooi staan.

'Wie was dat?' vroeg Rose.

'O gewoon, een van mijn cliënten.' Ik zweeg even, me afvragend waarom ik niet kwaad was op Jean. Ze was zonder iets te zeggen, zonder ook maar een woord van dank, met haar therapie gestopt. Het had me tijd en geld gekost. En toch gaf het me een goed gevoel om haar zo te zien. Echt goed. Even vergat ik mijn zorgen om Nella en herinnerde ik me weer waarom ik al die jaren geleden had besloten om psychotherapeut te worden. Dat had ik gedaan om mensen te helpen. Misschien was het een cliché, maar het was de waarheid.

Dat was mijn doel geweest, en ik besefte ineens dat ik er soms – niet vaak – ook in slaagde om dat doel te bereiken. In Jeans geval had ik alleen maar de status-quo gehandhaafd terwijl ze met haar rouwproces bezig was, maar dat was blijkbaar precies wat ze nodig had gehad om weer verder te kunnen met haar leven.

Rose wees naar een klein grijs konijntje dat alleen in een hoekje zat. 'Die wil ik.'

'Weet je het zeker?'

Rose knikte.

'Oké dan. Een goede keus.' Ik sloeg mijn arm om haar schouders. 'Zullen we het gaan vieren met een broodje bacon?'

Rose keek me verbaasd aan. 'Daar bedoel je?' Ze wees naar de cafetaria. Ze wist dat ik het een zaak van niks vond, omdat ik vaak klaagde over de geur van gebakken bacon die zich over de hele markt verspreidde.

Ik knikte.

Ze keek me bedachtzaam aan. 'Ben je soms ergens blij om, mam?'

'Ja, ik geloof het wel.'

'Waarover dan?'

'Over die mevrouw. Vroeger was ze bedroefd, en nu voelt ze zich beter. Meer niet.'

'Cool.' Na een korte pauze vroeg ze: 'Mag ik dan ook een donut?'

We rekenden het konijn af en zeiden dat we het later zouden komen ophalen, daarna gingen we naar de cafetaria waar we een plekje vonden aan de bar die langs de rand van de galerij liep. Ik bestelde twee broodjes bacon, een kop thee en een glas knalgroene vruchtenlimonade die niet eens probeerde om op echte vruchtensap te lijken.

Terwijl we op ons eten wachtten, dronk Rose luidruchtig haar sap op, tevreden aan haar rietje slurpend en dromerig voor zich uit starend. Aan haar gezicht zag ik dat ze aan het konijn dacht.

Op de bar lag een *Echo* van die dag. De *Echo* is onze plaatselijke krant. De artikelen gaan meestal over bussen die niet op tijd rijden, kinderen die zijn genezen van wat vermoedelijk hersenvliesontsteking was en jonge vogeltjes die uit het nest zijn gevallen. Ik wierp een terloopse blik op de voorpagina, in de verwachting er weinig spectaculairs aan te treffen, hooguit zoiets als een man die bijna door een hond was gebeten, maar de adem stokte me in mijn keel toen ik de kop midden op de bladzijde las: EVAN MORGAN BESCHULDIGD VAN MOORD. Daaronder stond een niet al te recente foto van hem en een artikel dat als volgt begon:

Na sensationele onthullingen die gisteren bij de *South Wales Echo* zijn binnengekomen, is Evan Morgan vandaag in staat van beschuldiging gesteld. De internationaal bekende toneelregisseur is vanochtend drie uur lang verhoord op het hoofdbureau van politie in verband met de verdrinkingsdood, in 1990, van een Zweedse au pair van de familie Morgan. Bob Cadogan, de advocaat van Mr. Morgan, weigerde elk commentaar.

Het duurde heel even voordat tot me doordrong wat ik precies had gelezen: niet alleen dat Evan was aangeklaagd, maar ook dat Bob de verdediging op zich had genomen. Mijn man had Evan Morgan buiten mijn medeweten zijn diensten aangeboden, in de wetenschap dat ik als getuige-deskundige voor de tegenpartij kon worden opgeroepen. Hoe haalde hij dat in godsnaam zijn hoofd? Wilde hij me soms voor schut zetten? Ik kreeg een rode waas voor mijn ogen en klemde uit pure frustratie mijn kaken op elkaar. Het liefst was ik meteen opgestaan en naar huis gegaan om hem ter verantwoording te roepen. Maar omwille van Rose bleef ik zitten waar ik zat.

De broodjes bacon arriveerden. Rose maakte het hare open, kneep er ketchup in en begon te eten. Ik spoot een likje mosterd op het mijne en nam een hap. Het bacon was zout, het brood smaakte synthetisch. Een paar minuten eerder had ik nog trek gehad en zou ik desondanks van het broodje hebben genoten, maar de eetlust was me vergaan. Dus keek ik alleen maar naar de etende Rose en probeerde niet ongeduldig te worden toen ze steeds een klein hapje nam en haar broodje daarna zorgvuldig neerlegde om een slokje van haar limonade te nemen. Toen ze eindelijk klaar was en langzaam de laatste ketchup van haar vingers zat te likken, zei ik: 'Kom liefje, dan gaan we.'

Rose keek me verschrikt aan. 'Maar mijn donut dan?'

'We nemen er wel eentje mee voor onderweg. In de auto.'

Ze keek me kwaad aan.

'Sorry, Rosie.' Ik pakte een papieren zakdoekje uit mijn zak en gaf het haar om haar vingers mee af te vegen. 'We moeten echt naar huis.'

'Maar waarom dan?'

'Omdat ik met papa moet praten.'

'Waarover?'

'Ergens over.' Ik zweeg, zoekend naar een manier om van onderwerp te veranderen. 'Kom, dan gaan we je konijn ophalen. Heb je al een naam bedacht?'

Rose negeerde me.

Ik hield vol. 'Het hangt er natuurlijk vanaf of het een mannetje of een vrouwtje is.'

Ik stond op, maar Rose verroerde zich niet.

'Je hebt gezegd dat ik hier een donut zou krijgen.' Haar stem schoot van verontwaardiging omhoog. 'Dat heb je zelf gezegd.'

Ik zuchtte. Rose is koppig. Als ze vindt dat ze onrechtvaardig wordt behandeld, zet ze haar hakken in het zand. En als het eenmaal zover is, is ze behoorlijk onvermurwbaar. Gelukkig zijn haar eisen meestal niet al te onredelijk, dus probeer ik ze zoveel mogelijk in te willigen. En in dit geval had ze een punt. Ik had haar beloofd dat ze in de cafetaria een donut zou krijgen. Niet in de auto of ergens anders. Bovendien was er geen echte reden om me ineens naar huis te haasten – behalve dan mijn toenemende woede op Bob, iets wat, eerlijk is eerlijk, helemaal niets met Rose te maken had.

'Goed dan.' Ik ging weer zitten, pakte wat geld uit mijn portemonnee en gaf het haar. 'Ga maar aan de toonbank bestellen. Maar daarna moeten we echt gaan.'

Rose stond op om haar donut te bestellen. In de tussentijd rolde ik de krant op en stopte hem in mijn tas.

Toen we thuiskwamen, zat Bob in de keuken achter zijn laptop koffie te drinken. Rose liet hem het konijn zien en hij liep met haar mee om het in het hok te installeren dat we in de schuur hadden klaargezet. Toen ze terugkwamen, volgde er een lange discussie over holletjes en stro en keutels en korrels en worteltjes en water en toen dat eindelijk allemaal geregeld was, verdween Rose naar boven om klarinet te oefenen.

Toen ze weg was, haalde ik de krant uit mijn tas.

'Wat is dit?' Ik hield hem onder Bobs neus.

'O ja,' zei Bob, met een schuldbewuste blik. 'Dat wilde ik je –'

'Hoe durf je?' Mijn stem beefde van woede. 'Hoe durf je deze zaak aan te nemen? Zonder het me te zeggen.'

Ik gooide de krant op de keukentafel naast zijn laptop. Toen beende ik naar de waterkoker, vulde hem en zette hem aan.

'Ik heb je al die dingen in vertrouwen verteld,' zei ik, terwijl het water begon te koken. 'Ik vertrouwde je. Ik vroeg je om raad...'

'Hoor eens, Jess.' Bob kwam achter me staan. 'Ik heb niets verkeerds gedaan. Dat weet je best. Ik heb met Evan gesproken en ben ervan overtuigd dat hij onschuldig is. Dus heb ik besloten om hem te helpen.'

'Maar waarom heb je het niet eerst aan mij gevraagd? Je had het er eerst met mij over moeten hebben. Misschien word ik wel getuige voor de tegenpartij. Dat wordt dan ongelooflijk ongemakkelijk en –'

Bob onderbrak me. 'Maar je zei dat je nog niet wist wat je zou doen...'

De waterkoker begon krachtig te koken. Het is zo'n modern geval waarin het water in ongeveer vijftien seconden aan de kook is, maar er dan uitziet alsof het in zijn geheel zal opstijgen.

'Nee. Maar toch had je het er best eerst met mij over kunnen hebben. Dit lijkt me nou echt zo'n beslissing om samen te nemen.'

'Nou, ja. Maar het is op het ogenblik niet eenvoudig om met je te praten. Je doet steeds zo afstandelijk. Je bent zo prikkelbaar.' Bobs stem ging iets omhoog. 'Hoe dan ook, dit gaat niet alleen om Evan. Als ik deze zaak aanneem, kan dat weleens precies het zetje zijn dat ik nodig heb om mijn carrière weer op de rails te krijgen. Daar hebben we het toch al tijden over? Jij zegt continu dat ik weg moet bij de Nationale Vergadering en voor mezelf moet gaan werken. En dit is mijn kans.' Hij zweeg even. 'Een grote kans zelfs. Een kans op meer vrijheid. Ik heb die baan bij de Vergadering alleen maar genomen om jou en de kinderen zekerheid te kunnen geven...'

Ik draaide me naar hem om. Mijn hele lichaam beefde van woede. Ik stond zelf verbaasd over de kracht ervan. En ik stond ook verbaasd over wat ik vervolgens zei.

'Kom daar niet mee aanzetten, zeg. Je geeft geen reet om mij. Of om de kinderen. De enige om wie jij geeft, Bob Cadogan, ben jezelf.' Gek genoeg had ik het gevoel alsof er iemand anders – wel ik, maar niet mijn gebruikelijke ik – aan het woord was. Een vrouw wier stem al lange tijd in mijn hoofd had zat, maar die nooit haar mond had opengedaan en die nu een enorme lading opgekropte woede de vrije loop liet, zowel tot mijn eigen verbazing als die van Bob. 'Dit hier allemaal' – ik gebaarde om me heen – ' het huis, ons huwelijk, gewoon alles – is één grote komedie. Een leugen.'

Bob keek me met grote ogen aan. Hij deed verbaasd een stap naar achteren, lichtelijk wankelend, alsof ik hem had geslagen.

'Al twee jaar moet ik jouw gejammer over je carrière aanhoren. En dan neuk je tijdens een congres de eerste de beste vrouw om je ego een oppepper te geven. En nu heb je ineens besloten om je met mijn zaken te bemoeien, om misbruik te maken van wat ik je in vertrouwen heb verteld, over een van mijn cliënten. En dan besluit je, zonder het met mij te overleggen, om die klootzak van een leugenaar van een vader van hem, een van die walgelijke, gore vriendjes van je bij de Vergadering, te gaan verdedigen...' Ik herkende zelf de woorden die uit mijn mond kwamen niet. 'Nou, ik heb er genoeg van. Het wordt nooit meer wat tussen ons. Omdat het altijd allemaal om jou en jouw ego draait. Je bent een kleine egoïstische etter en dat zal nooit veranderen.'

De waterkoker bereikte zijn hoogtepunt en zette zichzelf toen uit. De keuken werd gehuld in stoom. Ik stond trillend achter de gootsteen naar buiten te kijken, met Bob achter me.

Er viel een stilte. Toen zei Bob, op redelijke toon: 'Ik ben niet klein.'

Vroeger zou ik misschien hebben gelachen als hij dat had gezegd, en dan had ik me omgedraaid en had hij zijn armen om me heen geslagen en hadden we het goedgemaakt met een kus. Maar deze keer niet. Deze keer was hij te ver gegaan.

'Ik wist niet dat je er zo over dacht... over... over ons...' Hij klonk beteuterd. Heel even had ik medelijden met hem. Alleen medelijden, ik voelde geen enkel berouw, want ik had eindelijk de woede die zich in me had opgehoopt sinds ik van zijn ontrouw wist, de vrije loop gelaten.

'Nou, zo denk ik er dus over.' Hoewel ik niet schreeuwde, beefde mijn stem nog steeds van woede. 'En ik neem er niks van terug. En ik zal ook gewoon als getuige optreden bij die rechtszaak, wat jij ook gaat doen. Begrepen?'

Ik beende langs hem heen de gang in. Toen ik bij de voordeur was, verscheen Rose boven aan de trap.

'Wat is er?' Met een bezorgd gezicht keek ze over de leuning.

'Niks.' Ik kon de trilling in mijn stem echter niet verhullen. 'Niks, liefje. Maak je maar niet druk. Ik ga alleen eventjes weg. Ik ben zo weer terug.'

Ik was echter niet zo weer terug. Ik reed een tijdje rond door Cardiff en merkte toen dat ik op de weg naar Carmarthen zat en richting West-Wales reed. Niet dat ik een speciale eindbestemming in mijn hoofd had; ik wist alleen dat ik de stad uit wilde, over de snelweg wilde rijden met de radio aan, kilometers maken tot ik me rustiger voelde en eraan toe was om weer naar huis te gaan. Dus was het ook voor mij raar dat ik, na ongeveer een uur rijden, naar een tankstation afsloeg, de auto parkeerde en Gwydion belde.

Zijn telefoontje ging een paar keer over. Ik zat net te bedenken wat ik zou inspreken toen hij opnam.

'Hallo. Jessica?' Ik besefte dat hij mijn nummer in zijn toestel had staan.

'Gwydion, met mij,' zei ik, nogal overbodig. 'Ik neem aan dat je de krant van vandaag hebt gelezen?'

'Natuurlijk.'

Er viel een stilte.

'Hoe is Arianrhod eronder?'

'O, ze is behoorlijk stoïcijns. Maar ze zal het nog zwaar krijgen.' Hij zweeg. 'Hoor eens, we moeten praten. Waar ben je?'

'Bij een tankstation op de M4. Knooppunt 47.'

'Wat moet je daar nou?'

'O. Niks. Ik rijd gewoon wat rond.' Ik probeerde een betere verklaring te verzinnen, maar dat lukte me niet.

'Alles oké met je?'

'Ja. Ik geloof van wel.'

De aarzeling in mijn stem ontging hem niet. 'Wat is er gebeurd?'

'Gewoon, een beetje ruzie thuis.' Het klonk niet eens zo erg nu ik het hardop zei.

'Goed. Wacht daar op me. Ik kom er meteen aan. Ik kan er over een uurtje zijn.'

'Oké,' zei ik. 'Ik wacht op je in de koffiebar bij de ingang.'

'Laat je mobieltje aan.'

Hij nam geen afscheid, en ik ook niet.

Ik stapte uit, sloot de auto af en liep naar het tankstation. Het was er niet druk. Er stonden een paar jonge jongens achter de gokautomaten in de hal en er zaten er ook nog wat in de hamburgertent, maar verder was het er behoorlijk uitgestorven.

Ik liep naar de wc om te plassen en bestudeerde daarna tijdens het handen wassen mijn gezicht in de spiegel. Mijn huid was mat en strak en ik had wallen onder mijn ogen. Door de vochtige lucht was mijn haar gaan kroezen, zodat het er vormeloos en slordig uitzag. Ik zocht in mijn tas naar make-up, maar het enige wat ik kon vinden was een lippenbalsem en een kam. Ik probeerde me daar zo goed en kwaad als het ging mee te fatsoeneren, maar de vermoeide blik in mijn ogen kon ik niet verhullen. Uiteindelijk gaf ik het op. Ik liep naar de koffiebar, waar ik een dubbele espresso bestelde, en ging toen zitten wachten.

Meestal heb ik wel een boek in mijn tas, en een potlood om onder het lezen aantekeningen in de kantlijn te kunnen maken, gewoon om iets omhanden te hebben als ik ergens vast kom te zitten, zoals nu bijvoorbeeld. En meestal zijn het psychologieboeken, geschreven in ingewikkelde vaktaal, met omslachtige zinnen die me dwingen me goed te concentreren. Omdat ik mezelf weer onder controle wilde hebben voor ik Gwydion onder ogen kwam, pakte ik dus mijn boek en toog met gefronste wenkbrauwen aan het werk.

Die week las ik een biografie over mijn oude makker Freud, geschreven door zijn oude makker Ernest Jones. Jones was een Welshman, een naar zeggen nogal onsmakelijk heerschap, maar wel de man die het grote publiek had laten kennismaken met de psychoanalyse. De biografie was precies wat ik nodig had, een fascinerend portret van een complexe man, met sommige stukken ervan vol ondoordringbare vaktermen, maar deze keer kon ik mijn hoofd er niet bij houden. Om de paar minuten gleed mijn blik van de bladzijde naar het raam om te kijken of Gwydion er al aankwam.

Na een minuut of veertig begon ik onrustig te worden. Ik overwoog om hem te bellen, maar ik vind het niet prettig om mensen te bellen die misschien achter het stuur zitten, bang dat ik dan indirect een ongeluk veroorzaak, en bovendien wilde ik hem niet lastigvallen. Maar op de een of andere manier kon ik ook niet geduldig blijven zitten wachten, ik werd almaar nerveuzer. Na onze laatste ontmoeting had ik me voorgenomen om hem niet meer te zien, behalve misschien in mijn praktijk, met een duidelijk doel – bijvoorbeeld om het te hebben over mijn eventuele aandeel in het op handen zijnde proces – maar toch was ik weer deze kant uit gereden, had ik hem in een opwelling gebeld en deed ik mijn best om me niet af te vragen waarom. Ik gedroeg me als een kind, hield ik mezelf voor. Het was tijd om mezelf weer onder controle te krijgen. Tijd om hier weg te gaan en naar huis te rijden, voordat er nog meer schade werd aangericht.

Ik wilde net opstaan om weg te gaan toen mijn mobieltje ging. Het was Gwydion.

'Ik ben in het motel tegenover je. Kun je hiernaartoe komen?'

Ik stond perplex. 'Vanwaar al die geheimzinnigheid?'

Hij negeerde mijn vraag. 'Ik zit in kamer 17. Op de begane grond.'

'Maar...'

De verbinding werd verbroken. Ik stond op, pakte mijn spullen en liep de koffiebar uit. Het was maar een paar meter lopen naar de entree van het motel. Even voelde ik de aanvechting om gewoon door te lopen naar het parkeerterrein erachter, in mijn auto te stappen en weg te rijden. Maar dat deed ik niet. Ik deed de deur open en liep de gang in, zonder acht te slaan op de receptioniste, die niet eens opkeek toen ik langsliep.

Ik ging een hoek om, de bordjes naar kamer 17 volgend, en bleef toen even voor de deur staan, terwijl ik snel om me heen keek. Niemand te zien. Ik klopte aan.

Gwydion deed open. Hij droeg een trainingspak, alsof hij aan het joggen was geweest toen ik hem belde. Hij keek bezorgd, wat me niet verbaasde. Ik ging naar binnen en hij deed de deur snel achter me dicht.

Het was donker in de kamer, de gordijnen waren dichtgetrokken. Ze waren lelijk, rood met geel geruit, passend bij de sprei. Aan de muren hing het soort schilderijen dat je per meter koopt om in hotelkamers op te hangen. Aan een kant van het bed zat de deur naar een kleine badkamer. Als het Gwydions bedoeling was om me te versieren, dacht ik, dan had hij daar wel een heel rare plek voor uitgekozen.

Bij het raam stond een stoel. Ik liep ernaartoe en ging zitten. Gwydion ging tegenover me zitten, op de rand van het bed. Omdat mijn ogen nog moeite hadden met de duisternis, kon ik zijn gezicht niet goed zien, maar ik zag wel dat hij zich nerveus gedroeg.

'Fijn dat je er bent.' Hij glimlachte en slaakte toen een diepe zucht. 'Ik voel me zo gestrest door dat gedoe met Evan die is gearresteerd. Ik bedoel, ik veracht die man uit de grond van mijn hart en ik weet dat hij schuldig is, maar toch...'

'Dat kan ik me voorstellen. Het moet vreselijk zijn.'

Hij pakte mijn hand. Ik stond toe dat hij hem vasthield. Mijn hand voelde klein en kinderlijk, onschuldig en vol vertrouwen, aan in de zijne.

'Gwydion, ik...' Ik wist niet goed hoe ik moest zeggen wat ik wilde zeggen. 'Ik ben hier niet om...'

'Dat weet ik.' Hij liet mijn hand los. 'Sorry voor dit' – zijn gebaar omvatte de kamer – 'maar er zat niks anders op. Volgens mij word ik gevolgd.'

'Echt waar?' Ik draaide me om en trok het gordijn een klein stukje open. Ik zag dat de kamer uitkeek op het parkeerterrein. 'Staan ze daar ergens?'

'Volgens mij wel.' Hij kwam naast me staan. 'De Peugeot daar in de hoek.'

Ik volgde zijn blik. Ik wist niet welke auto hij bedoelde, en ik vroeg er ook niet verder naar, maar het idee dat daar iemand naar ons zat te kijken, bezorgde me een raar gevoel in mijn buik.

'Wie is het?'

'Een journalist, denk ik. En... nou ja, ik wil niet dat ze ons samen zien. Niet onder deze omstandigheden.'

'Dat snap ik.'

'Ik hoorde dat je man Evan gaat verdedigen.' Er was een toon van gekwetste verbazing in zijn stem.

'Ja.' Na een korte pauze vervolgde ik: 'Daar ging die ruzie thuis ook over.'

Gwydion legde een hand op mijn schouder. Ik kon voelen dat hij een beetje trilde.

Omdat ik zijn hand niet wilde wegduwen, stond ik op, met de bedoeling ergens anders te gaan zitten, wat verder van hem weg. Maar toen ik om me heen keek, zag ik dat verder nergens in de kamer plek was om te zitten, alleen op bed. Dus nam ik, stijf rechtop, plaats op de rand ervan.

Gwydion stond bij het raam en keek naar me. Ik keek naar hem, van een veilig afstandje, terwijl mijn ogen begonnen te wennen aan het licht. Hij had zich niet geschoren en hij had wallen onder zijn ogen. Zijn lippen leken rood, kapot zelfs, alsof hij erop had gebeten. Hij maakte een opgejaagde, gekwelde indruk.

Ik staarde naar de grond. Alles was beter dan naar hem te kijken, zoals hij daar bij het raam stond, zo dichtbij, zo echt, met het licht als een halo om zijn donkere hoofd.

Gwydion reageerde op mijn lichaamstaal en beheerste zichzelf, alsof hij zichzelf aan zijn manieren moest herinneren.

'Wil je soms iets drinken?' Hij gebaarde naar een dienblad in de hoek, met een waterkoker, twee kopjes en een keurig gerangschikt rijtje theezakjes erop.

'Nee, dank je.' Ik bleef naar de grond kijken.

Hij zuchtte diep. Toen kwam hij naast me zitten. Ik bevroor.

Hij sloeg zijn arm om me heen.

'Jessica, hou op met dat gehuichel,' zei hij. 'Ik weet waarom je hier bent.'

'Ik moet met je praten...' begon ik. 'Er zijn nog wat dingen waar ik meer over wil weten...'

Hoewel hij me niet tegensprak, sloeg hij toch zijn andere arm ook om me heen en trok me zachtjes naar zich toe. Daarna legde hij zijn hand onder mijn kin, draaide mijn gezicht naar het zijne en kuste me op de mond. En ik kuste hem terug. Stevig.

Ik begrijp niet helemaal wat er daarna gebeurde. Het kwam onverwachts, alsof er een dam was doorgebroken en het water erdoorheen gulpte. Als in een droom, maar dan heel echt. Mijn tong in zijn mond, de zijne in de mijne, in een verwoed gevecht, als slangen die tussen rotsen heen en weer schieten, op zoek naar een schuilplaats. De rode en gele ruitjes begonnen te dansen voor mijn ogen. We rolden over het bed, ik boven op hem, hij boven op mij. Onze kleren, de zijne, de mijne, werden weggetrokken, omhoog, naar beneden, gedraaid. Ik herinner me lichaamsdelen die me hard en snel raakten, elk een ontdekking: een buik, een tepel, een dij; en daarna kwamen ze twee aan twee, marcherende legers van wangen, lippen, oren, oksels, billen; en toen hoorde ik de zee in mijn oren bulderen en sloot ik mijn ogen, en Gwydion sloot de zijne.

En dat was het moment waarop het had moeten gebeuren. Alleen gebeurde het niet. Want toen hij met zijn hand onder mijn topje gleed, raakte hij het kleine knoopje dat voor op mijn beha zat, en hij trok zijn hand snel terug, zodat ik ineens, in het heetst van de strijd, weer wist wie hij was – een gevoelige, getraumatiseerde jongeman die hulp bij me had gezocht. En ook wist ik weer wie ik was, een rijpe, ervaren vrouw die beter had moeten weten en niet met hem had moeten gaan liggen rollebollen op de rood met geel geruite sprei in een motel aan de M4, met de gordijnen dicht tegen het middaglicht. En met een Peugeot buiten op het parkeerterrein, met iemand achter het stuur die hem in de gaten hield en zat te wachten tot we naar buiten kwamen.

'Sorry, Gwydion,' zei ik. 'Ik denk echt dat we dit beter niet kunnen doen.'

'Juist wel.'

'Het is verkeerd.'

'Nietes. Het is precies goed.' Zijn stem was een fluistering.

Ik sloot mijn ogen, nog even van het moment genietend, en maakte me toen voorzichtig van hem los.

Hij keek me verbaasd aan. 'Wat nou? Wat is er?'

'Ik wil dit niet.'

'Jawel, je wilt het wel.' Hij had een smekende blik in zijn ogen. 'Dat weet ik gewoon.'

'Daar gaat het niet om.' Ik ging rechtop zitten en fatsoeneerde mijn kleren weer. 'Je vader is aangeklaagd voor moord. Misschien word ik wel als getuige opgeroepen. Als ze dan zouden weten dat we...'

'Dan spreken we toch in het geheim af.'

Ik probeerde een andere aanpak. 'En ik ben je therapeut geweest.'

'Maar nu niet meer.'

'Dat klopt, maar het is nog steeds verkeerd. En bovendien ben ik getrouwd. Ik moet aan mijn gezin denken. Als dit uitkomt...'

Hij leek teleurgesteld en ik snapte wel waarom. Ik had hem drie goede redenen gegeven waarom we geen verhouding zouden moeten beginnen, maar geen ervan klonk erg overtuigend. Niet voor hem, en ook niet voor mij. En dat was omdat ik niet de waarheid had verteld. En die waarheid was dat we niet gelijkwaardig waren. Hij was een kwetsbare jonge man en balanceerde met zijn zwakke gemoedstoestand op het randje van een echte geestesziekte. Ik was ouder, zogenaamd wijzer, stabieler. Het was mijn verantwoordelijkheid, mijn plicht, om hem te beschermen, maar in plaats daarvan zat ik hier gebruik te maken van zijn zwakte.

'Ik wou dat je me had verteld hoe je erover dacht voordat... voordat we...'

'Het spijt me.' Ik gaf geen nadere verklaring. Ik had hem de waarheid kunnen vertellen, maar dan zou hij zich in zijn trots gekwetst voelen.

Gwydion stond op van het bed. Hij liep naar het raam, deed het gordijn een stukje open en keek naar buiten.

'Ik denk dat het beter is als ik eerst wegga.' Hij zei het zonder me aan te kijken.

'Oké.'

Ik keek naar hem terwijl hij zijn hoody dichtritste en met een blik in de spiegel een hand door zijn haar haalde voordat hij wegging.

'Je kunt het beste een halfuur wachten,' zei hij. 'En als je onderweg wordt gevolgd, laat het me dan weten.'

Ik knikte.

Hij pakte zijn autosleuteltjes van het nachtkastje en bleef even voorovergebogen boven me staan.

'Het is niet...' begon hij, maar hij maakte zijn zin niet meteen af. 'Het is niet omdat je me...'

Hij keek me bezorgd aan.

Ik kon wel raden wat hij wilde zeggen. 'Natuurlijk niet. Ik vind je erg aantrekkelijk. Dat weet je best.' Ik zweeg even. 'Maar ik wil gewoon doen wat het beste is. Voor ons allebei. Meer niet.'

Hij keek al iets minder bezorgd. 'Oké. Maar misschien later, als dit allemaal achter de rug is.'

'Misschien.' Ik zweeg weer. Ik wilde het hem niet al te moeilijk maken en mezelf ook niet. Dus hield ik mijn gezicht naar hem op toen hij me kuste.

Deze keer geen heen en weer schietende slangen. Alleen lippen die elkaar even raakten en een stille spijt die nog lang na zijn vertrek in de lucht bleef hangen.

14

Op de terugweg naar Cardiff ging mijn mobieltje. Er klinkt een irritant deuntje wanneer er een sms'je binnenkomt en ik ben er nog steeds niet achter hoe ik dat kan veranderen. Ik wierp een blik op het schermpje en toen ik zag dat het van Nella was, pakte ik het toestel om het wat beter te kunnen lezen, bedenkend dat ik eigenlijk van de snelweg af moest en stoppen, maar mezelf tegelijkertijd wijsmakend dat dit belangrijk was, misschien wel een noodgeval. Op het schermpje stond: *Blijf in Lndn slapen. Morgen terug. Nella.*

Een golf van paniek overspoelde me, en ik pakte het stuur steviger beet. Het was niet alleen paniek, ook schuldgevoel. Hoewel het volledig irrationeel was om de twee gebeurtenissen met elkaar in verband te brengen – mijn capriolen met Gwydion en Nella's uitstapje naar Londen met Emyr – deed ik dat toch. In mijn hoofd werd ik meteen een onverantwoordelijke moeder die zich met haar minnaar vermaakte in een goedkoop motelletje aan de snelweg en ondertussen haar dochter naar Londen liet gaan met een mogelijke pedofiel, een man die achter jonge meisjes aan zat, die vanwege zijn gedrag zijn baan als leraar was kwijtgeraakt. Ik vroeg mezelf af waarom ik haar had laten gaan. Wat had me in vredesnaam bezield?

Ik had niet verwacht dat Nella me zo openlijk zou uitdagen. Dat was nog nooit eerder gebeurd, hoe graag ze soms ook iets wilde. Het was stom van me geweest om niet te beseffen dat Emyr haar zou beïnvloeden, dat ze geloofde in zijn mooie praatjes over dat hij een ster van haar zou maken, of wat hij haar dan ook op de mouw had gespeld... En wie was die producer eigenlijk? Ik wist alleen maar hoe hij heette: Tony Andreou. Ik had hem moeten googelen, meer over hem te weten zien te komen voordat Nella en Emyr naar Londen afreisden...

Bij de eerste de beste gelegenheid reed ik de snelweg af, zette mijn auto aan de kant en belde Nella. Omdat ze niet opnam, tikte ik een berichtje. In plaats van haar te bevelen naar huis te komen, wat naar mijn gevoel weleens niet zou kunnen werken, schreef ik alleen maar: *Naam van hotel svp en tel.nr. Antwoord zsm. Mama.* Vervolgens belde ik Bob.

Hij had overduidelijk gezien dat ik het was, want hij nam op.

'Hoor eens, Bob, we hebben een probleem.' Ik zei niet 'noodgeval'. Ik wilde niet dat hij in paniek raakte. 'Nella heeft me net een sms'je gestuurd. Ze blijft in Londen slapen. Met Emyr.'

'Je had haar toch gezegd dat dat niet mocht?'

'Ja.' Mijn stem begon te beven.

'Gaat het wel?' Zijn stem kreeg ineens een ongeruste klank. 'Waar ben je?'

'O... ik ben zomaar wat aan het rondrijden. Ik ben nu op weg naar huis.'

'Nou, kom dan maar zo snel mogelijk terug.' Hij klonk bezorgd. 'Dan kunnen we bespreken wat we gaan doen.'

'Goed.' Ik zweeg even. 'Ik heb haar een sms'je gestuurd en gevraagd hoe het hotel heet. Ik dacht, dat is tenminste wat, als we dat weten.'

'Waarom heb je niet gezegd dat ze naar huis moest komen?' Er sloop paniek in zijn stem. 'Ik bel haar meteen. Ik zal haar verdomme eens laten weten wat ik ervan denk...'

'Nee, Bob. Ze neemt niet op. En bovendien denk ik niet dat het werkt. Het lijkt me het beste om uit te zoeken wat ze precies van plan is en dan... weet ik veel. Dan hebben we in elk geval een idee waar ze is.'

'Goed.' Hij klonk al wat kalmer. 'Maar bel me zodra je wat van haar hebt gehoord, oké?'

'Natuurlijk.' Toen voegde ik eraan toe: 'En Bob, het spijt me.' Ik kreeg tranen in mijn ogen.

Hij schraapte zijn keel. 'Mij ook.' Zijn stem klonk gespannen.

Er viel een stilte. Ik kon merken dat hij, net als ik, bang was en zich schaamde. De laatste tijd maakten we alleen nog maar ruzie. Misschien was dat wel deels de reden dat Nella ons niet had gehoorzaamd. En als haar nu iets zou overkomen, zou dat onze schuld zijn...

'Tot straks.' Ik verbrak de verbinding, legde het mobieltje op de stoel naast me en steunde met mijn voorhoofd op het stuur. Ik had zin om er met mijn hoofd tegenaan te bonken, uit frustratie, maar in plaats daarvan begon ik te huilen. Precies op dat moment kweelde mijn toestel zijn vrolijke refreintje.

Ik griste het van de stoel, vurig wensend dat het een sms'je van Nella zou zijn. En tot mijn opluchting was dat ook zo. Het enige wat ze had geschreven, was het adres van een hotel in Paddington, maar dat was voldoende.

Ik belde meteen Bob weer.

'Hoor eens,' zei ik. 'Ik heb het adres van het hotel. Ik rijd ernaartoe.'

'Wat, nu?'

Ik dacht even na. Het leek een idiote actie, maar ik was compleet in paniek, niet alleen door Nella's sms'je, maar ook door wat er in het motel was voorgevallen. 'Ik ga naar het hotel en dan wacht ik daar op ze. Hoelang het ook duurt. En dan neem ik haar mee naar huis.'

Er viel een stilte. 'Zal ik met je meegaan?'

Ik dacht weer even na. 'Nee, blijf jij maar bij Rose. Ik red me wel. Ik laat mijn toestel aanstaan.'

Hij slaakte een diepe zucht. 'Goed dan. Maar doe voorzichtig, hè? En hou me op de hoogte.'

Hou me op de hoogte. Dat was een uitdrukking die Nella van haar vader had overgenomen, bedacht ik. Toen ik dat zinnetje hoorde, besefte ik hoeveel ik van haar hield, en van hem, en van Rose, en hoe graag ik ons gezin bij elkaar wilde houden, veilig en gelukkig. En hoe stom het van me was geweest om dat allemaal op het spel te zetten door tegen Bob uit te vallen en zo stompzinnig met Gwydion te flirten.

'Zal ik doen. Tot later.' Ik verbrak de verbinding en pakte een papieren zakdoekje uit mijn tas. Ik veegde ermee langs mijn ogen en snoot toen mijn neus. Daarna startte ik de motor, keerde en reed de snelweg weer op, nu richting Londen.

Toen ik daar aankwam, na een dodelijk vermoeiende rit over de M4, parkeerde ik mijn auto achter Paddington Station. Het uurtarief was belachelijk hoog, maar ik hield mezelf voor dat dit een noodgeval was. Ik liep naar het hotel. Het was zo'n budgetgeval, inclusief ontbijt, in een van die lange huizenblokken met witte pilaren, die aan het station grenzen en niet van elkaar te onderscheiden zijn, hoewel het bordje boven de voordeur van dit hotelletje er nog wat armoediger uitzag dan de andere: het soort tent waar je een kamer neemt als je Londen helemaal niet kent, geen geld hebt en van plan bent om de volgende dag weer de trein te nemen. Typerend voor Emyrs beperkte fantasie, smaak en levenservaring, dacht ik bij mezelf, nogal snobistisch misschien, terwijl ik het bordesje op liep.

De lobby was piepklein, met in de smalle gang onder de trap een receptiebalie. Omdat er niemand achter de receptie zat, drukte ik op de bel. Onder het wachten keek ik om me heen. Voor zover ik kon zien was er geen echte lounge, alleen in een hoekje een stoel met een klein tafeltje ernaast met daarop een stapel visitekaartjes en folders, de meeste ervan van taxibedrijven. Als ik zou moeten wachten tot Emyr en Nella die avond terugkwamen, zou de lobby van het Park Hotel duidelijk geen aangename plek zijn om de tijd te verdrijven.

Uiteindelijk verscheen er een jonge Aziatische man achter de receptie. Hij zag er moe en bleek uit en had jeugdpuistjes op zijn wangen. Ik vroeg hem of er voor die nacht iemand stond ingeschreven onder de naam Griffiths, Emyr Griffiths, voor een tweepersoonskamer, hem uitleggend dat ik hem onverwijld moest spreken. Eerst keek hij me nietszeggend aan, maar na een paar minuten was hij genegen de reserveringen te bekijken en tuurde hij naar een klein computerscherm op de balie.

'Ik zie geen Griffiths. Sorry.'

Voor de zekerheid spelde ik de naam, maar hij wist het honderd procent zeker.

'Nee. Niks.'

De voordeur ging open en er kwam een jonge vrouw binnen, een koffer achter zich aan slepend. Ze was niet veel ouder dan Nella en was blijkbaar alleen. Even, voordat de deur weer dichtviel, werd de lobby gevuld met verkeerslawaai, en ik voelde mijn paniek toenemen. Nella was verdwenen. Ze kon wel overal in deze grote stad zijn. Ik had het contact met haar verloren. Ze was met een man, een man die ik niet vertrouwde en ze werd vermist...

'Een ogenblikje,' zei ik tegen de man achter de balie. Ik was verbaasd over hoe kalm ik klonk. 'Ik moet even bellen.'

Ik haalde mijn mobieltje tevoorschijn, dat ik inmiddels continu in mijn zak tussen mijn vingers geklemd hield, en sms'te Nella. *Jullie zitten niet in het Park. Ik heb het gecontroleerd. Waar ben je wel? Laat het me NU weten. Mama.*

Terwijl ik haar reactie afwachtte, wilde ik het toestel wel dwingen om dat stomme riedeltje te laten horen. Maar er gebeurde niets. Dus pakte ik een pen uit mijn tas, vroeg om een stukje papier en schreef Nella een briefje. *Nella, als je dit krijgt, bel me dan ONMIDDELLIJK. Ik ben in Londen. Ik wacht tot ik van je heb gehoord. Papa en ik maken ons grote zorgen om je. Mama.*

Ik vouwde het papier dicht, schreef haar naam erop en gaf het terug aan de receptionist. Zonder enig blijk van nieuwsgierigheid pakte hij het aan en legde het naast de computer.

'Mijn dochter is samen met Mr. Griffiths. Als ze wel hiernaartoe komen, wilt u er dan voor zorgen dat ze het krijgt? Het is belangrijk.' Mijn stem had een meelijwekkende, smekende klank gekregen.

Met zijn blik nog steeds op het scherm knikte hij afwezig, dus liep ik maar naar de deur. Voordat ik hem opendeed, keek ik nog even achterom. Het meisje trok haar koffer bonkend de trap op. Terwijl ik naar haar keek, vroeg ik me af hoeveel verhalen zoals de mijne zich hier in dit hotel hadden afgespeeld, en ik stelde me alle vaders en moeders voor die hier misschien op zoek waren geweest naar hun zonen en dochters, en de kinderen zelf die hier hun eerste voorzichtige stappen op het pad naar de volwassenheid hadden gezet, bij aankomst in deze smalle, bedompte hal met het verkeersgeraas buiten, en dan die trap op waren gelopen en dan...

Ik liep naar buiten en liet de deur achter me dichtvallen.

Ik dwaalde ongeveer een uur door Paddington, slechts een keer pauzerend om een kop thee te drinken in een onopvallend café vlak bij het station – dat wil zeggen, ik probeerde een kop thee te drinken. Zodra de thee voor me stond, merkte ik dat ik de rust niet had om hem op te drinken, dus stond ik na een paar slokken alweer op en hervatte mijn doelloze wandeling. Ik wilde Bob niet bellen, niet nu er nog geen nieuws was. En ik wilde ook niet weggaan. Ik klampte me vast aan het idee dat Nella ergens in de buurt was, dat ik haar misschien wel tegen het lijf zou lopen. Maar terwijl de schemering overging in de avond, wist ik donders goed dat dat niet zou gebeuren.

Omdat ik niet wist wat ik anders moest doen, begon ik terug te lopen naar het parkeerterrein. Niet dat ik al terug naar huis wilde, maar ik dacht dat ik in de auto, met de vertrouwde parafernalia van mijn leven om me heen, misschien helderder zou kunnen denken, met een plan de campagne zou kunnen komen. Op weg naar de auto stuurde ik Nella nog een sms'je, deze keer met een ultimatum: *Bel svp Nella. Als ik niks van je hoor, schakel ik de politie in.* Toen ik geen sms'je terugkreeg, begon ik misselijk te worden.

In Praed Street kwam ik langs een internetcafé en ik kreeg ineens een idee. Misschien kon ik die Tony Andreou wel opsporen, zijn adres vinden en op die manier met Nella in contact komen. Ik liep het café in. Het leek een ontmoetingsplaats voor Arabische mannen die zacht met elkaar zaten te praten. Ze wierpen me achterdochtige blikken toe toen ik binnenkwam, maar nadat ik eenmaal een plek had gevonden en had ingelogd, vergaten ze dat ik er was en gingen verder met praten.

Er stonden verschillende Tony Andreous vermeld, maar gelukkig slechts één entertainmentmanager van die naam, dus ik ging rechtstreeks naar zijn website. Het was een nogal basic geval, alleen een felgekleurd logo en een fotootje van een keurig geklede man van middelbare leeftijd met dunner wordend donker haar, en een paar pagina's met dubieuze coverbands, comedians, 'personality's' – ik kende er niet een van – en iets wat 'Jong Talent' werd genoemd. Onder 'Jong Talent' stond een telefoonnummer dat je kon bellen voor audities. Ik belde het, maar kreeg een bandje, wat me niet verbaasde aangezien het al tegen elf uur 's avonds liep. Ik belde ook het nummer van het kantoor dat op de site stond, maar kreeg daar hetzelfde bandje. Uiteindelijk sloeg ik beide nummers op in mijn mobieltje, met de gedachte dat ik het later nog eens kon proberen, of morgen, en ik wilde net weggaan toen me ineens iets te binnen schoot.

Een tijdje geleden had, tot mijn grote verbijstering, een geestelijk instabiele ex-cliënt van me mijn huisadres te pakken gekregen. Hoewel hij me niet thuis had lastiggevallen en me alleen een reeks scheldbrieven had gestuurd, was het toch verontrustend geweest, vooral omdat ik mijn privéadres nooit aan cliënten geef. Later ontdekte ik dat hij me had niet had opgespoord via mijn website, waar alleen mijn praktijkadres te vinden is, maar dat hij had uitgezocht waar mijn website stond geregistreerd. Zoals Branwen, de receptioniste op mijn werk, me uitlegde, was dat niet moeilijk: hij had simpelweg een zoekmachine geopend en 'wie is' gevolgd door de naam van mijn website ingetypt. Zo was hij te weten gekomen dat de domeinnaam aan mij toebehoorde en had hij ook mijn adres gevonden. Daarna had ik mijn adres uit de domeininformatie laten verwijderen, maar als dit voorval niet had plaatsgevonden, had ik nooit geweten dat mijn adres op die manier te achterhalen was. En misschien wist Tony Andreou dat ook niet.

Ik tikte keurig 'wie is' plus de naam van de website in en ontdekte dat Andreou de eigenaar van de website was. Zoals ik al had gehoopt, stond onder zijn naam een adres waarvan ik hoopte dat het zijn huisadres was. Het was ergens in King's Cross. Ik sloeg het adres ook op in mijn mobieltje en ging toen naar Google Maps voor de precieze locatie. Na veel in- en uitzoomen wist ik de plek te lokaliseren als een rijtje flats naast de belangrijkste sporen in de buurt van het station. Ik ging terug naar de kaart en bekeek hoe ik vanaf het parkeerterrein in Paddington moest rijden om bij de flats in King's Cross te komen, daarna printte ik de plattegrond uit. Toen stond ik op, rekende af en verliet het café.

Ik liep snel terug naar het parkeerterrein en moest mezelf bijna inhouden om niet te gaan rennen. Hoewel ik best wist dat er geen haast bij was. Waarschijnlijk zou Tony Andreou de hele avond weg zijn – per slot van rekening was hij entertainmentmanager. Maar op zeker moment zou hij toch naar huis komen om te gaan slapen en dan zou ik hem in de kraag vatten en hem vragen waar Emyr Griffiths en mijn dochter waren. Daarom ging ik ook in mijn eigen auto en nam ik geen taxi – voor het geval dat ik lang op Andreou zou moeten wachten. Ik voelde me gespannen, maar nu ik een plan de campagne had, was mijn nervositeit vermengd met opluchting. Ik had een aanknopingspunt. Misschien nogal weifelachtig, maar het was beter dan niets.

Eenmaal achter het stuur leek alles echter een stuk minder simpel. Ik ben redelijk bekend in de stad, want ik heb er in verschillende periodes van mijn leven gewoond, maar het eenrichtingssysteem was veranderd en verwarrender dan ooit. Ik wist precies waar ik was en waar ik naartoe wilde, maar ik moest onderweg zo vaak keren dat ik continu verdwaalde. Uiteindelijk wist ik Marylebone Road te bereiken en die weg volgde ik tot de kruising met King's Cross, maar toen ik de doorgaande weg eenmaal had verlaten, verdwaalde ik meteen weer. Uiteindelijk bevond ik me in de goede straat en zag ik het gebouw, een victoriaans woonblok, een van de woonblokken in het kleine wijkje.

Ik stapte uit, sloot de auto af en stak de verlaten weg over naar het gebouw. Ik toetste het huisnummer in op het toetsenpaneeltje bij de ingang, maar niemand reageerde. Ik probeerde een ander nummer en daarna nog een, tot uiteindelijk de zoemer ging en ik de toegangsdeur kon openduwen. Binnen, aan het eind van een smalle gang, zag ik een oude lift. Ik drukte op de knop. Hoewel het licht kapot leek, hoorde ik de lift naar beneden komen. Eenmaal beneden schoven de liftdeuren open, wat gepaard ging met veel getril en een hoge piep, alsof het mechanisme defect was. Even vroeg ik me af of het wel verstandig was om in te stappen. Maar omdat de flat voor zover ik begreep een paar verdiepingen hoger lag, besloot ik het erop te wagen.

In de lift flakkerde de lamp boven mijn hoofd onheilspellend. Ik drukte op de knop voor de vijfde verdieping en de lift kwam moeizaam in beweging. Halverwege leek hij bijna tot stilstand te komen en ging de lamp steeds zwakker branden tot het uiteindelijk bijna volkomen donker was. Voor de zekerheid pakte ik mijn mobieltje, maar ik zag meteen dat er geen bereik was.

Schokkend kwam de lift tot stilstand. Toen steeg hij centimeter voor centimeter door de schacht totdat hij op gelijke hoogte met de liftdeur was. Een zucht van verlichting slakend stapte ik uit en liep de gang door, onderweg de flatnummers in de gaten houdend. Het hart bonsde me inmiddels in mijn keel, maar toch wist ik genoeg moed te verzamelen om aan te bellen. Geen reactie. Toen ik even aan de deur luisterde, meende ik binnen wat te horen. Omdat er een spionnetje in de deur zat, ging ik iets opzij staan en belde nog een keer aan.

Nu ging de deur wel open. In de deuropening stond een jongeman. Hij was aantrekkelijk, maar nogal nietszeggend, met kortgeknipt blond haar dat hij met gel in een kuifje had gemodelleerd. Hij droeg een soort oosterse kamerjas en was blootsvoets.

'Oké,' zei hij.

'Hallo,' reageerde ik. Ik voelde me een beetje stom omdat ik het niet voor elkaar kreeg om ook 'Oké' te zeggen. 'Ik ben op zoek naar Tony Andreou.'

'En jij bent?'

'Ik... eh... ik ben eigenlijk op zoek naar mijn dochter, Nella Cadogan. Ik hoopte dat hij me zou kunnen helpen.'

De man keek lichtelijk gealarmeerd, maar probeerde dat niet te laten merken.

'Geen probleem,' zei hij. 'Ik zal hem even gaan halen.' Hij liet de deur openstaan en liep de gang in. Toen ik naar binnen keek, zag ik dat de muren wit waren en dat er op de vloer een wit hoogpolig tapijt lag. Aan het eind van de gang stond een rieten pauwenstoel, zo'n geval waarop een pooier uit de jaren zeventig onderuit zou hangen met een paar halfnaakte meisjes aan zijn voeten. Naast de stoel stond een grote bloempot met een plant erin. Vlak naast de voordeur stond een kapstok van gebogen hout. Aan een van de haken hing een strohoed. Het zag er al met al uit als een filmset, een krankzinnig anachronistische filmset.

Een kleine, gedrongen man kwam door de gang aanlopen, met op zijn hielen twee pluizige witte hondjes die blaften toen ze mij zagen. Ik herkende hem als Tony Andreou, de man van de foto op de website. Hij schreeuwde naar de jongeman die heel even weer de gang in kwam om de honden een kamer in te jagen.

'Wat kan ik voor u doen?' Hoewel de man beleefd naar me glimlachte, had hij een behoedzame blik in zijn ogen.

'Mr. Andreou, het spijt me dat ik u stoor, maar ik ben op zoek naar mijn dochter, Nella Cadogan. Het zou kunnen dat ze eerder vanavond auditie bij u heeft gedaan.'

Op zijn gezicht vertrok geen spier, maar zijn schouders verstijfden een beetje.

'O ja, Nella. Een schat van een meid. En uw naam is?'

'Jessica Mayhew.'

'Aangenaam.' Hij gaf me een hand. Hij had een licht accent en de beschaafde manieren van een buitenlander.

'Maar komt u toch verder,' vervolgde hij. Hij wenkte me verder en sloot de deur achter me. 'Kunt u uw schoenen uittrekken, als u het niet erg vindt?' Hij zweeg even. 'Het tapijt.'

'Natuurlijk.' Hoewel ik helemaal geen zin had om mijn schoenen uit te trekken, kon ik ook niet zo snel een smoes verzinnen, dus bukte ik me en zette ze naast de deur, met het idee dat ik ze dan kon mee grissen als het nodig was om snel het huis uit te vluchten.

'Deze kant uit, alstublieft.' Hij nam me mee naar een deur in de gang, deed hem voor me open en volgde me toen ik een kamer in liep die ook wit was, met een witte vleugel en nog meer hoogpolig tapijt. De jongeman was er ook en de twee hondjes sprongen op om me te begroeten.

'Wilt u iets drinken?' De jongeman liep bedrijvig om me heen. Het viel me op dat hij voortdurend snufte. Hij kon geen moment stilstaan. Hij zat waarschijnlijk onder de coke, bedacht ik. En Andreou had iets raar kalms over zich, als iemand die denkt dat hij alles onder controle heeft, maar compleet onder de kalmeringspillen zit. 'Thee misschien?'

'Ik wil u niet opjagen, Mr. Andreou,' zei ik. 'Maar weet u misschien waar mijn dochter is? Het is nogal dringend. Ze is pas zestien, weet u, en –'

'Alstublieft.' Hij stak een hand op. 'Maakt u zich geen zorgen. Ze is veilig en wel. Om u de waarheid te zeggen, ze ligt hiernaast wat te rusten.' Hij gebaarde naar de kamer tegenover de zitkamer. 'De auditie is nogal vermoeiend voor haar geweest.'

'Dan ga ik haar even wakker maken.' Zonder toestemming te vragen draaide ik me om, liep de gang in en klopte op de deur.

'Effe wachten,' riep een mannenstem aan de andere kant, een beetje lacherig. 'We zijn bezig.'

Ik weet niet waarom ik deed wat ik vervolgens deed. Het kwam door die lach, denk ik. Maar zonder nog een keer te kloppen deed ik de deur open en liep de kamer in.

Nella lag op het bed. Haar blouse was open en haar beha zat gedraaid boven haar borsten. Tot mijn opluchting zag ik dat ze haar spijkerbroek nog aanhad. Emyr was nog zo'n beetje geheel gekleed, hoewel ik zag dat hij het knoopje en de rits van zijn broek open had staan.

'Fuck,' zei hij toen hij me zag. Hij deinsde bij Nella weg alsof hij een elektrische schok had gekregen.

Toen ik naar Nella keek, zag ik, voordat ze zich van me afwendde en haar handen voor haar ogen sloeg, een blik van pure opluchting over haar gezicht glijden.

'Kom,' zei ik. Ik probeerde zo gewoon mogelijk te praten. 'Trek je kleren aan, Nella. We gaan naar huis.'

Emyr trok de rits van zijn broek omhoog. 'Hoor eens, Jessica. Het is niet wat je denkt. Ik was alleen maar...'

'Ik wacht op de gang op je,' zei ik tegen Nella, Emyr negerend.

Ik sloot de deur en wachtte. Achter me stonden Tony Andreou en de jongeman het tafereel vanuit de deuropening van de zitkamer gade te slaan, maar ze durfden niets te zeggen. Na een paar minuten kwam Nella de kamer uit, met haar blouse dicht, haar jack over haar schouder en haar schoenen in haar hand. Ze liet haar hoofd hangen zodat haar gezicht schuilging achter haar haren. Ik kon haar gezichtsuitdrukking niet zien.

'We komen er zelf wel uit.' Ik knikte naar Tony Andreou en zijn blondje. Tony haalde gegeneerd zijn schouders op. Toen we door de gang liepen, begonnen de hondjes weer te blaffen en de jongeman ging de zitkamer in om ze tot bedaren te brengen. Bij de voordeur pakte ik mijn schoenen en trok ze aan. Nella trok de hare ook aan.

Andreou stond aan het eind van de gang, naast de potplant, naar ons te kijken. Toen we klaar waren voor vertrek, stak hij zijn hand op.

'Wat *Jazz Quest* betreft, schatje,' zei hij tegen Nella. Zijn stem had een gemene ondertoon. 'Je hebt een mooie stem, erg melodieus. Maar je hebt niet echt wat we zoeken. We hebben zangeressen nodig die' – hij wierp even een blik op mij – 'wat volwassener zijn.'

Nella keek gekwetst, precies zoals zijn bedoeling was geweest. Ik wist de aanvechting om te reageren te onderdrukken; we liepen de flat uit en sloegen de deur met een klap achter ons dicht.

15

Zwijgend leidde ik Nella de trap af, het gebouw uit en de straat over. Zodra we echter in de auto zaten en de portieren hadden gesloten, barstte ik in woede uit. Ik greep haar jasje beet en schudde haar door elkaar, met mijn gezicht vlak voor het hare. Ik herinner me niet meer precies wat ik heb gezegd, maar ik weet wel dat ik schreeuwde en vloekte. En na afloop schaamde ik me totaal niet voor mijn gebrek aan zelfbeheersing; ze moest snappen hoe het voor mij was geweest om door Londen te dwalen met de angst dat ik haar nooit zou vinden, zodat ze het nooit weer zou doen. Ze had me iets verschrikkelijks aangedaan en ik wilde haar daarvoor straffen.

Toen ik klaar was, startte ik de motor, pakte het stuur beet en reed de straat uit, in de richting van de snelweg. Ik reed langzaam en voorzichtig, me concentrerend op de weg, me ervan bewust dat ik erg geëmotioneerd was. Maar na een tijdje, toen we de stad uit reden, begon ik wat rustiger te worden.

Nella zat met haar hoofd van me afgewend uit het zijraampje te kijken. Ze sprak geen woord. Ik begreep wel waarom: mijn reactie had haar geschokt en ze voelde zich vreselijk vernederd door het hele gebeuren. Dus zaten we een hele tijd zwijgend naast elkaar tot ze eindelijk haar mond opendeed.

'Sorry, mam.' Er zat een trilling in haar stem.

'Waarom heb je dat nou gedaan?' Ook mijn stem beefde. 'Je had het toch gewoon kunnen vragen…'

'Maar de auditie was 's avonds. En ik wist dat ik dan niet zou mogen.'

'Papa had met je mee kunnen gaan. Dat heb ik je gezegd.' Ik slaakte een geïrriteerde zucht. 'Het was nergens voor nodig om zomaar weg te lopen, zonder ons iets te zeggen.'

Nella begon te huilen.

Ik had geen medelijden met haar. 'Beloof me dat je zoiets echt nooit meer zult doen.'

'Ik zal het nooit meer doen.' Ze barstte in snikken uit. Ik klopte op haar knie en gebaarde toen naar mijn tas. Ze pakte er een papieren zakdoekje uit, maar bleef huilen, met het zakdoekje voor haar gezicht.

Toen de tranen waren weggeëbd, zei ik: 'Ik wil dat je me precies vertelt wat er met Emyr is gebeurd, vanaf het begin. Dat vraag ik niet uit nieuwsgierigheid, het is belangrijk.'

Ze snufte, haar ogen deppend met het zakdoekje. 'Nou, na het schoolconcert sprak hij me aan en zei dat hij vond dat ik leuk kon zingen. Ik merkte heus wel dat hij mij ook leuk vond.' Ze zweeg even gegeneerd. 'En ik vond hem ook leuk. Maar voor Londen is er niks tussen ons gebeurd. Als we elkaar spraken, ging het alleen over opnames en dat soort dingen.'

Er viel een stilte.

'Ga verder,' zei ik.

'Na de auditie nam Tony Andreou ons mee naar een bar en we dronken allemaal champagne. Emyr was opgewonden. Blij. Net als ik. We werden een beetje aangeschoten en toen begon hij me te kussen.'

'Heb je gezegd dat hij daarmee moest ophouden?'

'Nee.' Ze boog haar hoofd, zodat haar haren voor haar gezicht vielen. 'Ik vond het fijn. Ik wilde het zelf.'

'Goed, maar dat is niet iets om je voor te schamen, Nella.' Ik zei het vriendelijk. Ik wilde niet dat ze me uit gêne niets meer zou vertellen.

'En toen gingen we terug naar Tony's flat,' vervolgde ze, aangemoedigd door mijn woorden. 'Tony en Sandy, dat is zijn vriend, namen drugs, geloof ik...'

'En jij?'

'Natuurlijk niet.' Ze ontkende het nadrukkelijk. 'Maar toen werd het allemaal een beetje maf, dus toen zei Emyr dat ik met hem mee moest gaan naar de slaapkamer. Ik geloof dat hij me wilde beschermen.' Ze aarzelde even. 'Hij is niet echt slecht, mam.'

Ik ging er maar niet op in.

'Hoe dan ook, toen we eenmaal op bed zaten, begonnen we elkaar weer te kussen en toen... nou ja, toen liep het een beetje uit de hand.'

'Waarom heb je niet geprobeerd om hem tegen te houden?'

Ze wierp me een blik toe. Zelfs in het halfdonker kon ik zien dat ze me met grote ogen aankeek.

'Omdat ik het zelf ook wilde. Ik moet toch een keer ontmaagd worden. Ik dacht, misschien is dit mijn kans.' Ze sprak op serieuze toon. 'Maar toen het eenmaal zover was, besefte ik dat ik bang was. Dat ik er niet aan toe was.'

'Heb je hem dat ook verteld?'

'Nee. Ik had het gevoel dat ik er toen al te ver in mee was gegaan.'

Het begon te regenen. Ik zette de ruitenwissers aan.

'Nella, je hebt altijd het recht om nee te zeggen, op welk moment dan ook.' Ik zweeg even. 'En wat dat ontmaagd worden betreft. Doe dat niet met een man die je nauwelijks kent. Wacht tot je iemand hebt gevonden om wie je geeft, iemand die je kunt vertrouwen. Iemand die van je houdt, of je op zijn minst respecteert. Doe het rustig aan. Als hij geen ervaring heeft, geeft dat niks. Jullie komen er samen wel uit.'

Nella keek sceptisch. En hoewel ik geloofde in wat ik zei, wist ik heel goed, uit mijn eigen ervaringen als jonge vrouw, dat seks bijna nooit zo simpel is als dat.

Even staarden we allebei naar de weg voor ons, door de ruitenwissers die heen en weer zwiepten in een poging de regen tegen te houden.

'Oké,' zei ik na een tijdje. 'Dat was de preek. Laten we wat muziek opzetten. Wil je je iPod aandoen?'

Toen we in de vroege uurtjes thuiskwamen, lag Bob op de bank te slapen. Hij was blijkbaar opgebleven om op ons te wachten. Ik schudde hem wakker, vertelde hem in het kort wat er was gebeurd en ging toen naar boven waar ik me op bed liet vallen. Bob kwam niet meteen en ik bleef niet op hem wachten. Mijn hoofd had het kussen nog niet geraakt of ik viel als een blok in slaap.

De volgende ochtend stond ik laat op. Bob ging iets met Rose doen, en Nella bleef tot de middag slapen. Ik vond het goed dat ze wat te eten mee naar boven nam, en ze sloot zich de rest van de dag op in haar slaapkamer. 's Avonds ging Bob met haar praten. Toen hij weer beneden kwam, vroeg ik hem niet waar ze het over hadden gehad. We hadden het ook niet meer over onze ruzie. We hadden allebei door de telefoon onze excuses aangeboden, maar nu het drama achter de rug was en Nella weer veilig thuis, was het wel duidelijk dat we allebei geen strobreed zouden toegeven. Als de meisjes erbij waren, deden we nog steeds akelig beleefd tegen elkaar, maar wanneer we alleen waren, negeerden we elkaar min of meer.

Toen ik maandag op de praktijk kwam, was het eerste wat ik deed Emyrs werkgever, Safe Trax, bellen. Ik vroeg naar de directeur, vertelde haar wat er was gebeurd en dreigde een officiële klacht in te dienen. Hoewel ze niet erg verbaasd leek, schrok ze toch en ze smeekte me om dat niet te doen en beloofde me dat ze er meteen zelf werk van zou maken.

Nadat ik had neergelegd vroeg ik me af of ik niet nog verder had moeten gaan en eisen dat Emyr werd ontslagen; bij nader inzien besefte ik echter dat hij niet echt een misdrijf had begaan. Nella was geen kind meer en het was duidelijk dat ze helemaal vrijwillig met hem naar Londen was gegaan. Ik wist ook niet zeker of hij haar zou hebben gedwongen om tegen haar zin seks met hem te hebben; haar eigen gevoelens daarover leken nogal ambivalent. Natuurlijk was zijn gedrag moreel gezien verkeerd geweest; ze was jong, gemakkelijk beïnvloedbaar en hij had daar misbruik van gemaakt. Maar voor zover ik het kon beoordelen had hij niet echt iets onwettigs gedaan.

Eerlijk gezegd was er nog een andere reden voor mijn aarzeling over of Emyr wel of niet gestraft zou moeten worden voor zijn daden. Ik was me er pijnlijk van bewust dat mijn hunkering naar Gwydion in wezen niet heel anders was geweest. Natuurlijk, Gwydion was een man van in de twintig, geen jonge jongen, maar toch bestond er een groot leeftijdsverschil tussen ons; en bovendien was ik getrouwd. Wat het nog erger maakte, was dat ik me ten opzichte van hem in een autoriteitspositie bevond. Gwydion had me vertrouwd en gerespecteerd, en ik had bijna – bijna, maar niet helemaal – toegegeven aan de verleiding om dat vertrouwen te beschamen. Het was gênant om te moeten toegeven, maar in die zin waren mijn motieven niet veel eerzamer geweest dan die van Emyr.

In de loop van de dag raakte ik steeds uitgeputter. 's Ochtends had ik een reeks bijzonder vermoeiende cliënten. Allereerst Harriet, een jonge vrouw met extreem veel overgewicht die niet in staat leek om een serieus gesprek te voeren en me het afgelopen jaar tijdens elke sessie op een eindeloze stroom van kattige plagerijtjes had vergast; daarna Bryan, een man van middelbare leeftijd die een constante haat voor zijn heerszuchtige moeder voelde, een haat die hij op mij projecteerde, met alles erop en eraan, en het zag er niet naar uit dat dat in de nabije toekomst minder zou worden; vervolgens Maria, een zwaar depressieve huisvrouw – 'thuisblijfmoeder' moet ik eigenlijk zeggen – die in de steek was gelaten door haar man en die meestal zweeg, op af en toe een huilbui na wanneer ik ter sprake bracht dat er misschien hulp moest komen voor haar emotioneel verwaarloosde kinderen; en als laatste Frank, een vijfenzeventigjarige man met prostaatkanker, wiens woede en verdriet over zijn ziekte de vorm aannamen van wat hijzelf seksverslaving noemde, maar wat vooral bestond uit gefixeerd naar mijn borsten staren en geile opmerkingen maken.

Nadat Frank was vertrokken, hield ik een korte lunchpauze en liep ik snel even naar de koffiezaak aan de overkant om een broodje en een beker koffie te halen. Het was een heldere, zonnige dag, dus ik had ook met mijn lunch naar het park kunnen gaan, maar ik besloot terug te gaan naar mijn praktijk om even een dutje te doen op de bank. Daar kwam echter niets van. Er waren allerlei irritante onderbrekingen: Branwen kwam met een kaart die ik moest ondertekenen, voor Meinir, de hypnotherapeut van boven die die week voor het laatst werkte; Dougie, de cognitieve gedragstherapeut kwam even advies vragen over een cliënt; en als klap op de vuurpijl begonnen ze buiten in de weg te drillen.

Net toen ik het gevoel had dat ik zou gaan schreeuwen, werd er weer op de deur geklopt. Ik keek op mijn horloge. Mijn eerste cliënt van die middag verwachtte ik pas over een uur. Maar toen herinnerde ik me ineens dat ik een afspraak had met een politieagente over de zaak Morgan. Ze had me gebeld met de vraag of ik wat algemene vragen kon beantwoorden, al had ik dan ook nog niet toegezegd dat ik wilde getuigen, en ik had met haar afgesproken in de praktijk. Ik had me voorgenomen om na te denken over wat ik zou zeggen, maar ik was die hele afspraak compleet vergeten. En nu stond ze al voor de deur.

Ik haalde diep adem, stond op, liet haar binnen en wees haar de stoel aan waar mijn cliënten normaal gesproken in zitten. Ik vroeg of ze koffie of thee wilde, maar dat sloeg ze af, dus ging ik tegenover haar zitten en wachtte terwijl ze haar legitimatiebewijs pakte dat ze even voor me ophield. Er stond een foto van haar op – ze zag er nogal verschrikt uit in het felle flitslicht – en een naam: rechercheur Lauren Bonetti.

'Dank je,' zei ik, en ze stopte het weer in haar tas. Ze pakte een notitieboekje en een potlood. Het verbaasde me dat ze niet een of ander elektronisch gevalletje had om haar gedachten op in te voeren in plaats van zoiets ouderwets als potlood en papier. Eigenlijk was ze helemaal nogal verbazingwekkend. Ik had me vaag een oudere vrouw voorgesteld, misschien in uniform, of in elk geval slonzig gekleed, in het donkerblauw of zo, maar zo was ze helemaal niet. Ze was ongeveer even oud als ik, misschien iets jonger, met bruine krullen, donkere ogen, sproetjes, en ze droeg een redelijk stijlvol asymmetrisch topje, een rok die aan de korte kant was, een panty met dessin en laarzen met stevige hakken.

'Een paar vragen maar,' zei ze, terwijl ze het notitieboekje opensloeg. 'Ik wil een paar feiten vaststellen voordat u besluit of u wel of niet een verklaring wilt afleggen. Ik zal proberen het kort te houden.'

Er viel een stilte. Ik zei niets en wachtte tot ze verder zou gaan.

'Ik heb wat basisinformatie nodig, meer niet. Gewoon om een idee te krijgen van hoe u te werk gaat.' Ze aarzelde. 'Want u moet weten dat het voor ons nogal ongewoon is om met dit soort bewijsmateriaal te werken. Ik heb nog niet eerder zo'n zaak gehad.'

Ik knikte op een naar ik hoopte neutrale manier. Hoewel ik niets te verbergen had, was ik me er zeer van bewust dat dit niet zomaar een informeel gesprekje was. Dus wilde ik zeker niet meer zeggen dan noodzakelijk was.

'Goed. Wanneer kwam Gwydion Morgan voor het eerst bij u?'

'Afgelopen september. Ik kan de precieze datum wel opzoeken, als u wilt.'

'Dat zou nuttig zijn.'

Ik stond op, liep naar mijn bureau en zocht in mijn agenda. 'Hier heb ik het al.' Ik las de datum voor. 'En daarna hebben we nog een paar sessies gehad.' Ik bladerde de agenda door en gaf haar de data die ik aantrof.

Toen ging ik weer tegenover haar zitten.

'Dank u. Heel fijn.' Ze schreef iets op en keek me toen aan. 'Hij is niet lang bij u geweest, hè?'

'Nee.' Ook deze keer gaf ik geen uitleg.

'Is dat normaal? Dat iemand er zo snel alweer mee ophoudt?'

'Ja en nee.' Ik zweeg even. 'Sommige mensen hebben genoeg aan een paar sessies, anderen blijven jaren doorgaan. Het hangt eigenlijk allemaal af van wat ze zelf nodig denken te hebben.'

'Aha.' Ze keek bedachtzaam. 'Dus hij vond dat hij het niet meer nodig had?'

'Dat zei hij, ja.'

'En wat dacht u daarvan?'

Ik koos mijn woorden zorgvuldig. 'Hij leek enig profijt te hebben gehad van de therapie.' Ik zweeg weer. 'Maar ik denk dat we verder hadden kunnen komen als we ermee waren doorgegaan.'

Ze knikte. Na een korte stilte vroeg ze: 'Houdt u toevallig dossiers bij over uw cliënten? Aantekeningen misschien?'

'Ja. Maar die stellen niet veel voor. Tegenwoordig vertrouw ik hierop.' Ik tikte op mijn hoofd.

'Geen probleem.' Ze schonk me een bemoedigend lachje. 'Ik vraag me af of u me wat zou kunnen vertellen over die sessies met Mr. Morgan. Of u kunt beschrijven hoe die droom ter sprake kwam, in uw eigen woorden.' Ze zweeg weer. 'Het geeft niet of u dingen door elkaar haalt. Dit is geen echte ondervraging. We kunnen uw verklaring later opnemen.'

Ik deed mijn best om duidelijk te maken hoe mijn gesprekken met Gwydion waren verlopen, te beginnen bij de tweede sessie, waarin hij het had gehad over die steeds terugkerende droom waarin hij in een doos zat opgesloten, en ik vertelde dat hij zich, naarmate de sessies vorderden, steeds meer was gaan herinneren: stemmen die hij buiten de doos hoorde, het besef dat de doos een boot was, de schreeuw en de plons die hij had gehoord toen er iets groots, iets als een lichaam, in het water was gevallen. Ze luisterde aandachtig, onderwijl aantekeningen makend, tot ik aan het eind van mijn relaas kwam.

'Dank u, dr. Mayhew,' zei ze. 'Dit is precies wat ik nodig had.' Ze zweeg even. 'Dus die droom was er de oorzaak van dat hij zich weer bewust is gaan herinneren wat er op de boot is gebeurd toen hij klein was. Al die jaren geleden. Klopt dat?'

'Ja. Dat is wat hij me heeft verteld.'

'Is dat een normaal verschijnsel? Een droom die een herinnering op gang brengt aan iets wat in je jeugd is gebeurd?'

'Nee. Niet normaal. Maar het komt voor. Er zijn goed gedocumenteerde gevallen beschreven in de vakliteratuur.'

'En denkt u dat de herinnering van een kind dat pas zes is, betrouwbaar is?'

'Ik zou zeggen van wel. Theoretisch gezien moet een kind van die leeftijd in staat worden geacht om de betekenis van een traumatische gebeurtenis te begrijpen en zich die later ook kunnen herinneren.'

Ze leek tevreden, en ik wilde mezelf al een schouderklopje geven omdat ik met zoveel gezag had gesproken. Maar toen nam het gesprek een vervelende wending.

'Goed...' Ze bladerde door haar aantekeningen. 'Nog een paar dingen...'

'Vraag maar raak.' Ik probeerde niets van mijn ongerustheid te laten merken.

'Hebt u buiten uw sessies hier nog contact gehad met Gwydion Morgan?'

Toen ze de vraag stelde, besefte ik dat ik hiervoor al die tijd bang was geweest.

'Ja. Eerlijk gezegd wel.'

'Kunt u me daar misschien iets meer over vertellen?'

'Natuurlijk.' Ik voelde mijn nek warm worden. 'Na onze tweede sessie werd ik gebeld door zijn moeder. Ze zei dat hij depressief was. Ze was bang dat hij suïcidaal was, dus heb ik ermee ingestemd om naar hen toe te komen.'

'En wat gebeurde daar?'

'Niet veel. Het bleek niet zo ernstig, hij voelde zich alleen behoorlijk somber. Ik heb geprobeerd met hem te praten, maar hij was weinig mededeelzaam. De week daarop kwam hij echter gewoon weer hier voor de volgende sessie.'

Ik zag het nut er niet van in om het over mijn andere ontmoetingen met Gwydion te hebben, of het nu die in Creigfa Bay was of in het motel – zeker niet het motel – tenzij ze zou aandringen, wat ze tot mijn opluchting niet deed.

'Is het gebruikelijk om patiënten, pardon, ik bedoel cliënten, thuis op te zoeken?'

'In de regel niet.' Ik voelde de warmte uit mijn nek opstijgen naar mijn achterhoofd. 'Maar dit leek echt een noodgeval.' Ik hoopte maar dat ik geen rood hoofd zou krijgen. 'En ik vind het belangrijk om me flexibel op te stellen.'

'Natuurlijk.' Na een korte pauze voegde ze eraan toe: 'We hebben ook contact opgenomen met de moeder van het slachtoffer. U hebt haar klaarblijkelijk in Stockholm gesproken?'

De vraag bleef in de lucht hangen, en er viel een ongemakkelijke stilte terwijl ik naar een antwoord zocht.

'Waarom hebt u dat gedaan?' Ze keek me vragend aan.

'Nou…' Ik wist niet goed wat ik moest zeggen. 'Ik weet dat het raar klinkt. Maar ik had daar een congres en dat leek me een mooie gelegenheid om wat losse eindjes wat betreft mijn cliënt aan elkaar te knopen. Dus gewoon nieuwsgierigheid, denk ik.'

Na een korte stilte zei ze: 'Zal wel beroepsdeformatie zijn, denk ik.' Ze glimlachte. 'Daar heb ik ook last van.'

Opgelucht glimlachte ik terug.

'Nou, dat is het wel zo ongeveer voor vandaag.' Ze begon haar spullen te pakken. Het notitieboekje en het potlood gingen weer in de tas, en ze trok haar topje recht en streek haar rok glad. 'Dank u voor uw tijd.'

Ze gaf me een hand.

'Graag gedaan.' Ik keek haar kort in de ogen. Op de een of andere manier kreeg ik de indruk dat ze me wel vertrouwde, maar ik weet niet waarom ik dat dacht. 'En hoe gaat het nu verder?'

'Nou, we verzamelen bewijs voor de hoorzitting, en dan wordt bekeken of het een rechtszaak wordt.'

'En wanneer is dat?'

'Ik schat over een paar maanden. We hebben nog een hoop werk te verzetten. Ik neem wel weer contact op als we toch een officiële verklaring van u willen hebben.'

'Denkt u dat ik zal worden opgeroepen?'

Ze reageerde niet meteen. Toen zei ze: 'Ja, ik denk dat dat heel waarschijnlijk is.'

'O.' Onwillekeurig schrok ik ervan, maar ik probeerde daar niets van te laten merken. 'Goed. Prima. Ik hoor het wel van u.'

Ik liep met haar mee naar de deur, deed hem voor haar open en nam afscheid. Ik bleef haar nakijken tot ze bij de trap was, waar ze zich nog even omdraaide en glimlachend naar me zwaaide.

Ik glimlachte ook en zwaaide terug. Toen ging ik op mijn kamer op de volgende cliënt zitten wachten.

De vrijdag daarop vond ik dat ik wel een verzetje had verdiend na het drama met Nella, om maar te zwijgen over het fiasco met Gwydion en het bezoekje van rechercheur Lauren Bonetti. Dus nadat ik het eten had klaargemaakt voor Bob en de meiden, trok ik een zwart zijden jurkje aan en deed ik een ketting van roze glazen kralen om, vervolgens trok ik een oud leren jack en suède enkellaarsjes aan, zette mijn baret uit Stockholm op, en ging uit.

Toen ik in het culturele centrum arriveerde, zaten Mari en de rest van de vaste kliek, Sharon, Polly en Catrin, al aan een tafel in het café. Er zaten ook nog een paar andere vrouwen bij die ik niet zo goed kende. Ik bestelde een rondje, ging naast Mari zitten en luisterde naar het gesprek. Omdat ik het begin had gemist, praatte Mari me even bij.

'Heb je het al gehoord?' zei ze, terwijl ze zich naar me toe wendde.

'Wat?'

'Over onze vriend Evan Morgan.'

De anderen stopten met praten en keken naar me.

'Hij is geen –' begon ik, maar Mari onderbrak me.

'Er is een datum vastgesteld voor de hoorzitting. Dat was vanavond op het nieuws van zes uur. Heb je het niet gezien?'

Ik schudde mijn hoofd. 'Nee, ik had nog een late sessie.'

Er viel een stilte.

'Hoe kan het nou dat Bob zijn verdediging doet?'

'Weet ik veel.' Ik haalde mijn schouders op. 'Dat zul je aan hem moeten vragen.'

Mari wierp me een zijdelingse blik toe. 'Weet je nog dat je me vroeg naar die toestand met die Zweedse au pair?' Ze liet een theatrale pauze vallen. 'Het schijnt dat Evan met haar is gaan zeilen en haar toen heeft geprobeerd te verkrachten. En toen ze zich verzette, heeft hij haar overboord gegooid. Gewoon laten verdrinken.'

'Is dat wat ze zeggen?'

'Min of meer. Als je goed tussen de regels door leest.'

Ik wist dat het geen zin had om door te vragen. Uit wat Mari vertelde, zou ik nooit een goed beeld krijgen van wat er precies op tv was gezegd. Mari kon geen verhalen vertellen zonder te overdrijven. Dus probeerde ik een ander onderwerp aan te snijden.

'Heb je nog een rol gekregen in die Bassey-film, Mari?'

Ze negeerde mijn vraag en kneep haar ogen tot spleetjes, met een ondeugende grijns op haar gezicht.

'Jij weet iets wat wij niet weten, hè?'

'Nee, hoor. Niet echt.'

Ze geloofde me niet. De anderen blijkbaar ook niet, want ze keken me allemaal nog steeds verwachtingsvol aan. Ik wist niet goed wat ik moest zeggen. Ik wilde niet hautain overkomen, maar ik had ook geen zin om mee te doen aan roddels over de familie Morgan.

'Nou ja, als je het per se wilt weten…' Ik wierp Mari een beschuldigende blik toe. 'Ik heb je al verteld dat er verband bestaat tussen deze zaak en een cliënt van me. Ex-cliënt, kan ik beter zeggen. Ik kan er nu dus echt niet over praten. Beroepsethiek, zoiets.'

Alle aanwezigen knikten ernstig. Ik was blij dat ik een geloofwaardige verklaring voor mijn zwijgzaamheid over de zaak had verzonnen, voorlopig tenminste. Maar het speculeren hield niet op.

'Ik weet dat Evan geen lieverdje was,' vervolgde Mari, 'maar dit vind ik moeilijk te geloven. Ik bedoel, verkrachting, moord. Nou, dan mag ik blij zijn dat ik het er levend heb afgebracht.'

Nog meer ernstig geknik alom.

'Weet je waar hij nu weer mee bezig is?' Mari's stem kreeg weer een samenzweerderige klank, hoewel ze zoals altijd heel hard praatte. 'Hij doet het met zijn secretaresse.'

'"PA" heet dat tegenwoordig,' zei Sharon, zomaar uit het niets. 'Niet "secretaresse".'

'PA, mij ook best. Ze heet Rhiannon.'

'Toch niet Rhiannon Jenkins? Slimme meid, erg mooi. Blond?' Ik vond dat Sharon een beetje verontrust keek toen ze het vroeg.

Mari knikte. 'Ik ken haar achternaam niet, maar ja, dat moet ze haast wel zijn.'

'Ik heb haar een paar jaar geleden lesgegeven op de universiteit.' Sharon leek lichtelijk geschokt. 'Ze kan toch niet ouder zijn dan een jaar of vijfentwintig?'

'Tja, typisch Evan dus.' Mari fronste. 'Maar het maffe is dat ik heb gehoord dat hij het met haar serieus meent.' Opnieuw sloeg ze haar samenzweerderige toontje aan. 'Ze schijnt zwanger te zijn.'

'Echt waar?' Ik kon mijn nieuwsgierigheid niet verbergen. Dit was een puzzelstukje dat nieuw voor me was.

'Ja.' Mari keek er triomfantelijk bij.

'Hoe weet jij dat?'

'Het is een kleine wereld, het toneel. Er gaan geruchten.'

'En…' Ik probeerde het zo terloops mogelijk te vragen. 'Wil ze het kind houden?'

'Blijkbaar. Ze wil ook met hem trouwen. Ondanks het leeftijds-verschil.' Mari zweeg even. 'Hoewel, nu hij wordt aangeklaagd voor moord, zal dat ook wel veranderen.' Ze pakte haar lege glas. 'Wie wil er nog wat drinken? Volgens mij ben ik aan de beurt.'

Ik ging die avond laat weg uit het culturele centrum. Ik had geen haast om naar huis te gaan. Tussen Bob en mij was de spanning nog steeds te snijden. We ontliepen elkaar nog steeds zoveel mogelijk. Hij had verkondigd dat hij het weekend op bezoek ging bij zijn moeder, die buiten woonde, en hij had de meisjes meegenomen. Nella had deze keer zowaar niet geprotesteerd. Ik had gezegd dat ik niet mee kon, dat ik nog wat achterstallig papierwerk moest afhan-delen. Ik verheugde me erop om het huis het hele weekend voor me-zelf te hebben. Misschien zou even alleen zijn me wel goed doen, dacht ik. Na Nella's escapade in Londen leek de ruzie tussen Bob en mij alleen maar erger te zijn geworden in plaats van minder, en ik had tijd nodig om de zaken op een rijtje te zetten.

Ik merkte pas dat er iets met mijn auto was toen ik thuiskwam. Ik parkeerde de auto onder de straatlantaarn voor het huis, zoals meestal, stapte uit en sloot het portier af. Pas toen zag ik het. Met verf over de motorkap gespoten, in rode letters: BITCH.

Hoewel het er haastig was opgespoten, was het woord duidelijk leesbaar. Er trok een rilling van angst door me heen toen ik ernaar keek. Emyr, dacht ik. Hij was vast ontslagen en dit was zijn wraak. Of zou het misschien Evan Morgan zijn geweest? Om me bang te maken, zodat ik niet zou getuigen tijdens de hoorzitting? Maar hij kon toch niet weten dat rechercheur Lauren Bonetti bij me was ge-weest? En door zijn connectie met Bob zou hij nooit zoiets over-haasts als dit doen. Het moest haast Emyr wel zijn, ik wist het zeker.

Hoewel op dat moment de paniek zomaar had kunnen toeslaan, gebeurde dat niet. Ik liet de auto staan waar hij stond en liep snel naar binnen. Eenmaal binnen, draaide ik de deur twee keer op slot en schoof het kettinkje in de gleuf. Toen belde ik de politie. Ze zeiden dat ze zouden proberen om de volgende ochtend iemand langs te sturen, maar dat het misschien ook wel maandag zou worden. Ik belde Bob noch Mari. Ik zag het nut er niet van in om Bob ongerust te maken terwijl hij weg was. Ik maakte een mok kamillethee in de hoop dat ik dan beter zou kunnen slapen, en voordat ik naar bed ging liep ik het hele huis door en ik controleerde de deuren en ramen twee keer om er zeker van te zijn dat alles op slot zat. Toen ging ik naar boven.

Ik wist dat er ergens iemand rondliep die me bang probeerde te maken. Het zou Emyr kunnen zijn. Of Evan. Of iemand anders. Maar die bevrediging gunde ik ze niet.

Ik lag een tijdje in bed met de lamp aan te luisteren of ik iets in huis, of in de tuin of op straat, hoorde. Maar het was overal stil. Ik lag te wachten op het geluid van knarsend grind op het tuinpad, het gekraak van een koevoet waarmee de deur werd geforceerd, de klik van een sleutel in een slot, het gepiep van een deurknop die werd omgedraaid, maar het bleef stil. Dus deed ik de lamp uit, draaide me om en sliep tot de volgende ochtend.

Hoewel er in het weekend verder niets gebeurde, kon ik me toch moeilijk ontspannen. 's Ochtends wachtte ik op de politie, maar omdat er niemand kwam opdagen, reed ik tussen de middag naar de garage waar ze zeiden dat de auto opnieuw zou moeten worden gespoten en dat dat heel duur zou zijn. Ik liet de auto achter en nam een taxi naar huis. De rest van de dag werkte ik in de tuin, deed ik achterstallige was en hield me bezig met de boekhouding. Overdag, terwijl ik druk bezig was, voelde ik me prima, maar 's avonds kwam de angst weer opzetten. Die avond maakte ik plichtsgetrouw weer een rondje door het huis om te controleren of alle deuren en ramen wel op slot zaten. In bed bevroor ik bij elk geluidje dat ik binnen of buiten hoorde. De volgende ochtend was ik enorm opgelucht dat ik weer een nacht had overleefd zonder dat er iets was gebeurd. Ik probeerde mezelf wijs te maken dat de graffiti op mijn auto waarschijnlijk het werk was geweest van een of andere vandaal en niet van iemand die het speciaal op mij had gemunt; en dat, als het toch Emyr was geweest, hij zijn haat tegen mij, en tegen de wereld, nu wel had bevredigd en dat hij me niet meer verder zou lastigvallen. Maar echt geloven deed ik het niet.

Op zondagmiddag was ik zo opgefokt, gespannen en nerveus dat ik opgelucht was toen Bob en de meisjes thuiskwamen. Ik vertelde Bob dat iemand mijn auto had onder gespoten en dat ik hem naar de garage had gebracht, maar ik weidde er verder niet over uit. Na alles wat er tussen ons was gebeurd, was ik niet van plan om hem om hulp te vragen. Hij leek niet eens te merken dat ik nerveus was en liep meteen door naar zijn studeerkamer om te gaan werken. Nella sloot zichzelf weer op in haar slaapkamer, dus ik bleef nog even met Rose in de keuken zitten kletsen. En nadat zij naar bed was gegaan, liep ik naar boven om met Nella te gaan praten.

Ik klopte aan en liep naar binnen. Zoals gewoonlijk zat ze achter haar computer te chatten met vrienden op Facebook. Ik ging achter haar staan en keek over haar schouder. Ze klikte de pagina meteen weg, maar ik zag nog net een fotootje van Emyr, met een stukje tekst ernaast.

Ik denk dat het kwam doordat ik zo gespannen was, maar ik verloor meteen mijn beheersing.

'Allemachtig, Nella, hoe haal je het in je hoofd?' schreeuwde ik tegen haar. 'Hoe kun je dat nou doen...'

Nella schrok. 'Wind je niet zo op, mam.'

Ik ging wat zachter praten. 'Maar je hebt me beloofd dat je die man nooit meer zou zien.'

'Ik doe niks verkeerds. Emyr is een vriend van me, meer niet. Hij is van streek omdat ze hem hebben ontslagen.' Ze aarzelde even. 'Dat heeft toch niks met jou te maken, hè?'

Ik probeerde mezelf weer onder controle te krijgen. 'Ik heb ze wel gebeld om een klacht in te dienen, ja,' zei ik. 'Want het was fout wat hij deed. Hij heeft misbruik van je –'

'Ik heb toch niks met hem?' onderbrak ze me. 'En trouwens, als dat wel zo was...'

'Nella, dit is niet grappig meer.' Hoewel ik zin had om haar te slaan, dwong ik mezelf op kalme toon tegen haar te blijven praten. 'Ik had het je niet willen vertellen, maar er heeft iemand iets op mijn auto gespoten.'

'Wat dan?' Nella's boosheid ging over in schrik.

'Nergens voor nodig dat je weet wat er precies stond, maar ik denk dat Emyr het misschien heeft gedaan.'

'Hoe kun je dat nou weten?'

'Ik weet het niet, maar ik heb zo mijn vermoedens. Meer niet.'

'Je bent paranoïde, mam.' Hoewel ze het op smalende toon zei, wist ik dat ze was geschrokken van wat ik haar had verteld.

'Beloof me dat je hem niet meer zult zien. Nooit meer.' Hoewel Nella me een rebelse blik toewierp, ging ik gewoon door. 'En zorg ervoor dat je hem van je Facebook-pagina verwijdert.'

Er viel een stilte. Ik keek haar kwaad aan en zij keek mij kwaad aan. Toen staakte ze haar verzet.

'Whatever.'

Ik ging er maar vanuit dat ze daarmee 'ja' bedoelde.

'Sorry dat ik tegen je schreeuwde,' zei ik. Ik zei het zacht, want ik had echt spijt. Nella is een gevoelig meisje en ik zag dat ik haar van streek had gemaakt. Maar ik had het gevoel dat er weinig anders op had gezeten.

Nella knikte, maar ze zei zelf geen sorry.

Ik liep naar de deur. Ik was van slag en trilde een beetje, maar dat probeerde ik haar niet te laten merken.

'Weet je, mam,' zei ze, toen ik op het punt stond om de kamer uit te lopen. 'Je kunt wel wat meer zelfkennis gebruiken.' Ze zweeg even. 'Je wordt oud en je bent jaloers omdat mannen mij aantrekkelijk vinden. Aantrekkelijker dan jou. En dat kun je gewoon niet aan.'

Weer had ik zin om haar een klap te geven. Maar door de woede die haar woorden bij me opriepen, was ik gedwongen me af te vragen of ze misschien niet een klein beetje gelijk had.

Ik wist de aanvechting om 'whatever' te zeggen, te onderdrukken, liep de kamer uit en sloot de deur zacht achter me.

16

'Dr. Mayhew?'

Het was een stem die ik eerder had gehoord, maar ik kon hem niet helemaal plaatsen.

Ik aarzelde. Altijd als ze me door de telefoon aanspreken met 'dr. Mayhew', heb ik de neiging om op een bekakt toontje 'Daar spreekt u mee' te zeggen, maar die wist ik te onderdrukken.

'Ja?'

'U spreekt met Evan Morgan.'

Ik wist niet wat ik hoorde. Evan Morgan was wel de laatste van wie ik een telefoontje had verwacht. Toch aarzelde ik geen seconde.

'Mr. Morgan. Waarmee kan ik u van dienst zijn?'

'Ik moet u spreken. Nu meteen.'

'Waarom?'

'Ik heb u iets belangrijks te vertellen. En dat wil ik graag doen voordat u een officiële verklaring bij de politie aflegt.'

'Hoe weet u van die verklaring?'

'Dat doet er niet toe. Ik wil u alleen maar waarschuwen dat u uzelf voor schut zult zetten als u zich met deze zaak gaat bemoeien.'

Ik dacht even na. 'Hier zit mijn man achter, hè?'

'Bob? Nee, natuurlijk niet. Hij weet niet eens dat ik u bel.'

'O. Oké.' Ik probeerde niet sarcastisch te klinken.

'Nee, dit doe ik helemaal op eigen houtje. Want weet u, er zijn een paar cruciale dingen die u niet weet. Gwydion en Arianrhod hebben u voorgelogen. De hele tijd.'

Er viel een stilte terwijl hij op mijn reactie wachtte.

Ik was beleefd, maar stellig. 'Nou, bedankt voor het telefoontje...'

'We moeten elkaar echt spreken. Het is voor uw eigen bestwil. U zult er spijt van krijgen als u het niet doet...'

'Is dat soms een dreigement?'

'Nee.' De stem aan de andere kant van de lijn bleef zacht en kalm, niet de stem van een man die een auto onder de graffiti zou spuiten. 'Ik waarschuw u alleen maar. U zult uzelf echt voor schut zetten als u als getuige optreedt. U moet zich niet voor hun karretje laten spannen.'

'Het spijt me, Mr. Morgan, maar –'

Hij liet me niet uitspreken.

'Nou, mocht u nog van gedachten veranderen, dan kunt u me in de Smuggler's Rest vinden, Penarth Marina. Vanaf acht uur. Ik zal op u wachten in de bar.'

'Goedendag,' zei ik, en ik verbrak de verbinding.

Ik ging weer verder met googelen. Voordat de telefoon was gegaan, had ik proberen uit te zoeken wat de huidige politiek correcte mening was over termen als 'obees', 'zwaar overgewicht' en 'dik'. De argumenten waren interessant – sommigen beoordeelden het gebruik van het woord 'obees' als compleet negatief, anderen beweerden dat het een goede manier was om mensen te schokken zodat ze het niet langer konden ontkennen – maar ik kon het even niet meer volgen. Er welde een enorme woede in me op, kwaadheid over het feit dat Bob zijn neus alweer in mijn zaken stak en probeerde te voorkomen dat ik een ex-cliënt hielp.

Om mijn hoofd helder te krijgen, stond ik op en keek uit het raam. De straat was verlaten, er viel niets te zien, alleen een saaie, grijze lucht en een paar dode bladeren die langzaam van de boom voor mijn raam naar beneden zeilden en zich bij de bladeren voegden die al op de stoep lagen.

Er werd aangeklopt en een paar seconden later kwam mijn volgende cliënt van die dag, Harriet, binnen waggelen. Ze was buiten adem en boven haar lip parelden zweetdruppeltjes. Ik wees haar haar stoel en ging toen in de stoel ertegenover zitten.

Ik wachtte terwijl Harriet zich moeizaam op de stoel liet zakken. Het is een degelijke leunstoel, prettig breed, met een stoffen kussen erop. Toen ze ging zitten, drong tot me door dat ik vergeten was het kussen weg te halen en dat ze nog minder ruimte had dan normaal. Ik kreeg medelijden met haar toen ik zag hoeveel moeite het haar kostte om te gaan zitten. Het was gewoon gênant. Het was me niet opgevallen toen ze binnenkwam, maar ze moest nog een paar pond zijn aangekomen sinds vorige week.

Geheel niet uit het veld geslagen steunde Harriet op een van de armleuningen en begon weer aan een van haar komische verhalen, deze keer over haar bustochtje hiernaartoe.

Ik stak mijn hand op en zei op, naar ik hoopte, rustige en bemoedigende toon: 'Harriet, voordat we verdergaan, er is iets waar ik het vandaag graag met je over zou willen hebben…'

Harriet negeerde me en ging door met haar verhaal. Toen begon de stoel naar een kant over te hellen. Ze veranderde van houding, een beetje wiebelend, en praatte verder, maar de stoel begon weer over te hellen.

Op dat moment barstte ze in huilen uit.

Ik zei niets. Ik schoof alleen de doos met tissues naar haar toe.

Het was al negen uur toen ik bij de Smuggler's Rest aankwam. Eerder was me niet gelukt. Bob was weg voor zijn werk en ik had van alles te doen, koken, voor taxichauffeur spelen, helpen met huiswerk. Bovendien wilde ik niet te gretig overkomen.

Vreemd hoe snel je overstag kunt gaan. Toen Evan Morgan die ochtend had gebeld, wilde ik instinctief niets met die man te maken hebben, en de rest van de dag had ik het te druk gehad met mijn cliënten om nog aan de hele kwestie te denken. Aan het eind van de dag, voordat ik naar huis ging, was ik echter gaan nadenken over wat hij had gezegd. Dus had ik hem teruggebeld en gezegd dat ik later die avond naar het café zou komen.

Ik geloofde nog steeds niet dat Arianrhod en Gwydion hadden gelogen over wat er op het zeiljacht was gebeurd, maar tegelijkertijd had ik een knagend vermoeden dat ik niet het hele plaatje zag. Ik wist ook dat Arianrhod er totaal niet mee zat om mensen voor te liegen; voordat het hele verhaal algemeen bekend was geworden, had ze me allerlei leugens verteld in een poging om alles onder het tapijt te vegen. En dat niet alleen, meer dan eens had ik het gevoel gehad dat hun gedrag, als moeder en zoon, vreemd was. Ik geloofde hen wel, maar ik was me er scherp van bewust dat ik, als Bob zich terugtrok en ik doorzette, een officiële verklaring zou moeten afleggen. En, dacht ik, dat zou natuurlijk helemaal verkeerd zijn als ik niet eerst Evan Morgans versie van het verhaal aanhoorde.

De andere reden waarom ik van gedachten was veranderd, was nieuwsgierigheid. Dat kan ik niet ontkennen. Zoals rechercheur Lauren Bonetti ook al had gezegd, zijn psychotherapeuten, net als rechercheurs, van nature mensen die vragen stellen; dat hoort bij het vak. En het is ook niet iets om je voor te schamen; als je niet nieuwsgierig was, zou je je werk waarschijnlijk niet goed kunnen doen.

Toch bekroop me een nerveus gevoel toen ik voor het café parkeerde. Ik zou zo meteen een man treffen die beschuldigd was van moord. En het zou heel goed kunnen dat die man me niet zou mogen, dat hij zou willen voorkomen dat ik een verklaring bij de politie aflegde of me zou proberen te overtuigen iets anders te zeggen. Natuurlijk was het hoogst onwaarschijnlijk dat Evan Morgan me iets zou aandoen – me in deze fase van de wedstrijd ontvoeren zou hem niet erg helpen – maar was ik een beetje bang.

De Smuggler's Rest is niet het soort zaak waar je snel een van je vrienden zult tegenkomen, wat waarschijnlijk de reden is dat Evan Morgan hem had uitgekozen. Niet dat het een verlopen kroeg is;

verre van dat zelfs. Het is zo'n modern café met overal waar je kijkt van die glanzende, naar vergane glorie verwijzende spullen. Boven de bar hangt een weinig overtuigend roer en het plafond is versierd met slingers van visnetten, met daarin een verontrustend groot aantal kreeftenfuiken, zeesterren en gekleurde glazen flessen. Op elke glanzend gelakte tafel staat een gelamineerd standaardmenu, met daarop standaard kindvriendelijk eten. Het is het soort zaak waar je je niet op je gemak voelt. Het is er te schoon, te modern, terwijl het te zeer zijn best doet om dat allemaal niet te zijn.

Het was er redelijk uitgestorven toen ik binnenkwam, met slechts een of twee mensen aan de bar en een paar kleine groepjes aan de tafels. Ik zag Evan Morgan met een drankje aan de bar zitten. Hij zat met gebogen rug en steunde zijn kin op zijn hand. Ik kon niet anders dan vaststellen dat hij een opvallend aantrekkelijke man was. En dan bedoel ik niet alleen voor zijn leeftijd. Hij is een van die zeldzame wezens die, wanneer ze grijze haren krijgen, daar een zekere plechtstatigheid en autoriteit aan ontlenen; ze worden er niet, zoals voor de meesten van ons geldt, langzaam onzichtbaar door.

Hij zag me niet komen aanlopen, maar toen hij opkeek, veranderde zijn gelaatsuitdrukking meteen.

'Dr. Mayhew. Fijn dat u bent gekomen.' Hij stak me glimlachend een hand toe, die ik kort schudde.

'Graag gedaan.' Ik excuseerde me niet voor het feit dat ik laat was, aangezien ik überhaupt geen tijdstip had afgesproken.

'Wat wilt u drinken?'

'Whisky graag. Gewoon een kleine.' Ik had behoefte aan iets sterks om mijn zenuwen tot bedaren te brengen. Maar ik nam mezelf voor om het er bij eentje te laten, want ik moest nog rijden.

'Met ijs?'

'Nee, dank u.'

Hij gebaarde naar een tafeltje aan het raam. 'Zullen we daar gaan zitten? Dat zit comfortabeler.'

'Prima.'

Ik liep naar de tafel, ging zitten en keek uit het raam. Het café keek uit over de jachthaven die vol lag met boten. Natuurlijk, daarom had hij deze zaak uitgekozen. Boven de zachte muzak in het café uit kon ik de masten nog net horen tinkelen in de wind.

Evan kwam aanlopen met de drankjes, zette ze op tafel en ging tegenover me zitten.

'Ik zal het niet lang maken. Ik weet dat u een drukbezette vrouw bent.' Hij nam een slokje van zijn drankje, dat eruitzag als gin-tonic.

'Dank u. Dat is aardig van u.' Ik nam ook een slokje. Het was een goede whisky, zacht en verwarmend, en een groter glas dan ik had besteld.

'Dan zal ik maar meteen ter zake komen.'

Hij zweeg even en keek snel om zich heen. Er zat niemand bij ons in de buurt, alleen een paar vrouwen van middelbare leeftijd die geanimeerd met elkaar praatten terwijl ze van hun vis aten.

'Om eerlijk te zijn,' vervolgde Evan, 'ben ik niet helemaal vrij van blaam in deze geschiedenis.' Hij fronste, alsof hij zat te denken hoe hij het best kon beginnen. 'Maar één ding is zeker. Ik heb Elsa Lindberg niet vermoord. Dat is een verzinsel van mijn vrouw.' Hij aarzelde. 'En van mijn zoon.'

Ik meende iets van oprechte emotie in dat ogenblik van aarzeling te ontwaren, alsof hij het een onverdraaglijke gedachte vond dat zijn zoon zich tegen hem had gekeerd; maar toen herinnerde ik me dat Evan niet alleen regisseur was, maar dat hij ook acteur was geweest. Het was zijn werk om mij te laten geloven in het sprookje dat hij me vertelde, en het was wel duidelijk dat hij daar erg goed in was.

'Ik heb Elsa die dag inderdaad meegenomen op de boot,' vervolgde hij. 'Ze was Gwydions kindermeisje, ze ging altijd overal met hem mee naartoe, dus zo raar was dat niet. Maar – en dat zal ik niet ontkennen – ik wilde ook dat ze meeging omdat ik haar erg aantrekkelijk vond. En... en in die tijd zat het allemaal niet echt goed tussen Arianrhod en mij.' Hij aarzelde weer even, maar deze keer zag ik niets van spijt of droefheid op zijn gezicht.

Ik knikte, maar riep mezelf meteen tot de orde. Ik was hier niet aan het werk. Dit was geen therapiesessie, al begon het er wel een beetje op te lijken.

'Hoe dan ook,' ging hij verder. 'Het was een prachtige dag. Felle zon, de zee glad als een spiegel. Er viel weinig te zeilen, dus ging ik drinken. Behoorlijk veel drinken.' Hij zweeg en keek me aan. Die ogen, dacht ik. De irissen waren net zo ondoorgrondelijk, net zo groen als die van Gwydion, hoewel het oogwit door ouderdom wat geler was geworden. 'Ik ben een alcoholist, maar dat weet u natuurlijk al. Herstellend inmiddels.' Met een spottend lachje liet hij erop volgen: 'Als je daar ooit al van kunt herstellen.'

Ik lachte niet terug.

'Elsa dronk ook. Niet veel, want ze was een verstandig meisje. Gewoon voor de gezelligheid.' Hij zuchtte. 'Ik kon goed met haar opschieten. Ze was heel slim, heel grappig.' De droefheid keerde terug in zijn stem. 'Ik herinner me dat we het over Strindberg hadden. Ze kreeg hem op de universiteit. En... ik weet niet precies... van het een kwam het ander... ' Opnieuw keek hij me recht in de ogen. 'Ik kan het niet ontkennen. Ze was een mooie meid en ik wilde haar. Zij wilde mij ook. Dat was wel duidelijk.' Hij wendde zijn blik af.

'Waar was Gwydion tijdens dit alles?' Ik probeerde niet al te beschuldigend te klinken.

'O, die heeft niks gezien. Hij was beneden, in de kajuit, hij lag op bed. Hij werd altijd zeeziek op de boot. Ik probeerde hem daarvan af te helpen, hem te helpen zeebenen te ontwikkelen.'

'Dat lijkt me niet de beste manier om dat te doen,' was ik zo vrij om te zeggen. 'De au pair versieren tijdens een boottochtje.'

'Ja, wat moet ik zeggen?' Evan haalde zijn schouders op. 'Ik hield me in die tijd alleen met mezelf bezig. Nog steeds eigenlijk. Mijn huwelijk was ongelukkig en ik pakte mijn pleziertjes waar ik ze maar krijgen kon. Maar ik gaf ze ook, mag ik er wel aan toevoegen. Nee, ik heb er geen spijt van, niet in het minst.' Hij zweeg.

Er viel een korte stilte.

'Maar waarom is Elsa dan van de boot gesprongen? Waarom zou ze dat doen?' vroeg ik.

'Nou, zoals ik al zei, was de zee die dag heel kalm. We waren niet ver van de kust en Elsa besloot om terug te zwemmen naar de baai. Ze was een uitmuntende zwemster, dus het leek me compleet ongevaarlijk. Ik heb haar nog nagekeken toen ze wegzwom. Ze bewoog zich prachtig door het water, net een zeehond...' Hij stopte even met praten. 'Hoe dan ook, ik heb beslist geen ruzie met haar gehad en haar overboord geduwd of zoiets. Ze is helemaal uit eigen vrije wil van die boot gesprongen. En omdat het zo'n kalme, prachtige dag was, besloot ik nog even een stukje te gaan zeilen en haar pas daarna achterna te varen. Het was echt fantastisch weer. En daarom kon ik ook niet geloven... ik kon gewoonweg niet geloven...'

Hij schudde zijn hoofd. De herinnering leek hem echt van streek te maken. 'Ik kan echt niet verklaren hoe ze is verdronken. Toen ze niet terugkwam, raakte ik compleet in paniek. We hebben overal gezocht. Ik wilde de politie inschakelen. Maar Arianrhod...'

Ik wachtte. Voor deze kant van het verhaal was ik hiernaartoe gekomen.

'Tot mijn eeuwige schande moet ik bekennen dat Arianrhod me heeft overgehaald om dat niet te doen. Ze zei dat het de doodsteek voor mijn reputatie zou zijn. Dat ze me ervan zouden beschuldigen dat ik Elsa in een aanval van dronken woede of zoiets idioots zou hebben vermoord. Ik was bang...'

Heel even zag ik in zijn ogen de angst die ik zo vaak in die van Gwydion had gezien, en ik begreep dat er onder de plechtstatigheid, onder zijn houding van man van de wereld, ook iets van de onzekerheid van zijn zoon zat.

'En ze kan erg dominant zijn...'

Hoewel dat niet strookte met mijn indruk van Arianrhod, zei ik niets.

'Dus deed ik wat ze wilde. Ik probeerde alles onder tafel te vegen. Ik heb tegen de politie gelogen. Ik heb zelfs tegen Elsa's moeder gelogen toen ze hier was.' Hij fronste. 'Dat was raar. Ze leek zoveel op haar dochter. Eng gewoon.'

Even voelde ik de aanvechting om hem onder zijn neus te wrijven dat hij ook had geprobeerd om Solveig te versieren, maar het leek me beter om dat niet te doen.

Evan pakte zijn glas en nam een aardig grote slok. Omdat er geen vleugje alcohol te ruiken was, begreep ik dat het gewoon spa was.

'Het moest vroeg of laat natuurlijk allemaal uitkomen. En in zekere zin ben ik daar ook blij om. Dat ik toen de waarheid onder tafel heb geveegd, heeft al die jaren aan mijn geweten geknaagd.' Hij slaakte een diepe zucht en keek me toen weer recht in de ogen. 'Maar ik ben geen moordenaar. Gwydion liegt – ik heb geen ruzie gehad met Elsa en ik heb haar ook niet overboord geduwd.'

'Maar waarom zou hij daar in vredesnaam over liegen?' Ik nam een slokje whisky. 'Tegen mij? Tegen de politie?'

'Ik kan u precies vertellen waarom. Daar zit zijn moeder achter. Zo simpel is het.'

'Maar waarom zou ze een valse aanklacht tegen u indienen? Als u schuldig wordt bevonden, staat er voor haar toch ook veel op het spel?'

Even meende ik iets schuldbewusts over zijn gezicht te zien glijden, maar mocht dat al zo zijn, dan was het snel weer verdwenen.

'Omdat ze me haat. Mijn vrouw walgt echt van me. Ze wil me kapotmaken.'

'Maar waarom?'

'Dat lijkt me duidelijk. Niemand zo wraakzuchtig als een versmade vrouw etc.'

Ik nam nog een slokje. Ik wist niet goed wat ik van Evans relaas moest denken. Op bepaalde momenten was ik er zeker van geweest dat hij loog; andere keren kwam hij eerlijk op me over. En het ging niet alleen om wat hij zei. Ik ben behoorlijk deskundig geworden in het ontcijferen van de lichaamstaal van mijn cliënten, hun gebaren, hun gezichtsuitdrukkingen, de kloof tussen wat ze zeggen en hoe ze zich gedragen. Evans lichaamstaal gaf me het gevoel dat hij grotendeels oprecht was; maar er waren ook momenten waarop het leek alsof hij nog steeds niet de hele waarheid sprak. Het was onwaarschijnlijk dat hij mijn auto had ondergespoten, leek me; maar misschien ook weer niet onmogelijk.

'Tja, Mr. Morgan...'

'Zeg maar gewoon Evan.'

Ik knikte, hoewel ik niet op zijn voorstel inging. 'Fijn dat u me op de hoogte heeft willen brengen.' Ik wierp een blik op mijn horloge. 'Maar ik geloof dat ik er nu maar weer eens vandoor moet.'

Hij leek van zijn stuk gebracht. 'Hebt u hier dan niets op te zeggen?'

'Ik kan er niets over zeggen.' Ik keek uit het raam naar de boten. 'Maar ik zal beslist mijn gedachten laten gaan over wat u me heeft verteld. En het meenemen in mijn eindoordeel.'

Evan volgde mijn blik. 'Die daar is van mij. Die met de lichtgele romp. *Freule Julie*.'

'Is het... dezelfde?'

'De boot waarop ik Elsa heb meegenomen? Ja, inderdaad. Wilt u hem even zien?'

'Sorry, ik ben al aan de late kant.' Ik nam mijn laatste slok en zette het lege glas op tafel.

Evan keek me terneergeslagen aan. 'Nou, als u zin heeft om terug te komen, morgen heb ik niks te doen...' Zijn stem had iets gelatens en wanhopigs, hoewel hij zijn best deed dat te verbergen. 'Ik woon op het ogenblik op de boot, voorlopig, tot...' Halverwege de zin stierf zijn stem weg, alsof hij nauwelijks kon geloven dat hij binnenkort terecht zou staan voor moord.

'Dank u.' Ik bleef beleefd, maar ik hoopte wel duidelijk te maken dat ik beslist niet van plan was om nog een keer met hem af te spreken.

'En u hebt mijn nummer, hè? Voor het geval dat?' Hij verborg zijn wanhoop niet langer. 'Op het toestel van uw praktijk.'

'Inderdaad.' Ik pakte mijn tas die open lag op de stoel naast de mijne. Terwijl ik dat deed, volgde Evan mijn blik en zag de pocket die eruit stak.

'O,' zei hij, wat naar voren leunend om de titel te kunnen lezen. Hij sloeg ineens een andere toon aan. 'De biografie van Freud, van Jones. Vindt u hem goed?'

'Ja.' Hoewel ik me afvroeg of hij soms bij me in het gevlij probeerde te komen, leek zijn vraag oprecht belangstellend. 'Over het algemeen erg goed. Al die schisma's later worden een beetje saai.'

'Als u dat al erg vindt, moet u die driedelige biografie eens proberen.' Hij zweeg even. 'Maar wat een ongelooflijk getalenteerde man was die Jones,' zei hij enthousiast. 'Als schrijver, als denker... en daarbij ook nog een briljante psychiater.'

Onwillekeurig werd ik aangestoken door zijn enthousiasme. 'En al die talen die hij sprak...'

'Hij heeft de Engelstalige wereld laten kennismaken met de psychoanalyse. Hij schreef boeken over de meest uiteenlopende onderwerpen, van nachtmerries en vampiers tot kunstschaatsen. Hij heeft Freud uit de handen van de nazi's gered.' Na een korte stilte voegde hij eraan toe: 'Niet slecht gedaan voor een mijnwerkerszoon uit Swansea.'

Ik knikte. 'Het is raar dat hij niet beroemder is.'

'Dat zou hij wel zijn, als hij niet zoveel lijken in de kast had.' Evan grijnsde. 'Ik heb vaak overwogen om een film over zijn leven te maken. Alles zit erin – intriges, avonturen...'

Ik knikte weer. Hoewel ik merkte dat ik het gesprek graag zou willen voortzetten, liet ik toch een stilte vallen. Toen stond ik op om weg te gaan.

Evan stond ook op en gaf me een hand. Hij hield de mijne even vast en kneep er zacht in voordat ik hem weer wegtrok.

'Dag,' zei hij. 'Tot de volgende keer.'

'Dag,' zei ik.

Toen draaide ik me om en liep het café uit, me bewust van zijn ogen in mijn rug.

Toen ik thuiskwam, was Bob ook terug. Hij zat aan de keukentafel achter zijn laptop. Hij keek niet op toen ik binnenkwam. Ik had hem niet verteld dat ik een afspraak met Evan Morgan had en was niet van plan dat alsnog te doen. Het enige wat we tegenwoordig nog bespraken, waren dingen die met het huishouden te maken hadden, en dan in het bijzonder met de meisjes. En zelfs die gesprekken verliepen altijd gespannen.

Ik liep naar de waterkoker.

'Wil je ook een kop thee voordat ik naar bed ga?'

'Nee, dank je.'

'Slapen de meisjes al?'

'Rose wel. Van Nella weet ik het niet.' Hij keek even op. 'Er kwam vanavond een jongen voor haar langs. Met een gitaar.'

'O?' Mijn nieuwsgierigheid was gewekt. 'Wat voor jongen was het?'

'O, wel leuk. Beleefd.' Hij fronste. 'Maar toen ik naar haar kamer ging omdat ik de telefoon zocht, zaten ze elkaar op bed te kussen.'

'Heb je wel eerst aangeklopt?' vroeg ik, terwijl ik met de thee bezig was.

'Nee. Maar...'

Ik draaide me naar hem om. 'Nou, dat had je dan wel moeten doen, Bob. Het is haar kamer.'

'Doe niet zo belachelijk. Ik mag in mijn eigen huis toch zeker wel doen wat ik wil?' Zijn toon verbaasde me. Dit was nieuw voor me, Bob die de autoritaire pater familias uithing. 'En ik wil ook niet meer hebben dat ze nog jongens meeneemt naar haar kamer. Na wat er in Londen is gebeurd...'

'Jezus, ze is zestien.' Ik probeerde kalm te blijven, maar mijn stem schoot toch iets omhoog. 'Natuurlijk zal ze jongens gaan kussen, en als ze dat op haar eigen kamer wil doen, dan zou ik niet weten waarom dat niet zou mogen. En ik zal het haar ook beslist niet verbieden.' Ik zweeg even, terwijl ik overwoog of ik hem over mijn gesprekken met Nella zou vertellen en zou vragen naar zijn gesprekken met haar. Maar dat soort intimiteit leek er tussen ons niet meer te bestaan. 'Volgens mij mogen we er blij om zijn. Een jongen van haar eigen leeftijd –'

'Oké, dan moet ik het dus doen,' onderbrak hij me. 'Ik zal haar wel zeggen dat als hij weer komt, dat ze dan met hem beneden in de huiskamer moet blijven. Zo meteen raakt ze nog zwanger.'

'Bob, overdrijf niet zo.' Ik dempte mijn toon wat. 'Nella wordt volwassen. Dat is moeilijk te aanvaarden, hè?' Ik wou dat ik er op een tactvolle manier aan toe had kunnen voegen: 'En dat je geen seks meer hebt met je vrouw, zal er ook niet aan meehelpen.' Maar dat kon ik niet zeggen. Hij was daar te boos voor, en hoewel ik probeerde mijn kalmte te bewaren, irriteerde zijn voor hem ongewone machogedrag me mateloos.

'Doe me een lol, zeg.' Bob stond op en liep snel naar de deur. 'Je bent hier niet op je werk, dr. Mayhew.'

Hij liep de keuken uit en sloeg de deur met een klap achter zich dicht. Fantastisch, dacht ik. Een nachtje op de bank.

Die avond, nadat iedereen naar bed was, sloop ik de huiskamer in met mijn dekbed en kussen. Ik zette de wekker op mijn mobieltje op halfzeven, zodat ik wakker zou zijn voordat de anderen opstonden. Ik wilde niet dat de meisjes zouden weten dat ik beneden had geslapen. Hoewel ik zo lekker mogelijk probeerde te gaan liggen, sliep ik onrustig: de bank was te kort en ik werd steeds wakker met een stijve nek. Om vier uur 's ochtends, toen het me eindelijk was gelukt om in slaap te vallen, ging de telefoon.

Een beetje gedesoriënteerd nam ik op. 'Hallo?'

Er kwam geen antwoord, alleen een zachte, trage ademhaling, in en uit, in en uit.

'Met wie spreek ik?'

Het ademen ging door, steeds luider.

Boos drukte ik de telefoon uit. Op het schermpje stond 'Nummer geblokkeerd'. Ik legde het mobieltje weer op de salontafel, draaide me om en probeerde weer te gaan slapen.

Een paar minuten later ging de telefoon weer. Ik nam op en zette hem meteen weer uit. Daarna lag ik klaarwakker naar het plafond te staren tot het tijd was om op te staan.

17

Toen ik de volgende dag op mijn praktijk kwam, wachtte me een verrassing. Arianrhod zat buiten op het muurtje.

Zodra ik haar zag, raakte ik in paniek. Stel dat ze wist dat ik Evan had gesproken en dat ze me nu op mijn kop kwam geven? Stel dat het zou uitlopen op een scheldpartij, hier, op straat, voor het gebouw? Ik was ervan uitgegaan dat Evan en zij geen contact hadden nu hij op de boot woonde, maar zoals ik al eerder heb gezegd, was de dynamiek in het gezin Morgan zo ingewikkeld en gestoord dat ik het gevoel begon te krijgen dat ik altijd achter de feiten aan liep. En dat gevoel beviel me niet erg.

Het liefst had ik gedaan alsof ik haar niet had gezien en was ik de dichtstbijzijnde straat ingeslagen en dan hard weggelopen, maar ik wist die aanvechting te onderdrukken en liep naar haar toe.

'Arianrhod. Wat doe jij hier?' Na mijn gesprek met Evan bekeek ik haar onwillekeurig met andere ogen. Ze leek zo bedeesd, maar hij had haar omschreven als wreed en wraakzuchtig. Het zou natuurlijk kunnen dat hij haar verkeerd beoordeelde, maar ik merkte dat ik me toch begon af te vragen of er geen waarheid in zijn woorden school.

Ze putte zich meteen uit in verontschuldigingen. 'Het duurt niet lang, echt niet. Het gaat over Gwydion.'

Dus ze wist niets over mijn ontmoeting met Evan.

Ik slaakte een zucht van verlichting. 'Kom maar even mee naar boven dan,' zei ik. 'Maar ik heb over een halfuur wel een cliënt, dus ik heb niet veel tijd.'

Arianrhod knikte. Het viel me op dat ze er moe uitzag. Ze had wallen onder haar ogen en haar huid had iets wasachtigs.

We liepen naar binnen. Branwen keek verbaasd op toen we langs de balie liepen. Ze wist dat mijn eerste cliënt pas om negen uur zou komen. Ik wierp haar een blik toe die zei: niks aan de hand, en ze richtte haar aandacht weer op het computerscherm.

Arianrhod en ik liepen de trap op. Ze wachtte tot ik de deur van het slot had gedaan en ik haar te kennen gaf dat ze naar binnen kon.

'Ga zitten.' Ik gebaarde naar de stoel tegenover mijn bureau. Daarna ging ik zelf achter het bureau zitten, zette mijn computer aan en wachtte tot hij ophield met het uitstoten van allerlei piepjes. 'Ogenblikje.'

Door de computer aan te zetten wilde ik haar duidelijk maken dat ik niet onbeperkt de tijd had voor een gesprek. En ook dat ik helemaal niet gediend was van dit soort onverwachte bezoekjes aan mijn praktijk.

'Goed. Wat kan ik voor je doen?' Ik klonk ongeduldiger dan mijn bedoeling was. Het stoorde me buitengewoon dat er iemand in mijn kamer zat voordat ik de gelegenheid had gehad mezelf voor te bereiden. Dit soort dingen kwam nauwelijks voor, en als het weleens gebeurde, raakte ik altijd behoorlijk van slag.

Arianrhod begreep de hint en kwam meteen ter zake. 'Gwydion zit in The Grange,' zei ze.

Ik had er meteen spijt van dat ik zo bruusk was geweest. The Grange is een privékliniek in de Clamorgan-vallei, net buiten Cardiff. De plek waar de rijken het gevecht aangaan met de gevolgen van hun geprivilegieerde bestaan: alcoholisme, eetstoornissen, dat soort dingen.

'Voor even maar,' voegde ze eraan toe. 'Ik hoop dat hij er gauw weer uit mag.'

Ze had een trilling in haar stem. Ik zag dat ze aan de stof van haar mouw zat te friemelen.

'Dat vind ik naar om te horen,' zei ik. 'Heel naar.'

'Ik vroeg me af...' Ze bleef aan de stof friemelen. 'Volgens mij zal het hem helpen als jij bij hem langsgaat.'

Ik verschoof ongemakkelijk op mijn stoel. Ik vroeg me af hoeveel Arianrhod wist van wat er tussen mij en Gwydion was voorgevallen. Zij en haar zoon hadden een erg nauwe band, zoveel wist ik wel. Zou Gwydion haar hebben verteld dat we elkaar een paar keer buiten de sessies om hadden ontmoet, dat er een seksuele relatie, hoe beperkt dan ook, tussen ons bestond?

'Arianrhod, ik moet je iets uitleggen...' Ik aarzelde even. 'Het is niet echt verstandig en ook niet gebruikelijk dat een therapeut weer contact opneemt met een cliënt nadat die cliënt heeft besloten om met de therapie te stoppen.'

Ze keek me verwijtend aan. Ik besefte dat ik haar had beledigd met mijn vakjargon. Dus probeerde ik het in gewonemensentaal uit te leggen.

'Het hoort gewoon niet, om ex-cliënten op te zoeken.' Ik zweeg even. 'Dat kan tot problemen leiden... bindingsproblemen... aan beide kanten.'

Verder dan dat kon ik niet gaan in mijn uitleg van de redenen dat ik er weinig voor voelde om Gwydion op te zoeken. Ik was ook niet van plan verder te gaan.

'Ik snap wat je bedoelt. Maar hij is ontzettend van streek. En jou lijkt hij te vertrouwen.'

Ik sneed een ander onderwerp aan. 'Waarom is hij opgenomen?'

'Nou, hij werd erg labiel. Paranoïde, ervan overtuigd dat hij werd gevolgd.' Ze zuchtte. 'Maar er zijn nog meer dingen... Nou ja, je kent hem. Beter dan ik waarschijnlijk.'

Hoorde ik iets van sarcasme in haar stem doorschemeren? Mocht dat al zo zijn, ik negeerde het.

'Het komt door de stress van de hoorzitting,' vervolgde ze. 'Het is hem allemaal te veel geworden.'

'Dat kan ik me voorstellen.' Even kreeg ik medelijden met Gwydion, maar ik riep mezelf weer tot de orde. 'Maar ik weet zeker dat hij op The Grange in goede handen is.'

Toevallig had ik een aantal cliënten gehad die na een verblijf daar bij mij terecht waren gekomen. Gwydion was de eerste die de weg andersom bewandelde. 'Het personeel daar is erg ervaren, erg bekwaam.' Ik zweeg weer. 'Ik neem aan dat hij er niet al te lang zal hoeven te blijven.'

'Maar dat is nou net waar ik me zorgen om maak. Misschien is hij er wel niet op tijd uit om tegen Evan te kunnen getuigen.' Ze stopte.

'Op de hoorzitting bedoel je?'

'Ja, en...'

'Het proces?'

Dus daar draaide het allemaal om, bedacht ik. Arianrhods grootste zorg was niet dat haar zoon er slecht aan toe was, of dat zijn opname zijn carrière zou kunnen schaden, maar het feit dat hij misschien niet in staat zou zijn om tegen Evan te getuigen in het op handen zijnde proces. Het viel me ook ineens op dat ze anders was dan bij ons laatste gesprek; ze leek niet meer tegen de rechtszaak op te zien, maar juist van het vooruitzicht te genieten. Misschien school er toch iets van waarheid in wat Evan Morgan over haar had gezegd.

Arianrhod begon weer over haar mouw te wrijven. Ik had echter geen medelijden meer.

'Nou, bedankt dat je me hebt laten weten waar hij is.' Ik wierp een blik op mijn horloge. 'Maar het spijt me, ik moet nu echt aan de slag...'

'Maar je gaat hem dus opzoeken?' Ze deed net alsof ze niet merkte dat ik een eind aan het gesprek probeerde te maken. 'En proberen hem weer op het rechte pad te brengen?'

Het rechte pad. Ik vond het een rare uitdrukking om in dit geval te gebruiken, maar ik zei er niets van.

'Ik zal erover nadenken.' Ik stond op. 'Maar als je het niet erg vindt...'

Nu stond ze wel op om te gaan. We liepen samen naar de deur.

Bij de deur greep ze mijn arm beet. 'Alsjeblieft, ga alsjeblieft naar mijn zoon. Het is onze laatste kans.'

Onze laatste kans. Weer zo'n eigenaardige uitdrukking, dacht ik.

'Tot ziens, Arianrhod.' Ik trok mijn arm voorzichtig los. 'En bel me voortaan eerst even, wil je?'

Ze knikte gehoorzaam, bijna als een klein kind. Maar het viel me op dat ze geen ja zei.

Ik deed de deur open, wachtte tot ze de kamer uit was, en sloot hem toen stevig achter haar. Daarna ging ik weer achter mijn bureau zitten en begon mijn e-mails te lezen.

Ik ging niet meteen die dag bij Gwydion langs. Ik had het druk op mijn werk en thuis. Bob leek tegenwoordig alleen maar weg te zijn. Ik kon het hem niet kwalijk nemen – de spanning tussen ons was hoog opgelopen en het was een opluchting om elkaar niet te hoeven zien – maar het hield wel in dat ik degene was die zich voornamelijk met de meisjes bezighield. Ik had nog een reden om me er niet heen te haasten; ik vroeg me af of het wel zo'n goed idee was om het contact met mijn ex-cliënt te hervatten. Ik wilde zijn misplaatste aanhankelijkheid van mij niet aanmoedigen. Het kon natuurlijk zijn dat dat inmiddels over was, maar dat kon ik niet zeker weten. Tegelijkertijd wilde ik hem echter wel graag verder uithoren over het ongeluk. Hoewel ik Evan wantrouwde, was ik na mijn gesprek met hem ook gaan twijfelen aan Arianrhods verhaal. Ik hoopte dat Gwydion, ondanks zijn toestand, meer licht op de zaak zou kunnen werpen zodat ik een besluit kon nemen over of ik nu wel of niet als getuige wilde optreden.

Toen ik de volgende ochtend naar The Grange reed, regende het. Geen echte regen, meer een landerige motregen, alsof het weer er zelf geen zin in had. Zo'n dag waarop de kou en vochtigheid in je botten sijpelen en je je, wanneer je naar de grijze lucht kijkt, nauwelijks kunt voorstellen dat daar ooit iets van blauw te zien is geweest. Van nature ben ik geen zwaarmoedig type, maar toen ik uitstapte en mijn blik over het lelijke gebouw in mislukte artdecostijl liet glijden, was het moeilijk om niet somber te worden. Op een mooie dag zou het gebouw er misschien imposant of zelfs voornaam hebben uitgezien, maar in de dompige lucht van een natte Welshe ochtend zag het er op zijn best gezegd ontmoedigend uit en op zijn ergst gezegd alarmerend – alsof in dit gebouw pure onvervalste treurigheid tot haar essentie was gedistilleerd, daarmee aan kracht had gewonnen en iedereen die deze troosteloze poort doorging dreigde te verzwelgen.

Toen ik naar de voordeur liep, kwam er net een oudere man naar buiten. Hoewel hij er schoon en netjes uitzag en keurig gekleed was, had hij een wilde blik in zijn ogen. Ik knikte beleefd, in de hoop verder contact te vermijden, maar toen ik langs hem heen liep, legde hij een hand op mijn arm om me tegen te houden.

'Ik ben kapot,' zei hij. 'Ik ben kapot en ik kan niet meer gemaakt worden.'

Waarschijnlijk alzheimer, dacht ik. Omdat ik medelijden met hem had, bleef ik toch even staan.

'Ja.' Hij fronste. 'Ik ben kwijt, weet u. Ik moet mezelf als vermiste persoon aangeven.'

Op dat moment verscheen er een verpleegster in de deuropening. 'Het spijt me,' zei ze, met een zwaar Oost-Europees accent. Ze nam de man mee naar binnen.

Ik volgde hen de hal in, waar op een glanzend geboende wandtafel een witte Chinese vaas stond met een enorm boeket witte lelies erin. Er kwam een zoete, weemakende lucht vanaf die de ziekenhuisgeur van eten en oude pis die door de gang zweefde bijna, maar niet helemaal, maskeerde. De hal was net opnieuw geverfd en behangen in een smaakvolle klassieke stijl, en aan de muren hingen portretten van oude hoogwaardigheidsbekleders in zware vergulde lijsten, die bijna, maar ook weer niet helemaal, het gevoel wisten

te verjagen dat je in een kliniek was, weliswaar een zeer dure privékliniek, maar desalniettemin een kliniek.

Nadat ik naar Gwydion had gevraagd, bracht een verpleegster
me naar zijn kamer. Hij zat bij het raam naar buiten te kijken. Toen
we binnenkwamen, draaide hij zich om en begroette ons met een
stralende glimlach.

'Jessica. Wat fijn dat je er bent.'

De verpleegster wierp me een waarschuwende blik toe en ging
weg.

Ik ging in de stoel tegenover hem zitten. 'Hoe gaat het met je,
Gwydion?'

Hij had een blozend gezicht, alsof hij net had hardgelopen.

'Fantastisch. Ik heb me nog nooit zo goed gevoeld.'

Hij grijnsde naar me. Ik herkende dat soort lach, het was een ma-
nische lach, waarschijnlijk was hij ernstig manisch. Ik vroeg me af
welke medicijnen hij gebruikte.

'Ik ga hier binnenkort weg,' vervolgde hij. 'Ik word hier ontslagen. Omdat ik mezelf heb afgeleerd om die droom nog te dromen.
En ik heb de knopen allemaal dicht.'

Wanneer je een gekkenhuis bezoekt – een psychiatrische inrich-
ting moet ik eigenlijk zeggen – is het vaak net alsof je een andere di-
mensie betreedt. De mensen spreken er een andere taal – niet alleen
de patiënten, ook de artsen. Het rare is echter dat de patiënten wel
zinnige dingen lijken te zeggen, een soort waarheid spreken die je
nooit uit de mond van gezonden van geest zult horen. Zoals de man
die ik buiten was tegengekomen, de man met alzheimer, hij was
duidelijk kapot en kon niet meer gemaakt worden; en op een heel
echte manier was hij ook een vermist persoon. Om met Freud te
spreken, de gestoorde geest uit zich in codes die gekraakt kunnen
worden, soms eenvoudig, soms moeizaam. Gwydion was ook in dit
soort codes gaan praten. Ik zag dat zijn toestand was verslechterd
sinds de laatste keer dat ik hem had gezien en dat hij zijn greep op
de werkelijkheid dreigde te verliezen; maar het was mijn taak om te

luisteren en te proberen te begrijpen wat hij zei, en niet om in te grijpen.

Zijn glimlach verbreedde zich. 'Die gaan echt nooit meer open.'

Ik knikte. Ik voelde me schuldig en vroeg me af of het feit dat ik hem in het motel had afgewezen, had bijgedragen aan zijn instorting.

'Want weet je, soms moesten ze dicht van haar,' vervolgde hij. 'En soms moesten ze open. Ik wist nooit precies wat en wanneer. Ik was zo'n warhoofd.' Hij haalde een hand door zijn haar. 'En daarom was ik bang voor ze. Maar nu niet meer. Kijk maar.'

Hij trok zijn trui iets omhoog. Ik zag dat hij er een blauw katoenen overhemd met knoopjes onder droeg. 'Ik kan ze dragen, aanraken en alles. Dat hebben ze me hier geleerd. Dus nu is alles opgelost en wanneer ik hier weg mag, hoef ik me niet meer druk te maken over de repetities.'

'Dat is fantastisch, Gwydion. Heel goed van je.' Ik wist niet wat ik anders moest zeggen.

'Het probleem is dat ik binnenkort moet getuigen. Over Elsa.' Hij kreeg een verontruste blik. 'Ik moet ze over de droom vertellen.' Hij zweeg even. 'Die kan ik me dan toch wel herinneren?'

Ik knikte vaag. Ik wist niet goed waar hij heen wilde.

'Ik bedoel, zo moeilijk kan dat toch niet zijn. Ze hadden ruzie op de boot, dat weet ik. Ik heb ze gehoord, alle twee.' Gwydion begon op een kindertoontje te praten. 'Ik heb ze gezien. Ze zaten elkaar achter het roer te kussen. Daar werd ik misselijk van, dus ben ik naar beneden gegaan. En later, toen ik weer boven kwam, zag ik ze vechten.' Hij zweeg weer. 'Ik vond het zielig van Elsa. Ze was heel aardig. Ik dacht dat ze er voor mij was. Maar dat was niet zo. Ze was er voor Evan.'

Op deze manier is er geen sprake van dat hij als getuige zal kunnen optreden, dacht ik. Geen sprake van.

'Evan maakte haar mond open. Dat heb ik hem heel vaak zien doen. En toen we op de boot waren, heeft hij haar het water in geduwd. Zo is het toch, Jessica?'

'Dat weet ik niet.' Ik keek Gwydion recht in de ogen. 'Is dat wat je hebt gezien?'

Er viel een lange stilte.

'Ja, zo ging het.' Hij sloeg zijn ogen niet neer. Zijn stem klonk weer volwassen. 'Evan heeft haar overboord geduwd, het water in.'

'Weet je het zeker?'

'Ja.'

Misschien dat hij toch een getuigenverklaring kan afleggen, dacht ik.

We stopten even met praten en ik keek naar buiten. De grote tuin rondom het gebouw was door een slotgracht gescheiden van de velden erachter. Er graasden schapen op de velden en heel in de verte kon je de zee zien. Ik vroeg me af of de slotgracht er was om te voorkomen dat de schapen de tuin in kwamen of om te voorkomen dat de patiënten eruit gingen. Waarschijnlijk allebei, met nadruk op het laatste.

Gwydion verbrak de stilte. 'Je ziet er leuk uit vandaag.' Hij keek me aan alsof hij me voor het eerst zag.

'Dank je.'

Ik droeg een donkerrode wollen jurk met daaronder zwarte leren platte schoenen met een bandje met een gesp. Uit voorzorg had ik mijn jas, met knopen, in de auto laten liggen.

'Misschien kunnen we samen een keertje iets gaan drinken als ik hier weg ben.'

'Ik denk het niet, Gwydion.'

Ik zag dat hij zijn hand onder zijn trui had geschoven en afwezig zijn overhemdknoopjes streelde.

Ik kreeg het gevoel dat het tijd was om weg te gaan. Ik zag dat Gwydion manisch was, misschien zelfs hypomanisch, en ik wist dat mensen die daaraan lijden soms intense, en meestal ongepaste, seksuele driften hebben.

'Kom je me nog een keertje opzoeken?'

'Ik zal mijn best doen.'

Ik schonk hem naar ik hoopte een bemoedigend lachje en stond op.

Meteen veranderde zijn stemming. Hij wendde zich van me af en begon weer uit het raam te staren.

'Pas goed op jezelf, hè?' voegde ik eraan toe. Ik vond het zielig om hem hier in zijn eentje achter te laten, uit het raam starend als een oude man die zijn laatste jaren uitzit in een bejaardenhuis.

Hij reageerde niet. Wat hem betrof, was ik al weg.

Terug in de praktijk ging ik onmiddellijk op de bank liggen en staarde naar het plafond, naar de schaduwen die de bladeren van de boom voor het raam erop wierpen, en probeerde te begrijpen wat Gwydion me precies had verteld. Ik speelde ons gesprek nog een keer in mijn hoofd af en lette vooral op de precieze bewoordingen die hij had gebruikt. Dat is een tip die ik van de maestro en van Lacan heb gekregen: dat de geest met woorden speelt, ze vermengt en door elkaar haalt en zo probeert om de spreker, en de luisteraar, van zich af te schudden; maar ik weet ook dat, als je probeert om het spoor nauwkeurig te volgen, de woorden je soms, met een beetje geluk, naar de waarheid kunnen leiden.

Ik heb mezelf afgeleerd om die droom nog te dromen, had Gwydion tegen me gezegd. Nou, dat was simpel. Hij vertelde me daarmee dat hij die steeds terugkerende droom niet meer had, dat hij daarvan was bevrijd. Gek genoeg had hij het gezegd alsof hij zelf zijn onbewuste had opgedragen om die droom te verjagen en daarin op de een of andere manier, tegen alle verwachtingen in, ook was geslaagd. Hij had iets trots over zich gehad toen hij me dat nieuwtje had verteld, alsof hij een klein kind was dat zich goed van een moeilijke taak had gekweten. En zijn woorden daarna hadden die indruk nog eens bevestigd: *Ik heb de knopen allemaal dicht. Die gaan echt nooit meer open.*

Dat was natuurlijk het kind Gwydion dat sprak, en ook het kind dat vervolgde: *Want weet je, soms moesten ze dicht van haar. En soms*

moesten ze open. Je hoefde geen therapeut te zijn om te kunnen bedenken op wie dat 'haar' sloeg, en ook geen fanatieke freudiaan om
te vermoeden dat dit alles een sterke seksuele connotatie had. Het
was duidelijk dat 'haar' op Arianrhod sloeg, de moeder, die Gwydion, het kind, bang had gemaakt met haar tegenstrijdige eisen
om de knopen op haar bevel open of dicht te doen.

Maar wat was het verband met de droom? Zou het kunnen dat
Gwydion van Arianrhod het bevel had gekregen om 'dicht' of 'open'
te zijn over de droom? Het was een redelijk logische interpretatie.
Als Gwydion die droom als kind had gehad, in de tijd dat Arianrhod
nog steeds probeerde haar huwelijk te redden, en als hij haar erover
had verteld, dan zou het heel goed kunnen dat ze hem had opgedragen om zijn mond te houden. Maar nu werd hem gevraagd om alles
te vertellen, niet alleen aan Arianrhod, maar ook aan een rechter en
een jury, met de bedoeling daarmee zijn vader achter de tralies te
krijgen. Het was duidelijk dat zulke tegenstrijdige belangen tot een
diepe geestelijke kwelling konden leiden bij een jongeman, die nog
steeds erg verknocht was aan zijn moeder en die vijandig tegenover
zijn vader stond.

Ik dacht terug aan mijn eerste sessie met Gwydion. Hij was naar
me toe gekomen met een knopenfobie waarvan hij inmiddels blijkbaar was genezen. Maar wat als die genezing zijn geestesziekte
juist had versterkt? Wat als de knopenfobie zijn verdedigingsmuur
was geweest, zijn poging om een symbolische, bijna bezwerende
bescherming voor zichzelf te creëren, tegen de realiteit van de situatie: namelijk dat hij nog steeds naar de pijpen van zijn moeder
danste, dat zij bepaalde wat er ging gebeuren, dat zij hem vertelde
wanneer hij zijn mond open of dicht mocht doen. En wat als hij
naar haar pijpen bleef dansen vanwege zijn sterke, misschien nog
steeds geseksualiseerde verknochtheid aan haar en de haat die hij
voor zijn vader voelde?

Ik dacht aan de zin die Gwydion had gebruikt om te zeggen dat
Evan Elsa had gekust, de zin van een kind: *Evan maakte haar mond*

open. Dat moest zijn haat voor zijn vader nog verder hebben aange-wakkerd: Evan, de overspelige echtgenoot, mocht openmaken wat hij wilde, terwijl Gwydion, het kleine jongetje, geen enkele contro-le had over de vrouwen van wie hij hield: de au pairs die kwamen en gingen, en zijn timide, neurotische moeder.

Ik ben me er maar al te goed van bewust dat het oedipuscomplex een van Freuds minst populaire theorieën is. Het idee dat een aan-beden kind misschien seksuele gevoelens zou koesteren voor zijn moeder en zijn vader zou willen vermoorden is lastig te verteren. De victorianen waren erdoor geschokt en wij zijn dat meer dan honderd jaar later nog steeds. Het druist in tegen onze primaire er-varing van liefde van en voor ouders; daarbij komen nog al die ver-takkingen over het kleine meisje, het elektracomplex, penisnijd enzovoort, die verre van overtuigend zijn. Maar naar mijn mening is het niet eens erg vergezocht om te opperen dat een jongetje zijn moeder misschien wel voor zichzelf wil houden – per slot van reke-ning is zij zijn eerste bron van voedsel, warmte, zorg en liefde – en dat hij zijn vader misschien niet meteen dood wenst, maar toch graag een tijdje van de radar zou zien verdwijnen. Sofokles was be-slist iets op het spoor toen hij *Oedipus Rex* schreef, en Freud ook toen hij het oedipuscomplex verzon. Daarom hebben die ideeën het ook overleefd: omdat ze ons een verhaal over onszelf vertellen, een verhaal dat we niet willen horen, maar waar we toch naar blij-ven luisteren, ondanks onszelf.

Buiten reed een auto voorbij die een lichtbundel over de schadu-wen op het plafond wierp zodat de bladeren in geheimzinnige, cir-kelvormige patronen bewogen. Hoewel het pas vier uur was, werd het al donker. Het raam rammelde toen de auto langsreed en ik voelde het even tochten. Een gevoel van angst stroomde door me heen, kort, maar krachtig, als bij een dier dat de eerste strenge kou van de winter voelt. Of misschien was het het ongemakkelijke ge-voel dat ik meer te weten dreigde te komen over het gezin Morgan dan ik wilde, meer dan ik had verwacht toen ik Gwydion met zijn knopenfobie als cliënt had aangenomen; en dat ik, nu ik eenmaal op het spoor zat, mezelf zou verplichten het te volgen, waarheen het ook zou leiden.

18

Op donderdagavond, na weer een vermoeiende week, ging ik met Mari de stad in omdat het koopavond was. In het algemeen ben ik niet zo van de shoptherapie. Ik word altijd heel depressief van de aanblik van de winkels in de hoofdstraat, die een eindeloze stroom slecht gemaakte, slecht passende kleding uitbraken, ongetwijfeld in elkaar gezet door hongerige kindertjes uit landen rond de Stille Oceaan. Catrin's Boutique in de Arcade was echter, samen met nog een paar zelfstandige zaakjes in dezelfde buurt, een oase van smaak en gezond verstand. We gingen er vaak naartoe om uitgebreid van alles te passen. Catrin had een paar outfits in mijn maat voor me achtergehouden en voor Mari had ze wat vintage sieraden op zicht. Ik kocht een donkerblauwe capribroek met een rits aan de zijkant en een kort crèmekleurig truitje dat er goed bij paste. Mari kocht een kristallen broche uit de jaren zestig die ze meteen op haar revers spelde, hoewel hij totaal niet geschikt was om overdag te dragen. Daarna gingen we, gewapend met onze buit, wat drinken in het café tegenover de winkel.

We gingen aan een tafeltje achter het beslagen raam zitten dat uitkeek op de straat en zagen de hemel langzaam donkerder kleuren boven de stad. Mari bestelde een rode wijn en ik nam een koffie. De koffie was heet en zoet, en terwijl Mari aan het praten was, nam ik een slok, mijn vingers warmend aan het kopje. Voor het eerst sinds dagen begon ik me wat te ontspannen.

'Nog nieuws over de zaak Morgan?' Mari hield haar hoofd schuin en keek me vragend aan.

'Niet echt.'

Ik had geen zin om het erover te hebben. Zoals ik al eerder heb verteld, is discretie niet een van Mari's sterkste punten. Ik wilde niet dat ze allemaal geruchten over de zaak zou verspreiden en al helemaal niet over mijn aandeel erin, dus hield ik het kort.

'Maar je gaat wel getuigen? Voor je... cliënt?' Aan Mari's toon kon ik horen dat ze dolgraag wilde weten wie die cliënt was, maar ik ging er niet op in.

'Ze willen een verklaring van me, ja.'

'Heb je die al gegeven?'

'Officieel niet, nee. Ik denk er nog over na.'

'O?'

'Er zijn een paar dingen waar ik niet zeker van ben. Details.' Ik wilde niet te veel prijsgeven. Aan de andere kant wist ik ook dat Mari, als ex-vriendin van Evan, een nuttige informatiebron kon zijn. En eerlijk gezegd was ik zelf behoorlijk nieuwsgierig naar Evan geworden sinds ik hem had gesproken.

'Mari.' Ik probeerde niet al te belangstellend te klinken. 'Ben jij eigenlijk weleens met Evan wezen zeilen?'

'Natuurlijk.' Ze zweeg even. 'Volgens mij nam hij al zijn minnaressen wel een keertje mee op zijn boot – een soort *rite de passage*, zou je kunnen zeggen. Het heeft iets heel opwindends om verleid te worden op een boot. Ik denk dat rijke mannen daarom ook altijd een jacht hebben.' Ze lachte even, maar beheerste zich meteen weer toen ze eraan dacht wat er met Elsa Lindberg was gebeurd.

'Ben je vaak met hem mee geweest?'

'Hooguit drie of vier keer. Zoals ik al zei, ik heb niet lang wat met hem gehad. Maar het was wel heel leuk.' Ze slaakte een zucht. 'Nu ik erop terugkijk, was het waarschijnlijk niet al te veilig. We werden vaak erg dronken. Ik herinner me nog een keer dat er een storm opstak. Evan denderde over de boot, hij klooide met de zeilen, was aan het reven, of hoe dat ook heet, en ik moest de helmstok vasthouden.' Ze glimlachte bij de herinnering. 'Ik heb totaal geen verstand van zeilen, maar toch moest ik die grote boot zien te besturen terwijl Evan me allerlei bevelen naar mijn kop slingerde. En in die harde wind verstond ik er natuurlijk niks van. Bovendien was die helmstok zo zwaar dat ik er toch nauwelijks beweging in kon krijgen. Het eindigde ermee dat we bijna kapseisden.' Ze nam een slokje wijn. 'Eigenlijk gekkenwerk.'

'Was je niet bang dan?'

'Nee, niet echt. In die tijd leek alles leuk.' Haar stem had iets droevigs, alsof ze wilde dat die tijd langer had geduurd, misschien wel voor altijd. 'Raar, hoor,' vervolgde ze. 'Ik had niet gedacht dat Evan hiertoe in staat zou zijn... tot verkrachting. Moord.'

'O nee?'

'Helemaal niet. Hij kon soms verschrikkelijk uitvallen. Hij heeft een heel kort lontje. Maar ik heb nooit gezien dat hij iemand iets aandeed. Ik voelde me fysiek nooit door hem bedreigd.' Ze fronste, alsof ze iets probeerde uit te vogelen. 'Je denkt dat je mensen kent. Maar dat is niet echt zo, hè?'

'Ja en nee.'

Het was een zwak antwoord op haar vraag, vooral voor iemand die zogenaamd psychotherapeut is. Maar eerlijk gezegd spreek ik uit ervaring. In de meeste gevallen kun je wel vooruitgang boeken met de mensen die je in je leven zoal tegenkomt – je begint ze te begrijpen, hun vertrouwen te winnen en gaat ook hen vertrouwen. Maar er zit er altijd eentje tussen die onkenbaar blijft, die je overrompelt, die je vertrouwen in de mensheid op losse schroeven zet. Het type dat je simpelweg niet kunt bevatten, wiens innerlijke leven een volkomen raadsel voor je is. Ik ben er niet veel tegengekomen, maar toch wel een paar. En het zou zomaar kunnen dat Evan Morgan ook tot die categorie behoorde.

We hielden op over Evan, en Mari begon over de komende Bassey-film. Ze moest nog een keer terugkomen voor de rol van Basseys moeder, Eliza Jane, volgens de verhalen een buitengewone vrouw. Normaal gesproken zou ik gefascineerd zijn door alles wat Mari te vertellen had, maar terwijl ze aan het kletsen was, merkte ik dat ik me niet kon concentreren. Bovendien had ik, met mijn volle agenda aan cliënten, voor vandaag genoeg bizarre persoonlijkheden en afwijkend menselijk gedrag gezien, hoe amusant soms ook. Dus na een tijdje beleefd te hebben geluisterd, verontschuldigde ik me, gaf Mari een kus op haar wang en vertrok.

Het was een mooie heldere avond, met een volle maan en een hemel vol sterren die schitterden als diamanten op fluweel in de etalage van een juwelier. Op weg naar huis reed ik langzaam, genietend van het mysterieuze licht en blij dat ik even geen gebabbel meer hoefde aan te horen. Toen ik de hoofdweg op reed, de stad uit, begon ik na te denken over wat Mari had gezegd. Iets in haar verhaal had me raar in de oren geklonken, maar pas nu wist ik wat het precies was. Ze had gezegd dat ze de boot had bestuurd met een helmstok. Gwydion had echter gezegd dat hij Evan en Elsa achter het roer had zien zitten. Het was hetzelfde jacht, dat had ik al vastgesteld, dus een van beiden moest zich vergissen in het stuurmechanisme van de boot. Ik vroeg me af wie.

Ik dacht terug aan mijn gesprek met Evan. Hij had door het caféraam zijn jacht aangewezen. Ik vroeg me af: had het een roer of een helmstok gehad? Ik kon het me werkelijk niet herinneren. Ik wist zelfs niet of ik het van die afstand wel had kunnen zien.

Ik wierp een blik op het dashboardklokje. Bijna acht uur. Het was donker, dus ik zou snel even naar de jachthaven kunnen rijden, daar stiekem naar het jacht kijken en dan weer verder rijden, zonder dat iemand het zou merken. Natuurlijk zou het kunnen dat Evan aan boord was, maar als ik in mijn auto langsreed, zou hij dat nooit merken.

Het was stil in de jachthaven toen ik er aankwam. Het is er nooit erg druk, maar die avond was het er uitgestorven. Ik reed langs het café en keek ongerust naar binnen, half verwachtend dat Evan achter het raam zou zitten en me recht zou aankijken, maar ik kon alleen maar zien dat de lampen brandden en dat er een paar mensen binnen waren. Toen zag ik dat het grootste gedeelte van de kade, waar het jacht lag aangemeerd, niet voor verkeer toegankelijk was. Het was me niet eerder opgevallen dat er een rijtje paaltjes stond. Ik zou de auto in de buurt moeten parkeren en dan het korte stukje naar de kade moeten lopen.

Ik parkeerde mijn auto op een verlaten plek bij de haven, doofde de lampen en stapte uit, zo stil en onopvallend mogelijk. Ik rilde toen de kille avondlucht tegen mijn borstkas sloeg en probeerde mijn jack dicht te ritsen, maar mijn handen trilden, dus trok ik het alleen maar stevig om me heen.

Het was een windstille avond, en je hoorde alleen het zachte getik van de masten. Ik liep over de uitgestorven kade tot ik bij Evans jacht was, dat nog steeds op zijn vaste plek lag aangemeerd. Ik keek ernaar. Het was meteen duidelijk dat het geen roer aan de achterkant had, wat de grotere, moderne jachten wel hadden. Wel zag ik een lange, elegante houten helmstok.

Ik slaakte een zucht van opluchting en tevredenheid. Meer hoefde ik niet te weten. Net toen ik me wilde omdraaien, ging er een lamp aan en kwam Evan de kajuit uit.

'Dr. Mayhew. Wat doet u hier?'

Verdomme, dacht ik. Ik kon niets verzinnen. Dus deed ik wat ik meestal in dat soort situaties doe, ik vertelde de waarheid.

'Sorry dat ik u lastigval, Mr. Morgan.' Ik vroeg me af of dat niet belachelijk begon te klinken, of ik niet gewoon Evan moest zeggen. 'Ik wilde iets checken op uw boot, meer niet. Voor mijn verklaring. Voor de politie.'

Even leek hij te schrikken. Toen herstelde hij zich.

'Nou, dan zou ik maar even aan boord komen als ik u was, dan kunt u rondkijken.' Hij deed een stap naar voren en stak zijn hand naar me uit zodat ik op de boot kon springen.

Ik neem aan dat het uit nieuwsgierigheid was dat ik zijn hand pakte, op de stuurhut sprong en hem de kajuit in volgde. Ik wilde de kajuit vanbinnen zien, zelf in de doos zijn uit de droom waarover Gwydion me had verteld. Het zelf ervaren. Ik wilde weten of Gwydion me de waarheid had verteld; niet dat ik dacht dat hij me had voorgelogen, maar ik weet maar al te goed dat ons geheugen, onze hersens in het algemeen, rare dingen met ons uithalen. En ik had al vastgesteld dat hij fout zat wat betreft het roer; Evans jacht had geen roer. Wat had hij zich nog meer verkeerd herinnerd? Misschien zou de binnenkant van de kajuit me meer kunnen vertellen.

'Ik kwam toevallig langs,' zei ik, terwijl ik achter hem aan liep. 'Ik kan niet lang blijven.'

'Wilt u iets drinken?' vroeg hij, mijn opmerking negerend.

Ik keek om me heen. De kajuit was netjes opgeruimd en het hout glansde. Aan één kant stond een in het houtwerk ingebouwd tafeltje, met een stoel ervoor. Aan de andere kant een aanrechtblok en daarachter, in de voorsteven, bevond zich het bed, genesteld in de V-vorm van de boot.

'Als u ook iets neemt.'

'Nee. Ik heb u toch verteld dat ik niet meer drink?' Hij wees naar het glas mineraalwater dat op tafel stond, naast een laptop en een stapel papieren.

Hij liep naar het aanrecht, pakte een fles whisky uit een van de kastjes, een glas uit een ander en schonk me wat in.

'Zonder ijs toch?' Hij kwam me het drankje brengen. Ik zag dat zijn hand een beetje trilde.

Ik nam een grote slok, en toen nog een. De alcohol steeg me onmiddellijk naar het hoofd.

'Wat wilde u precies checken?'

'O, niks bijzonders.' Hoewel de whisky in mijn keel brandde, gaf hij me ook moed. 'Ik vroeg me alleen af... heeft die helmstok er altijd gezeten?'

'De helmstok?' Omdat de kajuit klein was, stonden we vlak bij elkaar. Ik moest hem wel aankijken. 'Natuurlijk.'

'U hebt die nooit vervangen?'

'Hoe bedoelt u?' Hij keek mij ook recht in de ogen.

Ik rook zijn geur. De feromonen. Ik vroeg me af of die genetisch bepaald waren.

'Ik bedoel... ' Het was alsof ik niet meer wist wat ik had willen zeggen. 'Zat er eerst geen roer?'

'Een roer?' Hij fronste zijn voorhoofd en leek oprecht verbaasd. 'Waarom zou er een roer moeten zitten?'

Schouderophalend wendde ik mijn blik af. 'Dat vroeg ik me gewoon af, meer niet.'

Er viel een ongemakkelijke stilte. Hij liep naar tafel, ging zitten en gebaarde me naar hem toe te komen.

Ik ging tegenover hem zitten. Ik probeerde te voorkomen dat onze benen elkaar raakten, maar dat was lastig, omdat er zo weinig ruimte onder tafel was.

'Het is vast ongemakkelijk voor u. Dat Bob mijn verdediging voert en zo.'

'Valt wel mee,' loog ik. 'We hebben het bijna nooit over ons werk.' Of over wat dan ook op dit moment, had ik eraan toe kunnen voegen, maar dat deed ik niet.

Hij merkte dat ik van onderwerp wilde veranderen en kwam me tegemoet. 'Weet u nog dat we het de laatste keer over Ernest Jones hadden?'

Ik knikte.

'Nou, na ons gesprekje was ik heel benieuwd. Door u wilde ik er meer vanaf weten. Moet u eens zien.'

Hij schoof zijn laptop naar me toe. Ik draaide mijn benen een beetje onhandig naar één kant en keek naar het scherm. Ik zag een sepiafoto van een jonge vrouw met lichtbruine ogen en volle lippen, die naast een boom stond. Ze droeg een of ander los wit gewaad, en haar lange, donkere haar hing in een slordige vlecht over haar schouder, vastgebonden met een lint. Ik vroeg me af wie ze was.

'Morfydd Owen,' zei Evan, alsof hij mijn gedachten had gelezen. 'De eerste vrouw van Ernest Jones. Ze zijn maar een jaar getrouwd geweest. Ze is op tragisch jonge leeftijd gestorven.'

'Ze is heel mooi,' zei ik.

'Ze was een van de weinige vrouwelijke componisten van haar tijd,' ging hij verder. 'En ook zangeres. Echt getalenteerd.'

Hij drukte de foto weg en liet een andere zien, van een man met bruine ogen, met een keurige scheiding en een grote snor, die een stijve witte kraag droeg met een gestippelde das.

'Dat is hem. Ernest Jones. De steun en toeverlaat van Freud.'

De man had een heldere blik en, onder zijn snor, een kleine mond met vochtig glanzende lippen. Hoewel hij er niet slecht uitzag, had hij iets vreemd onaantrekkelijks.

Evan keek op van zijn laptop. 'Weet u, hoe meer ik over hem te weten kom, hoe fascinerender ik hem vind.'

Ik knikte, denkend aan wat hij tijdens onze vorige ontmoeting had gezegd.

'Denkt u er nog steeds serieus over om een film over zijn leven te maken?'

'Ik weet het niet. Ik heb nog geen goede invalshoek. Maar het is beslist een mogelijkheid. Het zal in elk geval geen probleem zijn om de financiering rond te krijgen...'

Zijn enthousiasme werkte aanstekelijk. Ik dacht even aan Bobs bewondering voor hem en vroeg me af of hij misschien toch geen gelijk had. Maar toen dacht ik aan de manier waarop hij zijn vrouw had behandeld en voelde ik de maar al te bekende boosheid weer in me opwellen.

'Ik bedoel, zodra deze toestand achter de rug is,' ging hij verder. Hij slikte nerveus, pakte zijn glas en nam een slok. Toen hij het glas weer neerzette, zag ik dat zijn hand nog steeds trilde.

Maar boos op wie, vroeg ik mezelf af, terwijl ik weer wat begon te kalmeren. Was ik boos omwille van Arianrhod, of projecteerde ik mijn boosheid op Bob op Evan?

'Natuurlijk heb ik op het ogenblik van alles aan mijn hoofd,' zei Evan, terwijl hij de foto wegdrukte en de laptop dichtklapte.

Hoewel dat een goed moment zou zijn geweest om hem te vragen naar Bobs rol met betrekking tot zijn verdediging, zei ik niets. Ik hoopte nog steeds dat Bob zou besluiten om zich, uit respect voor mij, terug te trekken uit de zaak en dat we de kans zouden krijgen om de dingen samen uit te praten, zonder bemoeienis van buitenaf.

'Ik zou eigenlijk heel goed iemand kunnen gebruiken die dit allemaal voor mij kan uitzoeken,' ging hij verder. 'Die het idee verder uitwerkt. Iemand die beschikt over specialistische kennis op dit vakgebied.' Hij aarzelde. 'Zou u daar niets voor voelen?'

Hij overviel me. 'Ik? Nee. Nee. Research voor een film doen? Zoiets heb ik nog nooit gedaan. Bovendien heb ik een drukke praktijk. Ik zou er niet eens tijd voor hebben...'

Hoewel ik hem alle redenen opsomde waardoor ik het niet zou kunnen, was ik me er zelfs onder het praten al van bewust dat ik me gevleid voelde door zijn vraag. En ik raakte ook opgewonden bij het idee van zo'n onverwacht, zij het onrealistisch, vooruitzicht.

'Ik zou u er natuurlijk goed voor betalen. Genoeg om een sabbatical te nemen.' Hij zweeg even. 'U zou ervoor moeten reizen. Naar de plaatsen die Jones tijdens zijn leven heeft bezocht. Toronto. Wenen. New York. Parijs. Londen. En het westen van Wales natuurlijk.'

Ik reageerde niet, hoewel er een scheut van opwinding door me heen ging.

'Nee, het lijkt me van niet.' Ik wendde mijn blik af.

'Denk er in elk geval even over na.' Hij boog zich naar me toe. 'Ik zou graag met u samenwerken. U bent slim. En...'

Hij maakte de zin niet af. Ik had het erbij moeten laten, maar iets weerhield me daarvan. Ik wilde weten wat hij had willen zeggen. Ik wilde me gevleid voelen.

'En wat?'

'Nou ja, u beschikt over beide, toch – hersens en schoonheid.' Na een korte stilte voegde hij eraan toe: 'U zou alles kunnen doen wat u maar wilt.'

Ik nam nog een slokje whisky. Ik moest erkennen dat ik geïntrigeerd was door zijn voorstel. En ook door het onmiskenbare feit dat hij zich tot me aangetrokken voelde. Wat zijn fouten ook waren, het viel niet te ontkennen dat hij een dynamische persoonlijkheid was die totaal opging in zijn werk en daar ook boeiend over kon vertellen. Dat had ik nog niet eerder ingecalculeerd. En anders dan mijn relatie met zijn zoon was die van ons er een tussen twee volwassenen, twee gelijken. Ik vroeg me af hoe het zou zijn om met hem samen te werken. Wie weet wat er in de toekomst tussen ons zou kunnen gebeuren, mocht worden bewezen dat hij onschuldig was aan moord, wat ik langzamerhand begon te vermoeden... Maar toch, met zijn reputatie...

Ik riep mezelf tot de orde. De aantrekkingskracht die ik bij hem voelde had iets destructiefs, dat wist ik best. Het was een aanvechting om Bobs vertrouwen te beschamen, hem te verraden, net zoals hij mij had verraden. En dan ook nog eens met Evan Morgan, een man die hij graag mocht en bewonderde. Wat het ook was dat me dreef, het was net zoiets als over de rand van een klif kijken en het gevoel krijgen dat je zou willen springen.

'Ik moet echt weer eens naar huis,' zei ik, met een blik op mijn horloge.

'Hoor eens,' zei hij, mijn poging om weg te gaan negerend. 'Wilt u niet een keertje met me gaan lunchen? Ergens waar het rustig is, zodat we het er nog wat uitgebreider over kunnen hebben.'

Weer overwoog ik even om Bob ter sprake te brengen, en de hoorzitting en zijn verdediging, maar ik wist niet goed hoe ik dat moest brengen.

'Ik weet het niet. Ik bel u nog wel.' Ik stond op, pakte mijn tas en begon mijn jack dicht te ritsen.

Hij stond ook op en keek me aan, terwijl hij bij me kwam staan.

'Dit verandert niets aan de zaak, hoor,' zei ik, terwijl ik me omdraaide om weg te gaan. 'Ik denk er nog steeds over om die verklaring af te leggen.'

'Natuurlijk.' Er gleed een bezorgde blik over zijn gezicht. Hij leek heel even te overwegen om nog iets te zeggen, maar bedacht zich toen.

'Tot ziens. Ik hoop dat we elkaar gauw weerzien.'

'Tot ziens.'

Ik liep naar buiten. Het laatste wat ik van hem zag, was dat hij in de kajuit stond, onder de lamp, en dat hij me nakeek.

Ik liep snel over de kade terug naar mijn auto. De enige geluiden die ik hoorde, waren het zachte gekabbel van het water en het getinkel van de masten. Toen ik bij mijn auto was, verdween de maan net achter een wolk. Rillend stak ik mijn sleuteltje in het slot en opende het portier. En toen hoorde ik een stem achter me.

'Geen beweging.'

Twee armen werden van achteren om mijn lichaam geslagen zodat ik me niet meer kon bewegen. Toen ik naar beneden keek, zag ik een hand met daarin een pistool waarvan de loop naar mijn kin wees.

Even dacht ik dat ik zou flauwvallen. Toen draaide mijn maag zich om en leken al mijn ingewanden zich samen te trekken, alsof iemand erin kneep en toen meteen weer losliet, als een soort pijnlijke kramp.

'Instappen.' Het was een mannenstem, laag en schraperig.

Ik deed wat me werd opgedragen. Rustig blijven, hield ik mezelf voor, terwijl ik het portier verder opentrok en achter het stuur ging zitten. Ik spande mijn hele lichaam, mezelf dwingend om alles op te houden. Om de een of andere reden boezemde controleverlies over mijn darmen me op dat moment meer angst in dan het feit dat ik door een onbekende man werd ontvoerd.

De man sloeg het portier dicht en liep naar de andere kant van de auto. Ik had nog steeds geen flauw idee wie hij was. Ik kon alleen zijn bovenlichaam door de voorruit zien. Ik pakte mijn sleuteltje, me ervan bewust dat ik het, als ik snel was, in het contact zou kunnen steken en wegrijden voordat de man de kans had om in te stappen. Mijn vingers leken echter veranderd in gelei en ik liet het sleuteltje in mijn schoot vallen.

Het portier werd opengetrokken en de man stapte in. Toen hij zich iets bukte om in te kunnen stappen, besefte ik met een schok wie het was: Emyr Griffiths.

'Kutwijf,' zei hij. Hij greep mijn revers stevig beet en trok mijn jack omhoog tot aan mijn kin, zodat mijn haar er bijna werd uitgerukt. 'Nu ben je zeker wel bang, hè?'

Ik knikte verwoed, terwijl ik mijn billen samenkneep. Hoewel ik zat te beven van angst, was ik vastbesloten om niet te reageren op de buikkrampen.

'Mooi zo.' Hij lachte en liet me toen los. Daarna duwde hij me hard tegen het stuur zodat het in mijn ribben prikte.

'Rijden,' zei hij.

Op de een of andere manier lukte het me om het sleuteltje in het contact te doen, de lichten aan te doen en de auto te starten. Ik durfde hem niet aan te kijken, maar toen ik in de achteruitkijkspiegel keek om achteruit te kunnen rijden, zag ik dat zijn haar er onverzorgd uitzag en dat hij zich niet had geschoren. Hij wasemde een geur van oud zweet uit, en ik rook dat hij gedronken had.

Terwijl we uit de haven wegreden, langs het café, vroeg ik me af of ik niet op de een of andere manier zou kunnen stoppen, alarm slaan, hulp inroepen. Ik wist dat Evan Morgan nog op zijn boot was. Kon ik het raampje maar naar beneden draaien, hem roepen. Maar Emyr hield het wapen op zijn schoot. Het was groot en zwart, met een of ander kijkapparaat eraan vast, zo'n ding dat bij de jacht wordt gebruikt. Omdat Emyr een echte buitenjongen was, een padvinderstype, ging ik ervan uit dat hij ook wist hoe hij zo'n wapen moest gebruiken.

Zwijgend reden we over de straat die van de jachthaven weg leidde. Op een gegeven moment zei hij dat ik rechts af moest slaan, een smal doodlopend straatje in. Langs het hobbelige asfaltweggetje waar we overheen reden, stonden de straatlantaarns steeds verder uit elkaar totdat er uiteindelijk geen enkele meer stond. Aan het eind van het weggetje lag een rijtje garages, omringd door een kaal veldje waar alleen wat struiken stonden.

'Uitstappen,' zei hij. 'En geen rare dingen doen.'

Ik keek naar mijn tas die aan zijn voeten op de grond lag. Mijn mobieltje zat erin. Ik wou dat ik het in mijn zak had gehouden.

Ik deed wat hij wilde en deed de motor en lichten uit. Het sleuteltje liet ik echter in het contact zitten. Hij merkte het niet.

Hij stapte uit, kwam naar mijn kant en trok me ruw uit de auto. Hij zette de loop van het pistool onder in mijn rug en dwong me naar een van de garages te lopen. Ik verzette me niet. Met één hand pakte hij een sleutelbos uit zijn zak, en hij deed de metalen deur van slot. Hij trok de deur omhoog, duwde me naar binnen en trok hem weer naar beneden. De deur viel kletterend dicht.

Binnen deed hij een lamp aan en ik zag dat we ons in een krappe ruimte bevonden die vol stond met allerlei muziekapparatuur – versterkers, keyboard- en microfoonstandaards die bijeen werden gehouden met duct tape. In een van de hoeken stond een mengpaneel, met twee grote geluidsboxen erboven en een massa snoeren aan de achterkant. Het stonk er naar schimmel.

'Wil je de track horen die ik met Nella heb opgenomen?' vroeg hij, terwijl hij naar het mengpaneel liep. Hij had nog steeds het pistool in zijn hand, hoewel hij het niet meer op mij gericht hield.

'Ja, natuurlijk.' Hoewel ik ertegen opzag om haar stem in deze kille, claustrofobisch kleine ruimte te moeten horen, was ik te bang om te protesteren.

Hij zette het mengpaneel en een computerscherm aan, speelde met een paar knoppen, en toen hoorde ik haar stem uit de boxen komen, luid en duidelijk.

'Zet alsjeblieft uit.' Hoewel ik dat niet had willen zeggen, kon ik me niet beheersen.

Emyr kwam naar me toe. Zijn voorhoofd glansde van het zweet.

'Snap je nou wat je hebt gedaan?' Hij stond vlak voor me en ademde me in mijn gezicht. Zijn adem rook zuur, bitter. 'Je hebt mijn leven verknald. Door jou ben ik mijn baan kwijt. Dit...' Hij zwaaide met het pistool naar het mengpaneel. 'Dit was mijn laatste hoop...'

'Het spijt me, Emyr.' Ik probeerde te voorkomen dat mijn stem trilde. 'Dat was niet de bedoeling...'

'O jawel.' Hij begon te schreeuwen. 'Jazz Quest zou mijn grote doorbraak zijn. Nella's grote doorbraak. Je hebt haar tegen me opgezet...'

'Je moet snappen dat ik niets tegen je persoonlijk heb.' Het verbaasde me hoe kalm ik klonk. 'Maar ik moest mijn dochter beschermen. Als haar moeder ben ik verantwoordelijk voor haar veiligheid en –'

'Hou je mond!' schreeuwde hij, maar ik wist dat ik een gevoelige snaar had geraakt. 'Bij mij was ze veilig. Helemaal veilig. Ik was als een vader voor haar...'

Deze keer zei ik niets. Ik keek hem alleen maar aan.

'Kijk niet zo naar me!' gilde hij. Hij richtte het wapen op mijn hoofd. Ik dwong mezelf om mijn blik niet af te wenden, om rustig voor me uit te blijven kijken.

Vanuit mijn ooghoeken zag ik dat hij het wapen liet zakken. En toen richtte hij het, tot mijn grote ontzetting, op zichzelf.

Het pistool ging af en ik maakte een sprongetje van schrik. Ik voelde iets warms en nats uit mijn lichaam stromen. En toen, niets. Geen bloed. Geen kreten van pijn. Niets. Emyr had op zichzelf geschoten en er was niets gebeurd.

Ik liep naar hem toe, pakte voorzichtig het wapen uit zijn hand en sloeg een arm om zijn schouders.

'Het is al goed, Emyr. Het is voorbij...'

Hij begon te huilen, hij beefde van het snikken terwijl zijn lichaam slap tegen me aan viel. Ik keek naar het wapen en draaide het om in mijn hand. Aan de zijkant stond in kleine lettertjes gedrukt: *Excel X83 .68-Caliber Paintball Pistol.* Aangezien hij van korte afstand op zichzelf had geschoten en er geen rode plek op zijn hals zat, begreep ik dat hij het niet eens met inkt had geladen.

Ik slaakte een zucht van verlichting, die eruit kwam als een kreun. Ik stopte het pistool in mijn jaszak.

'Blijf hier,' zei ik. 'Ik ga hulp halen.'

Ik draaide me om, trok de garagedeur omhoog en liep naar mijn auto. Ik opende het portier, pakte mijn tas van de vloer, haalde mijn mobieltje eruit en drukte een nummer in dat op mijn contactenlijst stond.

'Hallo? Barbara? Met mij, Jessica Mayhew. Sorry dat ik je lastigval, maar ik heb een noodgeval.' In mijn broek voelde ik de vloeistof langs mijn benen glijden, maar ik besteedde er geen aandacht aan. Dat kwam allemaal later wel, als ik thuis was.

'Een ex-cliënt van me,' vervolgde ik. 'Het gaat niet zo goed met hem. Zou je iemand hiernaartoe kunnen sturen? Ja, politie en maatschappelijk werk. Zo snel mogelijk.'

19

De dag erna en ook het weekend probeerde ik het zo rustig mogelijk aan te doen, maar toch kon ik me nauwelijks concentreren toen ik weer op mijn praktijk was. Hoewel ik de naschokken van mijn confrontatie met Emyr Griffiths nog steeds voelde, was ik blij dat het zich allemaal had opgelost.

Hij was meteen opgenomen in een psychiatrische instelling en was nu veilig weggestopt in Whitchurch Hospital, onder de vakkundige hoede van mijn collega Barbara Brown. Ik had besloten om geen aangifte te doen. Ik had Bob en Nella in het kort verteld wat er was gebeurd, zonder al te zeer in details te treden, maar ik had het niet nodig gevonden om hun te vertellen wat voor traumatische ervaring het voor mij was geweest. Ik was nog steeds kwaad op Bob en te trots om hem toe te laten tot mijn gevoelsleven; en Nella had haar lesje al geleerd, vond ik. Ik hoopte dat Emyr zijn leven uiteindelijk weer op de rails zou krijgen en was er redelijk zeker van dat hij ons in de toekomst niet meer zou lastigvallen. Nee, Emyr was niet het probleem, wat me dwarszat was nog steeds vraag of ik wel of niet voor Gwydion zou getuigen op de hoorzitting die voorlopig stond vastgesteld voor over nog geen maand.

Het ergste was dat ik geen tijd had om na te denken. De gebruikelijke cliëntenstroom kwam langs op de praktijk, samen met wat nieuwkomers, ieder van hen met zijn eigen verhaal en zijn eigen ingewikkelde verzameling emotionele eisen. Ik was echter niet in staat om hun mijn volle aandacht te schenken. Tot mijn schande moet ik bekennen dat ik gewoon passief naar hen zat te kijken en wou dat ze allemaal oprotten en mij met rust lieten.

Tegen het einde van de dag was ik echt aan het eind van mijn Latijn. Ik merkte dat ik geen enkel geduld had met Harriets door angst ingegeven geklaag over dat het haar niet lukte om haar dieet vol te houden, hoewel ik nog maar heel kort geleden zo blij was geweest dat ze eindelijk haar gewichtsprobleem had durven aansnijden tijdens de sessie. Ik had zin om tegen haar te zeggen dat ze zich gewoon maar eens moest leren beheersen, niet zo'n slapjanus moest zijn en dat ze van mij geen medelijden moest verwachten. Bryns woedende tirades tegen me maakten me kwaad: ik wilde schreeuwen dat hij maar eens volwassen moest worden en ophouden zijn moeder – en mij – de schuld te geven van zijn eigen mislukkingen en eindelijk eens wat nuttigs gaan doen. Ook de niet-aflatende ellende van Maria de huisvrouw liet me koud; toen ze stilletjes begon te snikken, voelde ik geen enkel medelijden met haar, ik dacht alleen maar aan haar kinderen die met zo'n nutteloze moeder zaten opgescheept. En toen Frank over zijn seksverslaving begon te klagen terwijl hij naar mijn borsten staarde, moest ik al mijn zelfbeheersing aanwenden om hem niet bij zijn jasje te pakken en hem de kamer uit te bonjouren.

Nadat Frank was vertrokken, deed ik de deur achter hem dicht, ging weer in mijn stoel zitten, leunde achterover, strekte mijn armen, bewoog mijn zere schouders en slaakte een zucht van verlichting. Eindelijk een moment voor mezelf. Ik keek naar buiten waar de laatste gele bladeren van de boom naar beneden dwarrelden en merkte dat ik eindelijk weer kon denken.

De vraag die me vooral bezighield, was of Gwydion tegen me had gelogen, misschien onbewust, over wat hij al die jaren geleden op het zeiljacht had meegemaakt. Hij had beschreven hoe hij Evan en Elsa samen achter het roer had zien zitten – een roer dat er niet was. De boot werd bestuurd met een helmstok, niet met een roer – dat had ik met eigen ogen gezien. Het was slechts een klein detail, en op zich onbetekenend, maar het was genoeg om me aan het twijfelen te brengen over de accuraatheid van zijn verhaal. Gwydion had me over een herinnering verteld, klaarblijkelijk te goeder trouw, maar het kon zijn dat hij zich vergiste. Het lot van Evan hing niet alleen van mijn getuigenis af – er zouden natuurlijk nog genoeg anderen getuigen, zoals Gwydion, Arianrhod en Solveig – maar aangezien ik een bijrol in het geheel vervulde, was het belangrijk om honderd procent zeker te zijn van de feiten voordat ik erin zou toestemmen om een getuigenverklaring af te leggen. Als Evan onschuldig was, wilde ik mijn stem niet toevoegen aan die van degenen die wilden dat hij zou worden veroordeeld wegens moord; en ik wilde mezelf ook niet voor schut zetten en mijn reputatie schaden.

Ik stond op, liep naar de boekenkast achter in de kamer, pakte een ordner en bladerde hem door tot ik had gevonden wat ik zocht. Het was een artikel getiteld 'De vorming van valse herinneringen', geschreven door de Amerikaanse psycholoog Elizabeth Loftus. Ik begon te bladeren.

Plots herinnerde ik het me weer. Dit was haar controversiële *'shopping mall'*-onderzoek over hoe je mensen valse herinneringen kon aanpraten. Ze beweerde dat in veel gevallen onze herinnering aan een gebeurtenis niet betrouwbaar is, maar is vervormd door wat er daarvoor en daarna is gebeurd. Om dat te bewijzen, bedacht ze een experiment waarin proefpersonen herhaaldelijk door familieleden werd verteld dat ze als klein kind verdwaald waren geraakt in een winkelcentrum, hoewel dat in het echt niet was gebeurd. De proefpersonen verklaarden naderhand dat ze zich deze gebeurtenis duidelijk herinnerden, ze kwamen zelfs met details over de plek op de proppen, over degene die hen had gered enzovoort.

Ik las verder, gefascineerd door haar beschrijving van de knip-en-plaktechniek van onze hersens; snippers van werkelijke gebeurtenissen worden gebruikt om een keurige betekenisvolle herinnering te scheppen aan een gebeurtenis die grotendeels fictief is, maar die de proefpersoon met absolute zekerheid voor waar houdt.

> Het is mogelijk om mensen zover te krijgen dat ze zich hun verleden op verschillende manieren herinneren, en het is ook mogelijk om hen zover te krijgen dat ze zich gehele gebeurtenissen herinneren die nooit hebben plaatsgehad. Wanneer dit soort vervormingen voorkomen, zijn mensen soms overtuigd van hun vervormde of valse herinneringen en zullen ze hun pseudoherinneringen tot in de kleinste details beschrijven. Deze bevindingen werpen licht op gevallen waarbij mensen hardnekkig vasthouden aan hun valse herinneringen. De bevindingen verschaffen ons echter niet de mogelijkheid om op betrouwbare grond onderscheid te kunnen maken tussen echte en valse herinneringen, want zonder onafhankelijke bekrachtiging hiervan is het over het algemeen niet mogelijk om een dergelijk onderscheid te maken.

Ik overdacht hoe dit alles op Gwydion van toepassing was. Het was duidelijk dat zijn hervonden herinnering, op gang gebracht door zijn terugkerende droom, vals kon zijn, zelfs als hijzelf dacht dat ze waar was. Hij had ongetwijfeld details van echte tochtjes op echte boten kunnen gebruiken om die, totaal onbewust, te knippen en plakken tot deze specifieke jeugdherinnering van een zeiltochtje met Evan en Elsa. Die verklaring leek te stroken met mijn ervaring met hem; ik had het gevoel gehad dat hij me de waarheid vertelde over wat hij zich herinnerde, zelfs al leed hij daar hevig onder. Maar als hij zich vergiste, als het om een valse herinnering ging, dan bleef de vraag: wie had hem die herinnering aangepraat? En waarom?

In gedachten ging ik terug naar mijn laatste ontmoeting met Gwydion. Wat had hij ook alweer gezegd over de knopen? *Soms moesten ze dicht van haar. En soms moesten ze open.* Toentertijd had ik het typisch oedipaal gevonden, als iets wat duidelijk te maken had met zijn verstoorde relatie met zijn moeder, Arianrhod.

Stel dat het Arianrhod was die Gwydion de herinnering had aangepraat? Die hem niet alleen had opgedragen om tegen me te liegen, maar hem een tijdlang – misschien wel vanaf zijn vroege jeugd – herhaaldelijk en consistent had voorgehouden dat het zo was gegaan, net zo lang tot hij er zelf in was gaan geloven. Die hem had verteld dat hij samen met zijn vader en Elsa was gaan zeilen, dat hij toen getuige was geweest van het ongeluk, of van de moord, die het gevolg was van een van de dronken woede-uitbarstingen van zijn vader. Om misschien daarna tegen hem te zeggen dat het een geheim was. *Soms moesten ze dicht van haar.* Alleen was dat nu niet meer het geval. Ze wilde nu dat hij op de rechtbank alles vertelde. *En soms moesten ze open van haar.*

Ik las het artikel uit, sloot de ordner en zette hem terug in de kast. Toen ik mijn arm omhoog deed, werd ik even duizelig, alsof ik zou flauwvallen. Ik leunde een paar seconden tegen de boekenkast, met gesloten ogen wachtend tot het gevoel zou verdwijnen. Ik maakte me niet echt zorgen. Na een lange dag vol cliënten, de een na de ander, voel ik me wel vaker een beetje licht in het hoofd, alsof ik te hard en te ver heb gelopen, of alsof ik te snel een paar glazen wijn heb gedronken. Het kwam simpelweg door de inspanning die het me kostte om me de hele dag te moeten concentreren, opgesloten in deze kamer, met de ene cliënt na de andere, een niet-aflatende stroom 'neuroses', zoals Freud ze noemde. Hij maakte altijd bergwandelingen in de Alpen om er even tussenuit te zijn. Die optie heb ik niet, want ik ben geen victoriaanse pater familias. Ik wist dat de meisjes thuis zaten en van me verwachtten dat ik wat te eten maakte, dat ik hun huiswerk nakeek, dat ik hen naar ballet of naar muziek zou brengen, of wat er die avond ook maar op het programma stond; of gewoon simpelweg dat ik er was, bij hen op de bank zat, met een kop thee en de krant, terwijl zij tv-keken.

Ik liep naar de kapstok, pakte mijn jasje en keek in de spiegel. Ik had alweer donkere wallen onder mijn ogen. Mijn gezicht was een beetje rood, mijn wangen vlekkerig. En mijn haar had ook weleens beter gezeten. Wanneer ik moe ben, heeft mijn haar de gewoonte om zo te gaan zitten dat het er slordig uitziet, met overal plukken, en het proberen glad te strijken heeft dan geen enkele zin. Maar hoewel ik er moe en lichtelijk slonzig uitzag, had mijn gezicht die dag vreemd genoeg ook iets ongewoons, vond ik, in mijn ogen speelde een glinstering van nieuwsgierigheid, van levendigheid. Misschien voelde ik me vanwege Evans belangstelling voor mij aantrekkelijker dan anders; of, en dat was belangrijker, misschien kwam het omdat ik dichter bij de oplossing kwam van de raadsel-achtige dood van dat meisje. Welke van de twee het ook was, en mis-schien was het van allebei een beetje, toen ik mijn haar probeerde te fatsoeneren, moest ik onwillekeurig glimlachen. Ik voelde dat ik weer leefde, dat ik alert was en, ondanks mijn vermoeidheid, klaar was om in actie te komen.

Mensen zijn soms overtuigd van hun vervormde of valse herinnerin-gen en zullen hun pseudoherinneringen tot in de kleinste details beschrij-ven. Een roer of een helmstok? Die ene kleine anomalie in Gwydi-ons verslag van wat er op de boot was gebeurd zou me misschien naar de waarheid kunnen leiden. Maar om daarachter te komen, moest ik terug naar The Grange om nog een keer met hem te praten.

Toen ik thuiskwam, zat Nella in de voorkamer tv te kijken met haar nieuwe vriendje. Toen ik het pad op liep, kon ik hen door het raam zien zitten, een donker en een blond hoofd, naast elkaar op de bank, hand in hand. Rose zat niet bij hen; ze was nog op school vanwege een repetitie voor een concert dat over een paar dagen in de kerk zou worden gegeven. Dat was me helemaal ontschoten, en ik voel-de me er een beetje schuldig over.

Ik ging de keuken in, zette een pot thee, legde wat koekjes op een schaaltje en bracht hun dat op een dienblad. Voordat ik de kamer in liep, klopte ik even op de deur. De jongen stond op en maakte op de salontafel ruimte voor het dienblad.

'Mam, dit is Gareth.' Nella bleef zitten, met haar blik op de tv gericht, maar ik had het gevoel dat dat eerder uit verlegenheid dan onbeleefdheid was.

'Hallo, Gareth.'

'Dag Mrs. –'

'Zeg maar Jessica.'

Hij knikte glimlachend naar me. Hij was klein en slank en had donker haar, bruine ogen en een neuspiercing die niets afdeed aan zijn onschuldige uitstraling.

Hij nam het dienblad van me over en zette het voorzichtig op tafel. Nella pakte een koekje.

'Dank je, mam,' zei ze. Na een korte stilte voegde ze eraan toe: 'Hoe was je dag?'

'Gaat wel.' De vraag ontroerde me. Sinds het voorval met Emyr was ze voor haar doen ongewoon bezorgd om me.

Ik wierp een blik op de tv. 'Wat zijn jullie aan het kijken?'

'*Come Dine with Me*.' Gareth ging weer zitten. 'Het is heel slecht, maar we zijn verslaafd.'

Ik glimlachte opgelucht. Nella had een vriendje, een zelfverzekerde, charmante jongen die niet zo verlegen was dat hij niet met haar moeder durfde te praten.

'Maar eigenlijk willen we zo wat gaan opnemen,' vervolgde hij. 'Ik heb mijn opnameapparatuur bij me en die gaan we zo in Nella's kamer installeren. Ik hoop dat je dat goed vindt.'

'Ja, hoor. Geen probleem.'

'We moeten gewoon een paar proefdemo's maken,' ging Gareth verder. 'En dan gaan we daarna naar een studio van een neef van mij, in Newport, om de songs echt goed op te nemen.'

'Gareth zegt dat de tracks die ik met Emyr heb gemaakt, heel suf waren,' voegde Nella eraan toe. 'Ik gooi ze gewoon weg en dan begin ik opnieuw.'

Ik had zin om Gareth te omhelzen en een kus te geven. Maar ik zei alleen maar: 'Nou, dat klinkt fantastisch.'

Gareth was inmiddels bezig thee in te schenken. 'Wil je ook?' vroeg hij, terwijl hij zich naar me omdraaide.

'Nee, dank je,' zei ik. 'Ik moet weer weg. Nog één afspraak en dan ben ik klaar. Misschien tot straks.' Ik glimlachte naar Gareth en probeerde niet al te erg te stralen. 'En succes met het opnemen.'

Vanaf mijn huis is het niet ver naar The Grange. Een paar natte landweggetjes met aan weerszijden druipende heggen, een saai stuk over een B-weg die alleen kan bogen op een vrij uitzicht op een heldere hemel, een heuvel af naar een keurig, welvarend forensendorp, vol advocaten en televisielui, een opgelapte teerweg naar een groot, wit geschilderd instituut dat in de jaren twintig werd gebouwd, en dan ben je er.

Ik stapte uit, sloot de auto af en liep naar de ingang. Onder de donker wordende lucht zag het pand er lelijker uit dan ooit. Ik belde aan en wachtte tot een verpleegster opendeed. Net als de verpleegster die ik bij mijn laatste bezoekje had gezien, sprak ze Engels met een zwaar Oost-Europees accent en hoewel ik geen afspraak had gemaakt, leek ze het geen enkel probleem te vinden om me bij Gwydion toe te laten. Deze keer kon ik alleen naar zijn kamer, want ik wist nu waar hij zat. Ik liep de gang door, waarbij de krakende vloerplanken mijn komst al aankondigden, en klopte aarzelend op de half openstaande deur van zijn kamer.

Omdat er niemand reageerde, stak ik mijn hoofd om de hoek van de deur. Ik zag Gwydion voor het raam zitten. Het was donker in de kamer. De gordijnen waren open, en hij keek naar buiten.

'Ik ben het, Jessica. Mag ik binnenkomen?'

Omdat hij niet omkeek, liep ik naar hem toe en raakte zacht zijn schouder aan. Hij draaide zich om, keek me kort aan en ging toen weer uit het raam zitten staren.

'Zal ik hier gaan zitten?'

Hij knikte, maar zonder zijn hoofd om te draaien.

Ik ging rustig in de stoel naast hem zitten en keek ook uit het raam. Buiten was nog net de slotgracht aan het eind van de tuin te zien en de oplichtende witte ruggen van de schapen op het veld erachter. In de verte kon je de lichtjes van de krachtcentrale aan de kust zien en daar vlakbij die van het plaatselijke vliegveld. Het was niet bepaald een mooi uitzicht, maar wel markant. Het had iets onnatuurlijks en bovenaards en dramatisch, als een ets van Gustave Doré, of een animatie uit een fantasy-videogame.

Ik wierp een zijdelingse blik op Gwydion, in een poging zijn stemming te peilen. Hij zag er mager uit, zijn jukbeenderen staken uit, maar het kon ook zijn dat in het halfduister van de kamer zijn hoekige gelaatstrekken werden geaccentueerd.

'Hoe gaat het met je?'

Hij haalde zijn schouders op. Hoewel ik zag dat hij depressief was, zette ik toch door. Ik vond zijn gedrag zelfs lichtelijk bemoedigend; hij was in elk geval minder manisch dan de laatste keer dat ik hem had gezien.

'Voel je je al wat beter?'

Hij haalde weer zijn schouders op en bleef uit het raam staren.

Omdat ik niet dacht dat het veel zin had om het gesprek te rekken, kwam ik maar ter zake. 'Gwydion, ik wil het met je hebben over wat er op de boot is gebeurd. Als je het niet erg vindt.'

Hoewel ik zag dat hij iets verstijfde, ging ik gewoon door. 'Want ik moet het verhaal helder hebben voordat ik een verklaring kan afleggen, snap je.'

Ik wachtte even om te zien of hij zou reageren, maar toen hij dat niet deed, vervolgde ik: 'Er zijn een paar kleine details die me doen twijfelen...'

Nu draaide hij zijn hoofd wel om. Zijn ogen leken groter dan ooit, grote groene vijvers die glinsterden in de oogkassen.

'Wat voor kleine details?'

'Nou, bijvoorbeeld –'

'Wil je soms zeggen dat je me niet gelooft?'

Hij klonk eerder verbaasd dan boos, alsof ik hem gekwetst had, ineens tegen hem was.

'Nee.' Ik begreep dat mijn vragen onprettig voor hem waren, maar ik wilde hem ook niet met zijn leugens laten wegkomen. 'Ik wil gewoon dat je me wat duidelijker uitlegt wat er is gebeurd. Ik bedoel, om een klein voorbeeldje te noemen, je beweert dat de boot een roer heeft, terwijl dat niet zo is. De boot heeft een helmstok. Dat heb ik zelf gezien. Dus...'

'Wat maakt dat nou uit?'

Ik probeerde het tactvol te zeggen. 'Nou, daardoor ga ik me wel afvragen –'

'Of ik lieg?'

'Of je je het wel goed herinnert.' Ik aarzelde. Hoewel ik hem niet van streek wilde maken, zag ik geen andere uitweg. 'Het is lang geleden, Gwydion. En je was toen nog heel jong. Het zou toch kunnen dat je je vergist? Iedereen kan zich vergissen –'

Hij onderbrak me. 'Ik begin er een beetje genoeg van te krijgen dat iedereen zijn neus in mijn zaken steekt, dat ze proberen me dingen te laten zeggen die zij willen dat ik zeg, over iets wat ik me nauwelijks kan herinneren. Geen wonder dat ik... dat ik ziek ben geweest. Ik wou dat jullie me gewoon allemaal met rust lieten.'

'Luister.' Ik sprak zo vriendelijk mogelijk. 'Het spijt me. Ik weet dat dit moeilijk voor je is. Maar ik moet een beslissing nemen, over of ik wel of geen verklaring ga afleggen. En voordat ik dat doe, moet je me de waarheid vertellen. Doe het voor je vader. Voor jezelf.'

Er viel een stilte. Hij draaide zich van me af en staarde uit het raam. Omdat ik voelde dat hij zich afvroeg wat hij zou gaan zeggen, zei ik niets. Toen begon hij te praten.

'Het is echt gebeurd.' Hij keek me nog steeds niet aan. 'Ik was op die boot, samen met Evan en Elsa, en ik heb gezien dat hij haar overboord duwde. Het is mijn vroegste herinnering. Het staat me helder voor de geest. Ik heb altijd geweten dat hij haar heeft vermoord. Ik heb het al die tijd geheim moeten houden en nu verwachten ze ineens van me dat –'

Hij stopte abrupt. Weer wachtte ik tot hij verderging.

'Ik moest van Arianrhod zweren dat ik niks zou vertellen. Ze zei dat als ik het ooit aan iemand zou vertellen, Evan de gevangenis in zou draaien. En dat zou dan allemaal mijn schuld zijn.' Na een korte stilte vervolgde hij: 'Ik heb die situatie geaccepteerd, zoals een kind dat nou eenmaal doet. Het was ons geheim, van haar en mij. Ik heb me nooit afgevraagd of het wel goed was om erover te zwijgen.'

Ik volgde zijn blik. Aan de horizon werd de lucht donkerder.

'Natuurlijk heeft het geheim een enorme schaduw over mijn jeugd geworpen,' vervolgde Gwydion met zachte stem. 'Ik heb er heel wat complexen aan overgehouden. Zoals die knopenfobie. Het heeft mijn zelfvertrouwen ondermijnd. Het heeft gemaakt dat ik doodsbang was voor Evan. Eigenlijk heeft het onze hele relatie verpest. Ik bedoel, hij was wel altijd heel dominant tegen me, maar hij kon ook heel aardig zijn, maar na dat ongeluk wilde ik niks meer van hem weten. En in de loop der jaren heb ik me bij de situatie neergelegd, hoewel ik me vaak heel kwetsbaar voelde. En toen...'

Hij stopte en keek me aan alsof hij zich ervan wilde vergewissen of ik wel luisterde, en toen ik knikte, wendde hij zijn blik weer af.

'Ari veranderde plotseling van gedachten. Na al die tijd besloot ze ineens dat we wel naar de politie moesten stappen en hun alles vertellen. Ik denk dat hun relatie een dieptepunt had bereikt.' Hij begon afwezig over zijn nek te wrijven. 'Ik bedoel, ze hebben altijd al als kat en hond gevochten, maar sinds Evan iets heeft met die nieuwe... ik weet niet hoe je dat moet noemen... vriendin. Minnares. Wat dan ook. Ze is in elk geval jonger dan ik.' Hij zweeg even. 'Toen hij iets met haar begon, is het volgens mij eindelijk tot Ari doorgedrongen dat ze zo niet verder kon gaan, dat hun huwelijk voorbij was. Dus...'

Hij stopte. Ik merkte dat ik op het puntje van mijn stoel zat en schoof iets naar achteren, in een poging een ontspannen indruk te maken.

'Dus besloot ze hem te verlinken,' ging hij verder. 'En ze verzon een verhaal om te kunnen verklaren waarom ze niet eerder naar de

politie was gestapt. We zouden doen alsof ik een steeds terugkerende droom over de moord had, en dat ik daardoor een hervonden
herinnering had. En daar hadden we jou bij nodig.'

Hij keek me weer aan, op zoek naar geruststelling, maar deze
keer vond ik het moeilijk om hem die te geven.

'We hebben je via internet gevonden. Onder de Britse Associatie
van nog wat. Je stond daar vermeld als een van de therapeuten in
Cardiff. Jij stond bovenaan. Dus hebben we... heb ik... je gebeld. En
toen ben ik naar je toe gegaan.'

Er stonden inmiddels sterren aan de hemel, kleine lichtpuntjes
die als bij toverslag tevoorschijn leken te zijn gekomen. Hoewel we
strak naar de lucht hadden zitten kijken, had ik ze niet zien opko-
men.

'Omdat ik mijn bezoek plausibel wilde maken, begon ik met een
paar echte problemen. De knopenfobie, en mijn slapeloosheid. En
vervolgens vertelde ik je over de droom, die ik zelf had verzonnen.
En... ' Hij stopte even toen hij mijn verbijsterde gezicht zag. 'Het
spijt me, Jessica. Ik heb inderdaad tegen je gelogen. Ik heb nooit
een steeds terugkerende droom gehad. Of een hervonden herinnering. Maar ik heb die moord wel gezien. Dat weet ik gewoon. Dat gedeelte is waar.'

'Oké, even voor de goede orde,' zei ik. Het kostte me moeite om
alles te verwerken wat hij me had verteld. 'Je moeder zegt dat je
naar een therapeut moet gaan en doen alsof je een steeds terugkerende droom hebt en naar aanleiding daarvan een hervonden herinnering. Aan je vader die twintig jaar geleden op zijn boot een
meisje heeft vermoord. Op die manier kan Arianrhod uitleggen
waarom ze Evan toentertijd niet heeft aangegeven. Dat is toch wat
je zegt?'

Gwydion knikte. Hij leek opgelucht dat ik niet kwaad was. Gek
genoeg was ik dat ook niet. Ik was vooral verbaasd.

'Het probleem was dat ik niet kon blijven doen alsof,' zei hij. 'Jij
was zo aardig, zo begripvol...' Hij sloeg zijn ogen neer. 'Ik vond het

verschrikkelijk om tegen je te moeten liegen. Dat was ook waarom ik die eerste keer bij je wegging. Ik wilde je niet meer bedriegen. En toen ik weer bij je terugkwam, besefte ik dat je me met mijn echte problemen kon helpen, dus bleef ik bij je. Ik had echt het gevoel dat we ergens kwamen. Maar Ari begon er bij me op aan te dringen dat ik moest ophouden met de sessies, dat ik je het laatste deel van de droom moest vertellen, waarin ik die plons hoor, zodat ze haar plan in werking kon zetten. Daarom bleef ik ineens weg.'

'Ik snap het.' Hoewel ik me gekwetst voelde, zei ik verder niets, en we bleven allebei uit het raam kijken. De sterren werden helderder, en terwijl we keken, verschenen er nog meer.

'En daar kwam nog eens bij dat...' Hij maakte zijn zin niet af.

'Wat?'

Hij staarde voor zich uit, niet in staat mijn blik te beantwoorden.

'Ik vond je – vind je – erg aantrekkelijk. Al ben je dan een stuk ouder dan ik. En ook niet zo glamoureus als de types waar ik meestal op val.'

Nou, dank je wel, dacht ik.

'Dus begon ik Ari voor te liegen over ons.' Hij wreef weer over zijn nek. 'Over... je weet wel... onze bijna-relatie...'

Onze bijna-relatie. Dat was een beknopte manier om het te zeggen.

'En ik denk dat al dat gelieg me uiteindelijk te veel is geworden. Ik raakte in de war.' Hij ademde diep in, hield zijn adem even vast en blies hem toen langzaam uit. 'En nu zit ik hier.'

Er viel een stilte. We keken allebei uit het raam en zagen in de verte een vliegtuig opstijgen, met blauwe en rode lichtjes die knipperden in de duisternis. Het was vreemd geruststellend om het vliegtuig daar te zien opstijgen, te ver weg om het geluid te horen of om een duidelijke vorm te zien. Even wou ik dat ik zelf in dat vliegtuig zat, daarboven in het niets, op weg naar een nieuwe, onbekende bestemming, ver weg van deze aardse wirwar van verledens en gevoelens. En ik had het gevoel dat Gwydion dat misschien ook wel wilde.

'Ik ben blij dat je me de waarheid hebt verteld,' zei ik. 'Ik denk dat je je daar wel beter door zult gaan voelen.'

Hij knikte.

'Het is meestal het beste om eerlijk te zijn,' vervolgde ik. 'Het eist te veel van onze geest als we dat niet zijn.'

'Denk je?'

Ik knikte.

'Nou, dan kan ik je net zo goed ook vertellen dat…'

Ik vroeg me af wat er zou komen.

'Volgens mij ben ik verliefd op je, Jessica.' Hij draaide zich om en keek me aan. Zijn pupillen waren nog groter geworden en leken daardoor donkerder, zachter.

Overdracht, dacht ik. Het aloude liedje. Maar toen herinnerde ik me dat ik hem op de steiger in Creigfa Bay had gekust en dat ik met hem had liggen rollebollen op een motelbed, en ik schaamde me dat ik hem had aangemoedigd in zijn fantasie. Voor mij was het lust geweest, geen liefde. Ik had hem gebruikt, uit egoïstische overwegingen.

'Ik geloof niet dat dat echt zo is, Gwydion.' Ik zei het vriendelijk. 'Het is heel gebruikelijk dat cliënten zich op deze manier aan hun psychotherapeut hechten…'

'En jij dan? Hoe zit het met jou? Reageer jij dan ook altijd op die manier?'

'Nee, natuurlijk niet,' zei ik beschaamd. 'En het spijt me ook heel erg. Ik heb me een beetje laten gaan.'

'Maar voel je dan wel iets voor me?' Hij keek me indringend aan. 'Eerlijk zeggen. Toe dan. Jij vindt eerlijk zijn toch zo belangrijk?'

'Gwydion,' zei ik. Ik werd zenuwachtig, hoewel ik probeerde dat niet te laten merken. 'Je bent een erg aantrekkelijke man. Dat weet je zelf ook wel. Ik heb daar onwillekeurig op gereageerd…'

Hij fronste. 'Dus wat je eigenlijk zegt, is dat je gewoon even een vluggertje wilde. Meer niet.'

'Nee.' Ik voelde dat ik bloosde en ik wist ook, nog terwijl ik het zei, dat ik loog. Nu hij het onderwerp ter sprake had gebracht, besefte ik dat dat waarschijnlijk inderdaad was wat ik van Gwydion had gewild. Maar er was geen sprake van dat ik hem dat zou vertellen. Soms is de waarheid pijnlijk en is het beter die te verzwijgen.

Hij keek me vragend aan, alsof hij nadere uitleg van me verwachtte.

'Ik ben getrouwd, Gwydion.' Ik zweeg even. 'Dat weet je toch? En jij bent – was – mijn cliënt. Het zou verkeerd zijn geweest om echt iets met elkaar te beginnen, en daarom heb ik er een punt achter gezet.'

Dat was natuurlijk ook waar. Soms zijn er vele waarheden, maar je hoeft ze niet allemaal te vertellen.

'En ik geloof ook niet dat je echt verliefd op me bent,' vervolgde ik. 'Volgens mij ben je gekwetst en in de war en ben je op zoek naar een moederfiguur.'

'Misschien. Maar wat is daar zo verkeerd aan?'

Daar zat wat in. Je hoeft geen overtuigd freudiaan te zijn om het als volkomen normaal, alledaags zelfs, te beschouwen om in een liefdespartner op zoek te gaan naar de echo van een ouder.

Ik schudde mijn hoofd. 'Het zit er gewoon niet in, Gwydion. Sorry.'

Gwydion zuchtte, maar het viel me op dat het geen echt diepe zucht was. Ik had het gevoel dat zijn fantasie over zijn verliefdheid op mij vrij oppervlakkig was, meer een soort dagdroom dan een intense, pijnlijke genegenheid, en dat die vanzelf zou verdwijnen naarmate hij sterker werd en de wereld beter aankon. Toch kon ik zien dat het moeilijk voor hem zou worden om het los te laten, op de korte termijn tenminste.

Hij begon weer uit het raam te staren. Ik bleef nog een paar minuten zwijgend bij hem zitten. Ergens zou ik de hoorzitting wel ter sprake willen brengen, willen zeggen dat wat hij me net had verteld over zijn leugens tijdens de sessie, van invloed zou zijn op mijn beslissing, maar ik voelde dat dit niet de juiste plaats of de tijd was.

Uiteindelijk zei ik: 'Ik moet nu echt weg. Sterkte met alles.'

'Dank je.' Na een kort stilzwijgen voegde hij eraan toe: 'Volgens mij is er wel kans dat ik hier voor de repetities uit ben. Ik voel me behoorlijk depri, maar ik slaap wel beter. En dat knopenprobleem lijkt ook weg. Voorlopig tenminste.'

'Dat is mooi.' Ik stond op, liep naar hem toe en klopte hem even op de schouder. Tot mijn verbazing pakte hij mijn hand beet.

'Dank je wel, Jessica. Dank je voor alles.'

'Zou je het fijn vinden als ik nog eens langskwam?'

'Nee.' Hij kneep in mijn hand. 'Ik moet dit in mijn eentje doen. Maar ik weet dat ik het kan. Ik ben hier snel weer weg. Ik denk dat het wel goed komt allemaal.'

'Dat denk ik ook.' Ik kneep ook even in zijn hand.

Hij boog zijn hoofd en drukte zijn wang tegen mijn hand. Het was een ontroerend gebaar, alsof hij een klein jongetje was.

Ik gaf hem een kus op zijn haar. 'Tot ziens,' zei ik.

We wisten allebei dat we eigenlijk 'vaarwel' bedoelden, maar dat zeiden we niet hardop. Op de een of andere manier zou dat woord te hard zijn geweest.

'Rij voorzichtig,' zei hij. 'Het is donker.'

'Ik let wel op.'

Hij stond op en liep met me mee naar de deur om die achter me te sluiten. Ik liep de trap af en de voordeur uit. Bij de auto keek ik even naar zijn raam; hij stond naar me te kijken. Hij zwaaide en ik zwaaide terug.

Soms is het niet nodig om de waarheid te vertellen omdat ze al is verteld.

20

De dag daarop zegde ik alle afspraken met mijn cliënten af en reed naar Creigfa House om met Arianrhod te praten. Het is niet iets wat ik snel doe; cliënten op zo'n korte termijn in de steek laten, leidt, heel begrijpelijk, tot wantrouwen en eindeloze beschuldigingen over en weer. Maar ik was woedend. Ik was woedend op Arianrhod, ten eerste natuurlijk omdat ze me had voorgelogen, maar vooral woedend omdat ze Gwydion gebruikte om zijn vader te pakken te nemen, puur uit haat. Ik wist best dat ze alle reden had om Evan te haten; hij had haar keer op keer bedrogen en jarenlang vernederd; maar dat was geen rechtvaardiging voor de manier waarop ze nu wraak nam. Ik zou haar confronteren met wat ze had gedaan en ervoor zorgen dat ze het hele verhaal zou herroepen voordat er nog meer schade werd aangericht.

Ik vertelde Bob niet waar ik naartoe ging. Ik wilde hem er in dit stadium niet bij betrekken. We hadden nog steeds ruzie, en eerlijk gezegd vond ik het ontzettend stom van mezelf dat ik zo goedgelovig was geweest. Ik had helemaal geen zin om hem te vertellen wat voor idioot ik was geweest – vooral niet omdat ik begon te vermoeden dat mijn bereidheid om Gwydion te geloven, tot op zekere hoogte tenminste, was ingegeven door mijn eigen afschuw over Bobs ontrouw. Dat heet projectie. Bij anderen is dat niet moeilijk te herkennen, maar in dit geval was ik er wat mijn eigen gedrag betrof, volledig blind voor geweest.

Dus het plan was – als ik die dag al een duidelijk plan had, waar ik achteraf gezien niet zo zeker van ben – om met Arianrhod te praten en haar zover zien te krijgen dat ze naar de politie stapte om te zeggen dat ze had gelogen. Daarna zouden we wel weer zien. Vermoedelijk zou de zaak tegen Evan, die op dit moment de enige verdachte was, snel instorten; Bob zou hem niet meer hoeven verdedigen, tenminste niet op korte termijn; ik kon me terugtrekken als getuige, hopelijk nog met enige waardigheid; en dan zouden we er – misschien – een begin mee kunnen maken om dit achter ons te laten. Natuurlijk zou het debacle een klap voor Solveig zijn, en zouden we nog steeds niet weten wat er precies met Elsa was gebeurd. Maar mochten ze toch een zaak tegen Evan kunnen beginnen – en daar was ik nu helemaal niet meer zo zeker van – dan zou die opnieuw van de grond af aan moeten worden opgebouwd. Dat was de enige weg voorwaarts. Het was duidelijk dat de waarheid zou moeten worden verteld, ongeacht de gevolgen.

Het was een koude dag, laat in de herfst, en de bladeren gaven hun laatste kleurenvoorstelling toen ik in westelijke richting naar Pembrokeshire reed. Ze stonden in rijen langs de snelweg, als verwelkte danseressen in de Folies-Bergères, met hun voddige rood, geel en gouden petticoats wapperend in de wind. Omdat ik heel ergens anders was met mijn gedachten, viel hun aanwezigheid me eerst nauwelijks op, maar na een tijdje kreeg de ongerepte schoonheid van het landschap me in haar greep en begon ik me frisser, lichter te voelen. Ik kon de situatie wel aan, hield ik mezelf voor. Het was duidelijk dat Arianrhod een stuk wraakzuchtiger en manipulatiever was dan ik had gedacht, maar uiteindelijk was ze gewoon een ongelukkig getrouwde vrouw die een uitweg zocht uit de puinhoop die ze van haar leven had gemaakt. Ik daarentegen was een ervaren psychotherapeut die in staat moest zijn om haar machinaties te begrijpen, die haar zou proberen te helpen ze los te laten en voor een keer eerlijk spel te spelen. Ik was hier degene die in het voordeel was. Wat er ook zou gebeuren, ik zou haar een stap voor zijn en dat moest ik niet vergeten.

Toen ik echter de snelweg had verlaten en op de weg reed die naar Creigfa House leidde, werd het bos aan weerszijden van de weg dichter en staken de takken kaal af tegen de lucht. Droge bladeren dwarrelden tegen de voorruit, alle kanten uit geblazen door de beweging van de auto. En terwijl ik door de wervelende vlagen reed, begon ik me ineens wat onzekerder te voelen.

Ik kwam aan bij het huis met het grote ijzeren hek. Het was vandaag niet nodig om op de zoemer te drukken. Het hek stond open. Hoewel ik niet precies wist waarom, vond ik dat een onheilspellend voorteken. Even vroeg ik me af of ik de auto niet beter kon keren en weer naar huis rijden. Ik had er spijt van dat ik dit hele plan niet wat beter doordacht had, voordat ik de snelweg op was gestormd om Arianrhod ter verantwoording te roepen. Goed, ik was kwaad geweest, en ook nieuwsgierig. Maar ik had niet echt stilgestaan bij het feit dat het gedrag van Arianrhod zeer verontrustend was. Ze had haar kwetsbare zoon gebruikt om haar overspelige man te straffen; ze had geprobeerd ook mij te gebruiken door Gwydion te dwingen mij allerlei leugens op de mouw te spelden over die steeds terugkerende droom van hem, zodat ik als getuige-deskundige voor de rechtbank zou kunnen verschijnen; en ze had de feiten verdraaid, zodat het leek alsof Evan schuldig was aan een moord waarvan ze niet zeker kon weten of hij die had begaan. Wat voor moeder deed haar kind nu zoiets aan? Deed haar man zoiets aan, al haatte ze hem dan nog zo erg? Wat voor soort vrouw was Arianrhod?

Ik schrok van de kreet van een pauw. Het was een schrille kreet, alsof het dier pijn had. Maar de kreet had ook iets bozigs, iets agressiefs, dreigends. Toen ik hem hoorde, wist ik dat ik er verkeerd aan had gedaan hiernaartoe te komen. Wat ik ook met Arianrhod te verhapstukken had, ik had het ook telefonisch kunnen afhandelen, of op mijn praktijk in Cardiff. Ik had haar niet thuis moeten opzoeken. Dat was ongepast. Om niet te zeggen vreselijk dom.

Ik wilde net keren toen ik een lange, donkere gestalte over het grindpad mijn kant uit zag komen lopen. Toen de gestalte dichterbij was, drong tot me door dat het Arianrhod was. Ze gebaarde me de oprijlaan op te rijden.

Het was te laat om nog van gedachten te veranderen. Bovendien besefte ik, toen ze dichterbij kwam, dat ze er niet in het minst bedreigend of onheilspellend uitzag. Ze was gewoon precies hetzelfde als anders in haar donkerblauwe trui, haar spijkerbroek en haar versleten bruine loafers. Misschien zat haar haar wat woester dan anders en begon er door het zwart wat meer grijs heen te schemeren. En toen ik haar bij het hek zag staan, mij gebarend door te rijden, leek het alsof haar gezicht wat meer getekend was, wat afgetobder, dan de laatste keer dat ik haar had gezien. Maar ze zag er niet bedreigend uit, niet in het minst. Ze zag eruit als de vrouw zoals ik haar kende: een vrouw die ooit mooi was geweest, begeerlijk, maar die zoals zoveel mooie, begeerlijke vrouwen nooit echt haar plek in het leven had kunnen vinden; en die nu, in haar nadagen, moest erkennen dat ze het onderspit had gedolven in de reeks veldslagen waaruit haar lange, bittere huwelijk had bestaan. Misschien iemand om medelijden mee te hebben. Of beter gezegd medeleven. Maar door de genade van God ben ik wat ik ben, enzovoort enzovoort. Maar niet iemand om bang voor te zijn.

Ik reed het hek door en toen over de oprijlaan van grind naar het huis, onderweg de krijsende pauw de stuipen op het lijf jagend. Hij schoot onder een heg en toen ik uitstapte, zag ik hem nergens meer. En ook geen broertjes of zusjes van hem. Op Arianrhod na leek het landgoed uitgestorven. Er hing een nogal troosteloze sfeer, iets wat me niet eerder was opgevallen: onaangeharkte bladeren op het gazon, afbladderende verf op het houtwerk van de ramen en bruine schimmelplekken op de stenen guirlandes boven de deur. Ik bedacht dat Arianrhod hier nu helemaal alleen woonde, met Gwydion in de kliniek en Evan op zijn boot in de jachthaven. Het zal wel eenzaam voor haar zijn, dacht ik. Eenzaam en deprimerend, het gezin uit elkaar gevallen, en zij die nu in haar eentje het huis en het landgoed moest verdedigen tegen het vocht en de kou en de zoute wind die uit Creigfa Bay kwam aangeblazen.

Arianrhod nam me mee naar binnen. Het viel me op dat ze weliswaar beleefd was, maar niet zo vriendelijk als eerder. Ik schreef dat toe aan het feit dat ze al een tijdje alleen woonde en alleen aan zichzelf hoefde te denken. Soms kun je het merken als iemand te lang geen andere mensen om zich heen heeft gehad: ze zijn blind voor de sociale prikkels die voor ons heel normaal zijn, ze praten te veel of vervallen juist in een somber stilzwijgen. Arianrhod had er ook last van. Nadat ze me had meegenomen naar de keuken, me een stoel had aangeboden en een kop thee voor me had gezet – waarbij ze vergat te vragen of ik niet liever koffie wilde, of iets anders – deed ze geen enkele moeite om een gesprek te beginnen en ging ze helemaal op in een sigaret draaien.

Ik keek om me heen. De keuken lag bezaaid met kranten, halflege pakken koekjes en rookspullen. Op het aanrecht stapels smerige koppen en schotels, samen met wat gereedschap – een schroevendraaier, spijkers, een spuitbus met verf. Het stonk er naar verschaalde rook. Het was duidelijk dat Arianrhod zich hier had begraven, dat dit de plek was waar ze haar thee dronk en haar koekjes at en de kranten las en rookte. Aan niets viel te zien dat er nog anderen gebruikmaakten van de keuken, op de katten na, wier etensbakjes in een rijtje bij de achterdeur stonden, stinkend naar rottend vlees. Een van de katten lag op een stoel naast het Aga-fornuis te slapen.

Ik wachtte terwijl Arianrhod haar sigaret opstak en diep inhaleerde. Ze vroeg niet, zoals de vorige keer, of ik het erg vond dat ze rookte. Het was alsof dat soort sociale beleefdheden haar niets meer konden schelen.

Ik besloot de stilte te verbreken. 'Weet je waarom ik hier ben?' Ik sprak op zachte, kalme toon.

Ze blies de rook uit en wuifde de rookwolken die om haar heen bleven hangen weg. Gek dat ik dat eerst zo mooi had gevonden, haar donkere hoofd omringd door al die kringelende blauwe rook. Nu zag het er alleen maar deprimerend uit, een vrouw op leeftijd die zichzelf dood rookte in haar smerige keuken, met als enige gezelschap haar katten.

'Geen flauw idee.' Ze klonk niet per se vijandig, maar al te vriendelijk kon je het ook niet noemen.

'Heb je Gwydion onlangs nog gesproken?'

'Nee. Hij heeft op het moment niet veel zin om met me te praten blijkbaar. Hij zegt dat hij zich op de rechtszaak aan het voorbereiden is. Hij heeft "ruimte" nodig, zoals hij het noemt.' Ze trok een gezicht.

Tot op zekere hoogte had ik medelijden met haar. Ik hou ook niet zo van dat woord 'ruimte'. Eigenlijk hou ik helemaal niet van al dat pedante psychogebabbel waar mensen tegenwoordig mee smijten, of het nu de negatieve modewoorden zijn zoals 'overafhankelijkheid', 'ontkenning', of – nog erger – de positieve, zoals 'empowerment', 'geaard zijn', enzovoort. Wanneer iemand zo begint te praten, wantrouw ik hem of haar meteen. Maar in dit geval begreep ik wel wat Gwydion bedoelde. Hij had inderdaad ruimte nodig, weg van zijn moeder, en hoe meer ruimte hoe beter.

'Tja, dan...' Ik aarzelde. Ik wist niet goed hoe ik onder woorden moest brengen wat ik wilde zeggen. 'Ik ben gisteren bij hem geweest. Hij was er slecht aan toe.'

'O?' Arianrhod leek zich niet echt zorgen te maken.

'Ja, hij begon zelfs te huilen...'

Arianrhod slaakte een diepe zucht. 'Dat is naar om te horen.' Het klonk niet alsof ze het erg naar vond. 'Maar volgens mij hoef ik dat allemaal niet te weten. Ik heb mijn best gedaan om hem te helpen...'

'Nee, dat is niet zo.' Ik probeerde kalm te blijven, maar haar pedante houding begon me kwaad te maken. 'Om je de waarheid te zeggen, de geestelijke toestand van je zoon is voor zover ik kan zien deels jouw schuld.'

Psychotherapeuten gebruiken het woord 'schuld' niet graag. Het is niet een van de erkende modewoorden. Maar in dit geval vond ik dat ik het wel mocht gebruiken.

'Wat bedoel je daar in vredesnaam mee?'

'Jij hebt Gwydion opgedragen om bij mij in therapie te gaan. Je hebt hem gezegd dat hij me allerlei leugens op de mouw moest spelden over een steeds terugkerende droom van hem. Een droom waarin hij er getuige van was dat zijn vader Elsa Lindberg overboord gooide.'

'Is dat wat hij je heeft verteld?'

'Ja, en ik geloof hem.'

Arianrhod keek naar haar sigaret en tikte de as in de asbak. 'Op jouw aandringen heeft hij me voor de gek gehouden,' vervolgde ik. 'Hij kwam bij me met dat verhaal over een steeds terugkerende droom en deed vervolgens alsof hij een hervonden herinnering aan de moord had. Hij deed dat zodat jij een verklaring had voor het feit dat je niet eerder naar de politie bent gestapt met wat je over Evan wist, en tegelijk kon je mij daarmee zover krijgen dat ik als getuige zou optreden. Zo zit het toch?'

Arianrhod nam nog een trekje van haar sigaret, hield de rook een paar seconden vast in haar longen en blies hem toen uit.

'En jij was het ook die me die foto stuurde van Evan met zwart gemaakte ogen, hè? Om het hele proces op gang te helpen?'

Er viel een stilte, en toen knikte ze.

'Nou, zou je niet op zijn minst je verontschuldigingen aanbieden?'

'Het spijt me.'

Haar stem was vlak. Ze klonk als een nukkig kind dat zich voor een klein vergrijp moest verontschuldigen. Ik kreeg gewoon zin om haar te slaan.

'Het is al erg genoeg dat je tegen me hebt gelogen, dat je me voor jouw doeleinden hebt gebruikt,' vervolgde ik, 'maar wat ik echt niet snap, is hoe je dit Gwydion hebt kunnen aandoen. Je weet toch hoe kwetsbaar hij is.'

Arianrhod reageerde niet.

'Eerlijk gezegd houd ik jou verantwoordelijk voor Gwydions zenuwinstorting.' Ik was nu helemaal op dreef. 'Je hebt hem gemanipuleerd, je hebt tegen mij gelogen en dat allemaal om Evan een hak te zetten.' Ik zweeg even. 'Maar wat ik niet snap, is waarom. Als je Evan zo graag achter slot en grendel ziet, waarom ben je dan niet twintig jaar geleden naar de politie gestapt met dat verhaal over de moord op Elsa? Waarom nu pas?'

'Ik zal je zeggen waarom.' Arianrhod sprak langzaam en vastberaden. Ze leek totaal geen berouw te hebben over wat ze had gedaan. 'Omdat ik, voordat dit allemaal naar buiten kwam, iets heb ontdekt over Evan. Je weet dat hij was voorgedragen voor een ridderorde?'

Ik knikte.

'Nou, ik hoorde hem er door de telefoon over praten met Rhiannon, zijn zogenaamde PA. Hij wist niet dat ik meeluisterde. Hij zei tegen haar dat hij van plan was om op het jacht te blijven wonen totdat hij zeker wist dat hij geridderd zou worden en dat hij daarna van me zou scheiden. En met haar een nestje bouwen. Gaan trouwen. Zodra dat van die ridderorde erdoor was, zou hij de scheiding in gang zetten.' Ze zweeg even. 'Ik kon het gewoon niet geloven. De ouwe bok. Klootzak.' Het was bijna alsof ze tegen zichzelf praatte. 'Hij is bijna oud genoeg om haar grootvader te zijn. Walgelijk gewoon.'

Ze nam nog een trek van haar sigaret en keek me aan, alsof ineens tot haar doordrong dat ik er ook nog was. 'Dat was wat mij betreft de laatste druppel. Evan heeft altijd zo zijn vriendinnen gehad, maar dat hij met deze een nestje wilde gaan bouwen... ik heb gehoord dat ze zwanger is. Stom kind, ze weet niet waar ze aan begint.'

Ze stopte even. Er trok plotseling een gekwelde blik over haar gezicht, die ook net zo plotseling weer verdween.

'Hoe dan ook,' ging ze verder. 'Vroeger verdedigde ik hem altijd, probeerde ik mijn huwelijk te redden. Maar dat had geen zin meer. Dus besloot ik dat ik op zijn minst zijn plannetjes in het honderd kon laten lopen. Ik besloot te doen wat ik al jaren geleden had moeten doen, aangifte van moord doen, in plaats van hem altijd maar te blijven dekken.'

'Maar waarom heb je niet gewoon de telefoon gepakt en aangifte gedaan? Waarom moest je Gwydion erbij betrekken?'

'Ik moest kunnen uitleggen waarom ik niet eerder naar de politie was gestapt. Het leek me heel geloofwaardig als Gwydion tegen jou zou zeggen dat hij een hervonden herinnering had over dat incident. En dan zou je ook meteen kunnen optreden als getuige-deskundige.' Ze ging zachter praten, alsof ze het tegen zichzelf had. 'Het was een goed plan. Als Gwydion het niet had verknald, dan zou het hebben gewerkt. Maar nu...' Haar stem stierf weg.

Mijn woede nam wat af. Arianrhod had mij gebruikt, ze had Gwydion gebruikt, uit eigenbelang, maar toch had ik tot op zekere hoogte medelijden met haar. Evan was klaarblijkelijk iemand zonder schaamte of schuldgevoel – dat wist ik uit eigen ervaring. Hij nam wat hij wilde, en wanneer hij het wilde. En nu, op de drempel van de ouderdom, had hij besloten een nestje te gaan bouwen met een veel jongere vrouw. Hij zou de vrouw verlaten die hij jarenlang als oud vuil had behandeld, de vrouw die hem door dik en dun had gesteund, die al zijn affaires had getolereerd, die hem had geholpen met een alibi in het Elsa Lindberg-schandaal. Het mocht geen verrassing heten dat ze, toen hij het ultieme verraad had gepleegd, had besloten om wraak te nemen en haar man het beklaagdenbankje in te sturen, als een laatste daad van verzet.

'Vertel eens, Arianrhod,' zei ik. 'Wat is er echt met Elsa gebeurd? Wat weet je precies? Wat weet Gwydion?'

Arianrhod legde haar sigaret voorzichtig in de asbak en stak van wal. Ik merkte dat ze haar woorden zorgvuldig koos.

'Ik herinner het me nog goed. Het was een mooie dag om te gaan zeilen, maar ik wilde niet dat Evan Gwydion meenam. Hij was pas zes en kon niet zwemmen. Het was niet veilig, en bovendien haatte hij zeilen. Maar Evan stond erop. Ik ben die dag weggegaan, om er niet aan te hoeven denken, en toen ik die middag thuiskwam, was Gwydion alleen thuis. Elsa was er niet, en Evan ook niet. Gwydion lag in zijn kamer op bed te huilen. Hij was ergens verschrikkelijk van geschrokken en ik zei dat hij me moest vertellen wat er was gebeurd. Hij zei dat hij had gezien dat zijn vader Elsa aan dek had gekust, en dat hij daarna zeeziek was geworden en in de kajuit was gaan liggen. Toen hij daar lag, hoorde hij ze ruziemaken, dus ging hij weer naar boven en toen zag hij Evan Elsa overboord duwen. Het lukte me om hem te kalmeren, en toen Evan later die avond thuiskwam, vroeg ik hem ernaar. Hij zei dat Gwydion loog, dat ze geen ruzie hadden gehad. Elsa had gewoon uit eigen beweging besloten om vanaf de boot terug naar de kust te zwemmen.'

Ze stopte, alsof ze zich die avond voor de geest probeerde te halen en ging toen weer verder. 'Elsa kwam die avond niet thuis. Toen haar lichaam de volgende dag op het strand werd gevonden, zei Evan tegen me dat het een ongeluk moest zijn geweest, dat ze moest zijn verdronken toen ze de baai in probeerde te zwemmen. Hij was van streek, of deed alsof hij dat was. En toen bekende hij me dat hij haar de dag ervoor had proberen te versieren. Hij zei dat als ze zouden ontdekken dat ze bij hem op de boot was geweest, dat het einde van zijn carrière zou zijn. Hij smeekte me om hem te helpen.' Ze zuchtte. 'Dus deed ik wat hij zei en onderschreef ik zijn verhaal toen de politie kwam.'

'Dus het was Gwydion die je vertelde dat hij had gezien dat Evan Elsa in het water had geduwd?'

'Ja.'

'Verder had je geen enkel bewijs.'

'Nee.' Arianrhod keek verbaasd. Ik zag dat ze zich afvroeg waar ik naartoe wilde.

'Hij was pas zes. Is het nooit bij je opgekomen dat hij het verhaal misschien heeft verzonnen? Uit woede op zijn vader misschien?'

'Kinderen verzinnen dat soort dingen niet.'

Ik probeerde het over een andere boeg te gooien. 'Het punt is, toen Gwydion me dat verhaal vertelde, viel me op dat een klein detail niet klopte. Hij zei dat toen hij Evan en Elsa zag kussen, dat ze bij het roer van de boot zaten.' Ik zweeg. 'Ik ben zelfs naar Penarth geweest om het te controleren, en Evans boot heeft geen roer, maar een helmstok.'

Arianrhod keek me even niet-begrijpend aan. Toen hernam ze zich. 'Misschien heeft hij dat laten veranderen.'

'Waarom zou hij dat doen?'

'Hoe moet ik dat nou weten. Ik heb totaal geen verstand van boten. Ik heb er een pesthekel aan.' Ze was geïrriteerd. Ze pakte haar sigaret en probeerde een trekje te nemen, maar hij was uitgegaan, dus legde ze hem terug in de asbak.

'En dan nog wat. Elsa kon heel goed zwemmen.' Ik zei niet hoe ik dat wist. Ik wilde niet te veel informatie weggeven. 'En zo ver was het niet naar de kust. Hoe kan ze nu op de terugweg zijn verdronken?'

Arianrhod haalde haar schouders op. 'De stromingen daar zijn erg verraderlijk. En in de baai komt de vloed altijd heel snel opzetten. En als het eenmaal vloed is, krijg je geen vaste grond meer onder je voeten. De rotsen liggen dan te diep onder water.'

'Maar ze had zich aan de steiger omhoog kunnen hijsen.'

'Dat kan ook heel lastig zijn.' Ze zweeg even. Ik zag dat ze ergens over nadacht. Over iets wat ze me niet vertelde.

Ze stond op, alsof ze ineens een besluit had genomen.

'Kom,' zei ze. 'We gaan ernaartoe, dan laat ik het je zien.'

21

Buiten was de wind aangetrokken. De bladeren ritselden zacht toen we over het gazon achter het huis Arianrhods kusttuin in liepen, omsloten door de hoge muren. Nu het bijna winter was, zag hij er minder mooi uit dan de laatste keer dat ik hier was geweest. Toen we erdoorheen liepen, viel me op dat ze de tuin flink had verwaarloosd. Ze had de rozen niet gesnoeid, de bloembedden stonden vol droge bruine stengels en het stukje moestuin was niet meer aangeraakt en lag te verrotten.

Ze deed het houten poortje open en ging me voor naar het pad dat boven langs de klif liep. We liepen voorzichtig, modderpoelen ontwijkend, en bleven boven aan de trap even naar het uitzicht staan kijken. Er viel die dag niet veel te zien. Er hing een dichte mist boven het bruine water, en de lucht was loodgrijs.

Ik keek naar de glibberige treden die uit de rots waren gehouwen en naar het strand beneden leidden. Het was vloed en het water kwam tot aan de voet van de rotsen. Zo had ik de baai nog niet eerder gezien, met het water dat het vulkanische gesteente helemaal bedekte. Onwillekeurig rilde ik, terwijl ik terugdacht aan de eerste keer dat ik hier was geweest en vanaf de rand van de klif naar zee had gekeken, met Arianrhod; en aan de tweede keer, toen ik met Gwydion de trap af was gegaan, naar het strand diep beneden ons.

Arianrhod zag dat ik nerveus naar de trap keek.

'Kom. Ik ga wel voor.'

Ze begon naar beneden te lopen, zich nog even omdraaiend om me te gebaren haar te volgen. Ze pakte de leuning niet vast, maar hield zich in evenwicht door haar armen uit te steken. Ik was voorzichtiger. Ik pakte de leuning beet, manoeuvreerde me op de bovenste tree en liep toen langzaam, behoedzaam, voetje voor voetje naar beneden, alle uitsteeksels en scheuren van elke tree met mijn voet betastend voordat ik er mijn volle gewicht op durfde te zetten.

Arianrhod keek om en grijnsde. 'Ik zie je beneden wel.'

Ze liep snel voor me uit de trap af, het was bijna alsof ze sprongetjes nam. Ze leek ineens energiek, zorgeloos bijna. Ik had haar nog niet eerder zo gezien. Vluchtig vroeg ik me af of het gevaar, de mogelijkheid te kunnen vallen, haar soms opwond. Maar ik concentreerde me voornamelijk op mijn eigen trage tocht naar beneden en kon alleen maar hopen dat ik niet zou struikelen en mezelf bezeren. Ik ben geen durfal, nooit geweest ook; ik weet dat sommige mensen een kick krijgen van risico's nemen, maar dat geldt niet voor mij – tenminste niet als het om lichamelijke risico's gaat.

Toen ik eindelijk beneden was en de steiger op liep, stond Arianrhod naar de zee te kijken. Ze draaide zich niet om toen ik naast haar kwam staan.

'Het is hier behoorlijk diep, hè?' zei ik. 'Als het vloed is.'

'Mm.' Arianrhod luisterde niet. Ze leek afwezig. 'Laten we naar het einde lopen,' zei ze, nog steeds met haar blik op de horizon gericht. 'Dat moet de plek zijn waar Elsa heeft geprobeerd aan land te komen. Ik zal het je laten zien.'

Ik keek naar de steigerplanken onder mijn voeten. Er ontbraken er wat, iets wat me niet eerder was opgevallen. Andere waren vermolmd door het zeewater.

'Is het veilig? Ik bedoel, met deze wind?'

Arianrhod draaide zich om en keek me aan. Ik zag een geamuseerde glans in haar ogen, wat me, gezien de omstandigheden, nogal eigenaardig voorkwam.

Ze knikte en nam me aan mijn arm mee naar het eind van de steiger. Daar bleven we even staan, met de wind die in ons gezicht blies en overal om ons heen water dat een eigenaardig klotsend geluid maakte wanneer het tegen de houten planken onder onze voeten sloeg. Ik dacht aan die keer dat Gwydion en ik elkaar hier hadden gekust. Toen had het water dat tegen de steiger klotste, me opgewonden; nu maakte het me alleen maar bang.

Ik wou dat ze mijn arm losliet. Het gaf me een ongemakkelijk gevoel dat ze me vasthield, maar het leek me onbeleefd om me los te rukken.

'Waarom zou Elsa zich hier niet omhoog hebben kunnen hijsen?' vroeg ik, terwijl we naar de zee stonden te kijken. Ik sprak bijna in mezelf. 'Dat zou toch niet zo moeilijk zijn geweest? Tenzij...'

Ik voelde dat Arianrhod mijn arm steviger beetgreep.

'Tenzij hier iemand stond. Iemand die haar tegen –'

Ik weet niet precies wat er toen gebeurde. Ik voelde dat ze hard in mijn arm kneep en me toen plotseling een duw in mijn rug gaf. Ik schrok, ik begreep niet wat er aan de hand was.

'Wat...' Ik probeerde me los te maken, maar het was al te laat. Arianrhod probeerde me uit alle macht van de steiger te duwen.

Ik wankelde even, met mijn blik op het ondoorzichtige bruine water onder me. Nog een duw, een hardere, en toen liet ze los. Ik voelde dat ik viel, en toen ik het ijzige water raakte, trok er een stekende pijn door mijn buik, mijn armen, mijn schouders, mijn hoofd, mijn rug, mijn hele lichaam.

Ik ging kopje-onder en hapte naar adem. Toen ik weer boven kwam, was ik nog maar een paar centimeter van de steiger verwijderd, dus ik greep intuïtief een van de houten planken beet en hield me er stevig aan vast.

Arianrhod stond boven me. De blik waarmee ze me aankeek, was er een van pure woede. Pas toen besefte ik dat ze vastbesloten was me te beletten uit het water te komen.

Ik probeerde de steiger ook met mijn andere hand vast te pakken om erop te kunnen klauteren, maar ze deed een stap naar voren, bracht haar voet omhoog en trapte er weloverwogen en keihard mee op mijn vingers.

Het uitschreeuwend van de pijn liet ik de steiger los. Er kwam een golf aanrollen die over mijn hoofd sloeg en ik kreeg water in mijn mond. Terwijl het water over mijn hoofd raasde, begon ik te stikken. Mijn hand deed verschrikkelijk pijn. Maar de golf rolde verder en ik kwam weer boven en zwom opnieuw naar de steiger.

Toen ik de steiger wilde beetpakken, aarzelde ik even. Watertrappelend keek ik omhoog naar Arianrhod.

Ze bukte zich. Een fractie van een seconde dacht ik dat ze van gedachten was veranderd en me eruit wilde trekken, maar ze grijnsde alleen maar naar me.

'Nou weet je het,' zei ze, haar stem verheffend om boven het geluid van de wind uit te komen. 'Dit is wat er met Elsa is gebeurd. Ze is verdronken. En jij gaat ook verdrinken.'

Hoewel ik nauwelijks kon geloven wat ze zei, was de blik in haar ogen angstaanjagend.

'Alsjeblieft...' fluisterde ik, maar mijn stem werd weggedragen op de wind. 'Laat me...'

Ik schoof mijn vingers voorzichtig over de rand van de steiger.

Ze ging meteen rechtop staan, klaar om weer op mijn hand te trappen. 'Dat krijg je ervan als je mijn man neukt. Jij. Elsa. En al die anderen.'

Ik trok mijn hand weg.

'Maar dat heb ik niet gedaan... ik heb...'

'O, jij misschien niet. Nog niet. Maar vroeg of laat zal het er wel van komen, toch?' Haar stem klonk hatelijk. 'Waar heeft hij jou mee proberen over te halen? Ach, ik weet het al, hij zei dat je in een film van hem mocht meespelen. Maar ben je daar eigenlijk niet een beetje te oud voor?'

Het was een slag in de lucht, dat wist ik zeker. Arianrhod kon onmogelijk weten dat ik Evan een paar keer had gesproken. En zelfs als ze er op de een of andere manier lucht van had gekregen, dan was haar beschuldiging onterecht. Ik begon te protesteren, maar toen besefte ik, met toenemende schrik, dat ze er eigenlijk niet eens zo ver naast zat, al was het dan ook duidelijk dat ze zomaar wat riep. Ik was in Evans versierpraatjes getrapt – zijn vleiende woorden over mijn intelligentie en uiterlijk – net als alle anderen. Ik had me als een onnozel jong meisje gedragen, precies hetzelfde als de arme Elsa die in zijn Strindberg-praatje was getrapt. En nu zou ik hetzelfde lot als haar ondergaan.

Er sloeg nog een golf over me heen en ik ging weer kopje-onder. Of ik kan beter zeggen dat ik niet meer wist wat boven of onder was.

Ik droeg mezelf op om niet in paniek te raken. Dus perste ik mijn lippen op elkaar en hield mijn adem vast, wachtend tot de golf voorbij was en ik weer naar boven kon om naar lucht te happen. Ik hoorde een stemmetje in mijn hoofd, mijn eigen stem. *Dit is belachelijk*, zei het. *Dit kan gewoon niet de manier zijn waarop je sterft. Dit is alleen maar water, koud water. Je kunt eruit zwemmen, die steiger op klauteren. Je kunt niet toestaan dat een of andere gestoorde vrouw je dat belet.*

Terwijl het water om mijn hoofd draaide, voelde ik dat er kleine steentjes en kiezels in zaten die in mijn neus, mijn oren en mijn haar kwamen.

Ik bleef mijn adem inhouden.

Toen hoorde ik een andere stem in mijn hoofd, deze keer een stem die ik niet kende. *Ja, het is ook belachelijk*, zei de stem. *Maar wist je dat dan niet? De dood is belachelijk. De dood van wie dan ook is belachelijk.*

Ik begon wild met mijn armen en benen te zwaaien. Ik moest lucht hebben, ik moest boven water zien te komen, maar ik wist niet meer wat boven en onder was.

Dit is jouw dood, Jessica Mayhew. En die zal belachelijk zijn. Compleet belachelijk, zoals de dood van iedereen.

Nella, dacht ik. Rose. Bob.

Opnieuw sloeg er een golf over me heen, en ik voelde mijn lichaam tegen iets hards stoten. Dit is het, wist ik.

Maar ik kan nu niet doodgaan. Ze hebben me nodig.

Ik stak mijn handen uit. Het was een stang. Een ijzeren stang. De stang van de steiger. Als ik daar het uiteinde van zou kunnen vinden...

Mijn longen barstten uit elkaar. Ik tastte langs de stang, hopend dat ik de goede kant uitging, maar ik kwam niet dichter bij de oppervlakte. Ik begreep dat het geen zin had. Vroeg of laat, water of geen water, had ik zuurstof nodig.

Net toen mijn longen zich met water dreigden te vullen, kwam mijn hoofd ineens boven water.

Ik begon, naar adem happend, te huilen van opluchting. Er was dus toch nog hoop. Ik lag nog steeds in zee en zag geen uitweg, maar ik kon in elk geval even ademhalen...

Ik keek omhoog naar de steiger. Mijn blik was vertroebeld. Eerst dacht ik dat de steiger leeg was, dat er niemand meer stond, maar toen ontwaarde ik de gestalte van Arianrhod, hoog boven me uittorenend.

Ik klampte me vast aan de stang van de steiger, vastbesloten om niet los te laten.

Ze kwam mijn kant uit, van plan om me weg te duwen. Onder water sloeg ik mijn benen om de stang en liet mijn bovenlichaam ervan afdrijven, zodat ze me niet te pakken kon krijgen. Toen ze zich bukte, zag ik dat ze woedend was.

Ik gebruikte mijn armen om water naar haar toe te spatten. Het was een slap gebaar, dat haar nog bozer maakte.

'Je hebt het allemaal aan jezelf te wijten,' beet ze me toe, terwijl ze het water uit haar ogen veegde. 'Je wist donders goed waar je mee bezig was. Je had het recht niet om zo met mensen te spelen. Een beetje rondparaderen, pakken wat en wanneer je maar wilde. Het was gewoon niet eerlijk...'

Hoewel ze onder het praten naar mij keek, was het bijna alsof ze het tegen zichzelf had, alsof ze een oude litanie van haat reciteerde.

'Ik doe alleen maar wat ik moet doen,' mompelde ze zacht. 'Je verdiende het verdomme. Daar een beetje vriendelijk zitten lachen, als de onschuld zelve.' Ze ging weer harder praten. 'Stomme trut. Dit is je eigen domme schuld, niet de mijne...'

Ze ging op de rand van de steiger zitten en probeerde me van de stang te schoppen. Een van haar schoenen viel naast me in het water.

Ik pakte hem en smeet hem naar haar hoofd. Ze dook weg en de schoen vloog langs haar heen. Hoewel het opnieuw een zwakke poging tot verzet was, was het genoeg om haar nog kwader te maken.

Ze trok haar andere schoen uit en gooide hem naar mij. Hij raakte me recht in het gezicht, en ik voelde een scherpe pijn over mijn voorhoofd trekken. Ik hapte naar adem. Mijn mond vulde zich meteen met water en mijn benen lieten de stang los. Er sloeg nog een golf over me heen, maar deze keer wist ik rechtop te blijven toen ik kopje-onder ging.

Toen het water wegtrok, deed ik mijn jas uit, die zwaar was van het water. Ik keek naar de steiger. Iedere keer dat ik kopje-onder ging, hoopte ik dat het allemaal alleen maar een nachtmerrie zou blijken te zijn wanneer ik weer boven water kwam. Maar iedere keer stond Arianrhod er, met haar donkere hoofd afgetekend tegen de lucht.

'God, alsjeblieft,' fluisterde ik bij mezelf. 'Help me.'

Ik voelde mijn tenen en handen niet meer, en de ijzige kou trok van mijn hoofd in mijn torso en ledematen. Ik wist dat ik van de kou zou sterven als ik niet gauw uit het water kwam. Het was slechts een kwestie van tijd.

Weer zwom ik zo dicht naar de steiger toe als ik maar durfde.

'Dit kun je niet maken,' schreeuwde ik. 'Je draait de gevangenis in...'

Ze luisterde niet. Waarschijnlijk kon ze het niet horen met de wind die in onze oren suisde, maar toch ging ik door.

'Ik kan je uitleggen wat er met Evan is gebeurd. Laat me gewoon uit het water komen. Dan kunnen we praten...'

Ze staarde naar de zee en negeerde me.

Ik bleef op een veilig afstandje van de steiger een poosje water-trappelen. Ik weet niet hoelang, maar het leken uren. Ik voelde dat de kou langzaam bezit van me nam, eerst van mijn voeten, toen van mijn benen, en toen van mijn handen en armen.

Het is gewoon een kwestie van tijd, hield ik mezelf voor. Maar de tijd was op haar hand, niet op de mijne.

Op dat moment keek ik omhoog en ineens zag ik in de verte een kleine gestalte boven aan de uitgehouwen trap staan. Ik wendde mijn blik af. Stel dat ik het me verbeeldde, net als een of andere uit-gedroogde reiziger in de woestijn die een fata morgana ziet? Maar toen ik weer keek, kwam de gestalte de trap af, naar de steiger toe. Uit de manier van bewegen maakte ik op dat het een man was.

Ik schreeuwde niet om hulp. De man was te ver weg om me te kunnen horen. En ik wilde ook niet dat Arianrhod iets zou merken. Ik wist niet wie hij was, ik wist niet of hij hier was om mij te helpen, maar ik wist wel dat ik, wat er ook gebeurde, de kans zou krijgen om uit het water te klauteren en het te overleven zodra de man bij de steiger was.

Dus bleef ik op dezelfde plek watertrappelen. Drie keer kreeg ik nog een golf over me heen, en steeds als ik boven kwam, was ik bang dat de man zou zijn verdwenen. Maar hij was er iedere keer nog, steeds dichterbij, tot hij eindelijk de steiger op liep.

Ik zag dat Arianrhod zich verbaasd omdraaide.

Het was Gwydion.

Toen ik hem zag, maakte mijn hart een sprongetje. Ik wist niet goed hoe en wat, maar ik wist wel dat hij was gekomen om me te redden.

Voordat hij bij het eind van de steiger was, rende Arianrhod al naar hem toe. Ik kon het niet goed zien, maar het leek alsof ze zich in zijn armen liet vallen. Het leek alsof ze elkaar omhelsden. Ik vroeg me af of ik me soms had vergist en raakte opeens bevangen door paniek. Misschien was Gwydion wel helemaal niet gekomen om me te helpen. Misschien spanden Arianrhod en hij wel samen. Misschien kwam hij haar helpen om me te verdrinken. Of om zich te verkneukelen.

Ik begon te huilen. Geen echte tranen, meer een soort theatraal gejank, zoals van een kind dat zijn zin niet krijgt. Dit is echt te veel voor me, zei ik bij mezelf. Eerst de belofte van hoop. En dan...

Ik zag de omhelzing omslaan in een worsteling. Ik hoorde flarden van geschreeuw, meegevoerd op de wind. En toen rende Gwydion naar het einde van de steiger, waar hij zich bukte en me zijn hand toestak.

Ik zwom naar hem toe. Mijn benen waren inmiddels compleet gevoelloos. Dus trok ik mezelf voorwaarts met mijn armen, tot ik aan de rand van de steiger was.

Op dat moment verscheen Arianrhod achter Gwydion. Ze gilde naar hem, trok hem aan zijn schouder. Maar hij negeerde haar gekrijs en duwde haar van zich af.

Ik pakte zijn hand en zag zijn geschrokken blik toen hij de snee op mijn gezicht ontwaarde.

'Laat die hoer toch.' Arianrhod was buiten zichzelf van woede en stond in zijn oor te krijsen. 'Ze zit achter je vader aan, die trut, net als alle anderen.'

Ik voelde Gwydion schrikken toen hij dat hoorde. Hij keek me recht in de ogen en ik keek terug. Hij vroeg niets en ik zei niets, maar ik wist dat hij wist dat er een kern van waarheid in haar woorden school.

Hoewel hij even aarzelde, verslapte zijn greep niet.

Als ik enige tegenwoordigheid van geest had gehad, zou ik hebben gelogen. Zou ik hem hebben gezegd dat ik zijn vader zelfs nog nooit had gesproken, dat zijn moeder knettergek was. Alles om uit dat ijskoude water te komen. Maar ik loog niet. Ik schreeuwde alleen maar: 'Help me, Gwydion, alsjeblieft. Help me.'

Hij stak me zijn andere hand toe. Ik pakte hem beet, en hij trok me in één snelle beweging het water uit.

Hij tilde me op, een beetje wankelend, en legde me toen voorzichtig op de planken. Mijn lichaam voelde aan als een dood gewicht. Het water stroomde uit mijn kleren. Mijn hoofd tolde, en even vroeg ik me af of het niet te laat was, of ik niet alsnog zou sterven.

Gwydion boog zich over me heen en hield mijn schouders vast toen ik begon te kokhalzen, het zeewater uit mijn longen opdreggend.

Ik liet mijn hoofd vooroverhangen, hield het stevig vast tussen mijn handen, in de hoop dat het gedraai dan zou ophouden. En toen begon ik hevig te rillen.

'We moeten haar naar huis brengen,' zei hij op scherpe toon tegen Arianrhod. 'Vooruit, help me even.'

Arianrhod reageerde niet.

Gwydion probeerde me op te tillen, maar ik gaf te kennen dat hij even moest wachten. Ik was te misselijk om beweging te kunnen verdragen. Toen trok hij zijn jas uit en sloeg hem om me heen.

Ik hoorde dat hij zijn mobieltje pakte en een nummer intoetste.

'Ja, en de politie,' zei hij, in antwoord op iemand aan de andere kant van de lijn. Hij vertelde waar we precies waren en hoe ze hier konden komen.

Ik weet niet wat er daarna gebeurde. Ik raakte steeds weer buiten bewustzijn en zag niets dan water en rotsen en zee en lucht. Ik was zo misselijk en had zo'n pijn dat ik het liefst dood wilde, vredig verdwijnen in de duisternis die me opeiste.

Toen hoorde ik in de verte een bulderend geluid. Ik keek naar de lucht, nauwelijks bij machte mijn hoofd op te tillen, en zag een groot, dik, zoemend insect komen aanvliegen. Toen het dichterbij was, drong vaag tot me door dat het een helikopter was. En dat die ons kwam helpen.

Precies op dat moment hoorde ik een schreeuw en daarna een plons. Toen ik over mijn schouder keek, zag ik dat Arianrhod van de steiger was gedoken en in de richting van de open zee zwom.

'Gwydion,' zei ik. Mijn stem leek zich ergens in mijn borstkas te hebben teruggetrokken en het enige wat eruit kwam, was een schor geluid. 'Doe iets.'

Maar Gwydion verroerde zich niet. Hij bleef bij me, me beschuttend tegen de wind, terwijl de helikopter boven ons wiekte, steeds dichterbij, klaar om te landen.

22

Het duurt niet lang of je bent eraan gewend dat je in het ziekenhuis ligt. Hoewel ik er pas een week lag, keek ik uit naar mijn kop thee halverwege de ochtend, maakte ik me druk over wat ik zou aankruisen op het lunchmenu en was ik nieuwsgierig naar de bezoekers van de andere patiënten. Ik besefte dat ik geïnstitutionaliseerd raakte en dat het tijd werd om naar huis te gaan. Er was niet veel mis met me, mijn longen waren weer schoon, maar ze wilden me houden tot ik wat op krachten was gekomen. In bed voelde ik me prima, maar wanneer ik opstond voelde ik me slap en stond ik te trillen op mijn benen. En ik sliep grote stukken van de dag – hoewel ik dat beter thuis had kunnen doen, bedacht ik, want het ziekenhuisleven was lawaaiig, het was een komen en gaan van mensen en er waren voortdurend onderbrekingen.

Er kwam een verpleegster naar mijn bed toe. Ik sloot mijn ogen en deed alsof ik sliep. Ik wilde geen medicijnen meer. Ik kreeg er langzamerhand genoeg van om de hele dag, en nacht, in een soort mist door te brengen.

'Er is bezoek voor u,' zei ze. Ik nam aan dat het Bob was, die me iedere dag opzocht, meestal met de meisjes in zijn kielzog, maar toen ik mijn ogen opendeed, zag ik Mari bij het voeteneinde staan.

'Hoi,' zei ik. Ik gebaarde naar een stoel naast het bed. 'Neem plaats.'

Mari kwam naar me toe en omhelsde me.

'Hoe gaat het met je, *cariad*? Ik wilde eigenlijk al eerder komen, maar Bob zei dat je het nog niet aankon.' Ze leek een beetje verontrust.

'Ach, hij maakt zich overal druk om. Het gaat prima met me, echt. Ik denk dat ik wel snel naar huis mag.'

Nadat ze was gaan zitten, viste ze uit haar tas een klein doosje bonbons, in goudpapier verpakt, met een geel lintje erom en een gele papieren bloem erop.

'O.' Ik pakte het doosje van haar aan. 'Dank je.'

'Handgemaakt, schat,' zei ze, met iets van zelfspot in haar stem. 'Een rib uit mijn lijf.'

Ik schoof het lintje opzij, maakte het doosje open en pakte de eerste de beste bonbon, want ik had geen zin om er eentje uit te moeten kiezen. Daarna gaf ik haar het doosje.

Ze bestudeerde zorgvuldig de uitleg en pakte toen pas een bonbon. Een witte, met een klein geglazuurd roosje erop.

In stilte zaten we even op onze bonbons te sabbelen. Ik genoot ervan, hoewel ik er ook een beetje misselijk van werd.

'Dus.' Ze hield haar hoofd schuin toen ze sprak, en ik begreep dat ze, voor deze ene keer, haar woorden zorgvuldig koos in een poging om tactvol te zijn. 'Je hebt het behoorlijk voor je kiezen gehad zo te horen.'

'Mm.'

'Wil je erover praten?'

'Jawel, hoor.' Ik slikte het laatste stukje bonbon door. 'Eerlijk gezegd ben ik behoorlijk dom geweest. Ik wist niet dat Arianrhod Morgan zo'n...' Ik aarzelde even, want het drong ineens tot me door dat ik het er eigenlijk helemaal niet over wilde hebben. Dat bracht alleen maar allerlei angstaanjagende herinneringen naar boven, herinneringen die 's nachts voor rare dromen zorgden, nachtmerries waarin ik blind en doof en stom was en ondersteboven in het water dreef en mijn vingers van mijn handen zag vallen en niet meer kon ademhalen...

Ik maakte mijn zin niet af, ik wilde dit gesprek niet voeren. Mari bood me nog een bonbon aan, maar die sloeg ik af.

'Wat is er trouwens met haar gebeurd?' vroeg ze, terwijl ze er zelf nog eentje nam.

'Ze is verdronken. De politie heeft haar...' Ik stopte, niet in staat verder te gaan.

'Haar lichaam gevonden?' zei Mari zacht, toen ze mijn aarzeling bemerkte.

'Ze is op het strand aangespoeld, in de eerste inham naast de baai.' Ik zweeg even. 'Het is onmogelijk dat ze daarnaartoe is gezwommen, zei de politie. Dat was te ver. En het water was zo koud dat ze waarschijnlijk vrij snel is... is bezweken.'

Om de een of andere reden kreeg ik het woord 'gestorven' niet over mijn lippen. 'Bezweken' was echter geen slecht alternatief. Ernest Jones gebruikte het altijd wanneer een van zijn patiënten als resultaat van zijn hulp het loodje legde. En een van Freuds vrienden 'bezweek' toen Freud hem een extra hoge dosis cocaïne aanbeval als opkikkertje. Ik heb het nog nooit horen gebruiken om een verdrinkingsdood mee te beschrijven, maar ik vond het over het algemeen wel een nuttig eufemisme. Misschien dat ik er in de toekomst vaker mijn toevlucht toe kon nemen.

Mari sabbelde nadenkend op haar bonbon, haar wangen naar binnen zuigend. 'Nou, gelukkig maar,' zei ze. 'Wat een psychopaat. Ze had je...' Ze wilde nog iets zeggen, maar toen ze mijn gezicht zag, hield ze zich gauw in.

Na een korte stilte vroeg ze: 'En wat gaat er nu gebeuren?'

'Nou ja, het is een kwestie van de scherven weer bij elkaar rapen, denk ik.' Ik zweeg even. 'Ze hebben alle aanklachten tegen Evan Morgan ingetrokken. En Bob heeft contact opgenomen met de moeder van het meisje, Solveig, om haar te vertellen wat er is gebeurd. Want weet je, toen...' Weer wist ik niet goed hoe ik het moest zeggen. 'Toen ik met Arianrhod op de steiger stond, vertelde ze me dat ze... Nou ja, ze bekende dat zij schuldig was aan Elsa's dood.'

Mijn stem beefde een beetje. Mari merkte dat en bedwong haar nieuwsgierigheid, want ze voelde dat ik er nog niet aan toe was om alles tot in detail te vertellen.

Ze veranderde van onderwerp. 'Hoe nam de moeder van dat meisje het nieuws op?'

'Solveig? Ze reageerde blijkbaar heel geëmotioneerd. Maar ze kan het hierdoor wel afsluiten. Na al die jaren.'

'Heb jij haar nog gesproken?'

'Nog niet. Maar dat wil ik nog wel. Bob zei dat ze, zodra ik weer thuis ben, hiernaartoe komt.'

Mari kneep even in mijn hand.

'Nou, dan heeft het allemaal toch nog iets goeds opgeleverd,' zei ze. 'En Gwydion? Bob vertelde me dat hij je heeft gered.'

Ik aarzelde even. 'Ja. Hij moet hebben geweten dat ik, na wat hij me had verteld, naar Arianrhod zou gaan. En dat zij dan niet... niet al te goed zou reageren. Hij aanbad haar, maar ook hij moet hebben beseft dat er grenzen zijn.' Na een korte stilte voegde ik eraan toe: 'Hij was behoorlijk gehecht aan me geraakt, snap je.'

Weer een korte stilte, en ik vroeg me af of Mari soms had geraden dat er zich iets had afgespeeld tussen Gwydion en mij.

'Hoe gaat het nu met hem?' vroeg ze na een tijdje.

Ik wist niet veel over Gwydions geestestoestand. Om voor de hand liggende redenen had ik vermeden om het daar met Bob over te hebben. Ik had ook vermeden om het over Evan te hebben, om soortgelijke redenen. Bob hielp Evan echter met de nasleep van de zaak en had me verteld dat Evan na Arianrhods dood veel aandacht aan Gwydion besteedde. En als gevolg daarvan maakte Gwydion een opvallend herstel door.

'Aardig goed, volgens mij, gezien de omstandigheden,' antwoordde ik. 'Ik heb gehoord dat hij niet meer in The Grange zit. En Evan is hem aan het coachen voor een nieuwe rol in een tv-serie. Volgens mij kun je wel een beetje van een verzoening spreken.'

Ik glimlachte en Mari glimlachte terug. Toen zuchtte ik en ging weer met mijn hoofd op het kussen liggen, ineens heel moe.

'Deze puzzel heeft zoveel stukjes,' zei ik. 'En het probleem is dat ik op het ogenblik niet helder kan denken.'

'Dat is toch ook nergens voor nodig, Jess.' Mari's stem was ongewoon vriendelijk. 'Alles gaat goed. Je hoeft er alleen maar voor te zorgen dat je gauw weer beter bent.'

Opnieuw viel het gesprek even stil. Het kostte me moeite mijn ogen open te houden, hoewel ik mijn best deed om dat niet te laten merken. 'Nog een bonbon?'

Mari moest toch hebben gemerkt dat ik moe was. 'Nee, nee. Die zijn voor jou. En ik moet er trouwens maar weer eens vandoor.' Ze stond op. 'We hebben het er een ander keertje nog wel over.'

Hoewel ik het leuk had gevonden als ze nog wat was gebleven, voelde ik me te zwak om haar tegen te spreken. Ze gaf me een kus, en ik keek haar na terwijl ze de kamer uit liep, nog even naar me wuivend.

Aardig dat ze even was langsgekomen, dacht ik bij mezelf. Ik sloot mijn ogen en soesde weg.

Toen ik mijn ogen even later weer opendeed, stond Bob over me heen gebogen.

Ik wierp een blik op de klok. Er waren twee uur verstreken. Het leek wel of dat steeds gebeurde. Ik kon me niet herinneren dat ik had geslapen, gedroomd, dat er tijd was verstreken. Grote brokken van de dag gingen verloren, raakten kwijt. Het werd wel met de dag beter – maar het ging langzaam en ik werd ongeduldig. Ik wilde mijn krachten terug en begon me af te vragen of dat ooit nog zou gebeuren.

Hij boog zich voorover en gaf me een kus op de wang. Toen ging hij op bed zitten.

'Laat de verpleging dat maar niet zien,' zei ik.

'Waarom niet?'

'Bacteriën.'

'Allemachtig zeg.' Hij pakte mijn hand beet. 'Je bent toch mijn vrouw? Ik mag met je doen wat ik wil.'

Ik lachte, net als hij.

We hadden onze ruzie min of meer bijgelegd. We hadden het er niet uitgebreid over gehad – dat kwam nog wel – maar hij had een keertje gezegd dat hij opnieuw wilde beginnen zodra ik weer thuis was. Door het hele gebeuren was hij gaan beseffen hoeveel hij van me hield, hoe graag hij wilde dat ons huwelijk zou slagen. Eerlijk gezegd wist ik niet zeker of ik er net zo over dacht, hoewel ik dat niet hardop zei; ik zat te wachten tot mijn hersens weer wat normaler zouden werken voordat ik een beslissing nam.

In werkelijkheid was ik nogal geschokt door de gevolgen van Bobs affaire van een tijdje geleden. Omdat ik onbewust mijn woede op Bob op Evan had geprojecteerd, ook een echtgenoot die vreemd-ging, was ik blind geweest voor het feit dat Arianrhod Evan een moord in de schoenen probeerde te schuiven, laat staan dat ik vermoed had dat ze zelf de moordenaar was. En als gevolg daarvan was ik zelf bijna dood geweest. Ook had ik bijna een rol gespeeld bij een mogelijke gerechtelijke dwaling, mocht ik tijdens de hoorzitting van Evan Morgan als getuige-deskundige zijn opgetreden. En dat allemaal omdat ik mijn gezonde verstand niet had gebruikt, omdat ik mijn beoordelingsvermogen had laten vertroebelen door Bobs eenmalige misstap.

Ik ben geen moralist als het om huwelijkse ontrouw gaat. Ik heb in mijn praktijk genoeg choquerende verhalen gehoord om te weten dat de mens niet erg goed is in monogamie en dat veel mensen moeite hebben om zich te schikken naar wat sommigen als een benauwende culturele norm beschouwen. Meestal kan ik me wel inleven, niet alleen in degenen die bedrogen zijn, maar ook in degenen die bedriegen; hoe mensen erin slagen, of niet, hun seksuele driften te reguleren is een onderwerp van een enorme complexiteit en tegenstrijdigheid, iets waar Freud ons al heel lang geleden op heeft gewezen; en sinds die tijd is er eigenlijk weinig veranderd. Ik ben zelf altijd erg verbaasd over mijn jongere cliënten die heel achteloos, vulgair over seks kunnen praten, maar vervolgens vaak erg streng oordelen wanneer het gaat over ontrouw binnen een langdurige relatie.

Dus was het des te verrassender dat ik, toen het probleem zich in mijn leven voordeed, op deze manier had gereageerd. En wat nog erger was, dat ik blind was geweest voor mijn eigen gedrag. Ik had het er op zijn minst met een collega over moeten hebben, contact moeten opnemen met mijn supervisor, om enig inzicht te krijgen in mijn gedrag. Maar in plaats daarvan was ik achteloos doorgegaan, met het idee dat ik mijn gevoelens van jaloezie en woede op een bewonderenswaardig kalme, verstandige manier in de hand had. Soms denk ik weleens dat psychotherapeuten eerder minder dan meer inzicht in hun eigen gedrag hebben dan andere mensen; we worden verwaand, we denken de boel een stap voor te zijn, onze eigen zwakheden te kennen en ermee te kunnen omgaan; en dat is dodelijk. Dat is de allerhoogste vorm van eigenwaan. Ik heb iets geleerd van mijn beproevingen, door schade en schande ben ik wijzer geworden. In de toekomst zal ik voorzichtiger moeten zijn. Nederiger...

Wat nog steeds geen antwoord is op de vraag: hoe moet het verder met Bob en mij? Zijn korte affaire was verre van 'totaal onbelangrijk' geweest, zoals hij het zelf had genoemd. Het had het leven van ons allebei flink op de kop gezet, op manieren die we geen van beiden hadden kunnen voorzien. Deed dat er nu nog toe? Tja, ik had wraak genomen, of tenminste de kans daartoe gehad, met Gwydion. Als Mari's idee van het huwelijk als een machtsspelletje klopte – en na getuige te zijn geweest van wat er in het gezin van de Morgans was gebeurd, begon ik daar wel wat voor te voelen – hadden we een soort van evenwicht bereikt. Maar vertrouwde ik Bob nu? Ja, min of meer. Zijn intuïtie wat betreft Evan had geklopt, die van mij niet. Ik respecteerde en bewonderde hem nog steeds. Ik hield van hem. Maar misschien niet meer op de simpele, onvoorwaardelijke manier van vroeger...

'Jess, gaat het?' Bob had het tegen mij.

Ik besefte dat ik weer was weggedommeld, helemaal verzonken geweest in mijn eigen gedachten.

'Hoe gaat het met de meisjes?' vroeg ik, in een poging weer aansluiting bij hem te vinden.

'Prima. Ze hebben chocochipkoekjes voor je gemaakt. Kijk.' Bob gebaarde naar een plastic bakje op de televisietafel.

'Wat lief. Ik neem er straks wel eentje, bij de thee.' Na een korte stilte vroeg ik: 'En hoe zit het met... eh... dinges?'

Bob keek me niet-begrijpend aan.

'Je weet wel, dat vriendje van Nella.'

'O, Gareth. Nou, hij is vandaag weer langs geweest. Ze zijn blijkbaar heel vaak bij elkaar. Gitaar spelen en zingen en zo.' Hij zweeg even. 'Hij lijkt me wel een goeie knul.'

Hij haalde zijn schouders op, en ik begreep dat hij Nella's nieuwe vlam inmiddels wel mocht.

'En Rose? Waar is zij mee bezig?'

'Met Rose gaat het prima. Ze heeft besloten dat Miffy een vriendje moet hebben.'

'Wie?'

'Het konijn.'

'O.'

Ik vond het vervelend dat ik zowel de naam van het konijn was vergeten als die van het vriendje van Nella.

'Maak je niet druk,' zei hij, alsof hij mijn gedachten kon lezen. 'We redden ons voorlopig best zo. Maar je moet wel snel thuiskomen, Jess, we hebben je nodig. Ik heb je nodig.' Er trok een gekwelde blik over zijn gezicht. 'Pas nu besef ik hoe erg ik je nodig heb.'

Ik pakte zijn hand, nogal verbaasd. Bob is niet zo van de hartstochtelijke verklaringen. Zelf leek hij ook verbaasd, en een beetje verlegen.

'O,' zei hij, terwijl hij mijn hand losliet. 'Dat was ik bijna vergeten. Er is vandaag iets voor je komen, met de post.'

Hij gaf me een klein pakje. Ik keek naar het geprinte etiket op de voorkant. Het was van een webwinkel die antieke sieraden verkocht, en was aan mij geadresseerd. Omdat het stevig was ingepakt, duurde het even voordat ik het open had. Eerlijk gezegd gaf ik het halverwege op en nam Bob het van me over.

'Kijk,' zei hij, terwijl hij me een klein doosje gaf. Er zat geen kaartje bij. Ik maakte het dekseltje open en zag in het zijdepapier een ketting liggen. Ik hield hem op.

Het was een smalle zilveren ketting bezaaid met piepkleine grijze cameetjes, en met een antieke hanger van paarlemoer eraan. In de ronde gladde schelp was een prachtig tafereel gegraveerd van een ouderwets schip op een woelige zee, met elk opbollend zeil en elke top van de golf tot in detail bewerkt.

Ik hield de hanger in het licht en keek nog wat beter. De schelp was gestreept en doorzichtig, alsof een mist het schip in een spookachtige gloed zette, maar in het midden, boven de mast, scheen de zon vanachter een gegraveerde wolk door vier kleine gaatjes heen.

Pas toen drong tot me door wat het was.

Ik hield mijn hoofd voorover zodat Bob me de ketting om kon doen.

'Hij is mooi,' zei hij. 'Van wie is hij?'

'O. Gewoon van een ex-cliënt van me,' antwoordde ik. Toen ik naar de schelp keek, zag ik het schip glanzen in het licht. 'Een man die vroeger bang was voor knopen.'

Woord van dank

De verschijning van dit boek is te danken aan de hulp van velen. Speciale dank gaat uit naar Helen Williams, die me vanaf het begin met raad heeft bij gestaan; naar Margaret Halton, die me heeft geholpen het manuscript zijn definitieve vorm te geven; naar Peter Straus, die het onderdak heeft geschonken; en naar Trisha Jackson voor haar bekwame en meelevende redactionele oordeel.

Ook dank ik Natasha Harding en allen bij Pan Macmillan voor hun werk aan het boek.

Verder dank ik Izabela Jurewicz voor haar raadgevingen met betrekking tot de juridische aspecten van de tekst, en Carol Jones en David Rees voor het lezen van de eerste versies.

Ik ben mijn moeder Susan dankbaar voor de vele nuttige gesprekken over het boek; en John voor zijn niet-aflatende steun op alle fronten.

Literature Wales ben ik erkentelijk voor de schrijversbeurs die me in staat heeft gesteld dit boek te schrijven.